KB198024

상자 속의 사나이

세계문학전집
248

Антон Чехов : Человек в футляре

상자 속의 사나이

안톤 체호프 소설

박현섭 옮김

문학동네

일러두기

1. 번역 대본으로는 1988년 소련과학아카데미의 나우카출판사에서 발간한 체호프 전집(전30권)을 사용했다. Антон Павлович Чехов, *Полное собрание сочинений и писем в тридцати томах*, Издательство Наука, 1988.
2. 주석은 모두 옮긴이주다.

차례 ▌

굴

그 비 내리는 가을 황혼녘에 있었던 일을 기억하기 위해서는 특별히 애를 쓸 것도 없다. 아버지와 함께 인파가 북적거리는 모스크바의 거리에 서 있던 나는 어떤 이상한 병적 상태에 점차 빠져들어가는 걸 느낀다. 특별히 아픈 데도 없는데 양다리가 휘청거리고 말은 입안에서 겉돌고 고개는 맥없이 옆으로 기울어진다…… 암만해도 나는 곧 쓰러져서 의식을 잃을 것만 같다.

만약에 나를 병원으로 데려갔다면 의사는 틀림없이 내 침대 명찰에 Fames*라고 썼을 것이다. 이건 의학 교과서에도 나오지 않는 병명이다.

내 옆에는 내 친아버지가 해진 여름 코트 차림에 안감의 하얀 솜이

---

* '굶주림'이라는 의미의 라틴어.

삐져나온 벙거지를 쓰고 인도 위에 서 있다. 그의 발에는 구두 위에 신는 커다랗고 묵직한 덧신이 신겨져 있다. 그는 맨발에 덧신을 신고 있다는 사실을 사람들이 알아볼까봐 걱정된 나머지 낡은 각반을 종아리에 두르고 있다. 걱정도 팔자인 양반이다.

이 불쌍하고 어수룩한 괴짜 양반을 향한 나의 애정은 그의 멋쟁이 여름 코트가 너덜너덜해지고 더러워질수록 더욱 깊어간다. 그는 다섯 달 전에 사무직 일자리를 구하기 위해 수도로 왔다. 다섯 달 내내 도시를 헤매고 다니며 일자리를 알아보던 그는 오늘 결국 거리에 나서서 구걸하기로 결심한 참이다……

우리 맞은편에는 '주점'이라는 푸른색 간판이 걸린 커다란 삼층 건물이 있다. 내 머리는 힘없이 기우뚱하게 젖혀져 있기 때문에 본의 아니게 이 주점의 불 켜진 창문을 올려다볼 수밖에 없다. 창문들 너머로 사람들 모습이 어른거린다. 오르간의 오른쪽 부분과 두 점의 석판화와 천장에 매달린 램프들이 보인다…… 창문들 중 하나에 눈길을 던지던 나는 하얀 형체를 발견한다. 움직임이 없는 이 형체는 직선으로 이루어진 윤곽 때문에 전체적인 암갈색 배경 위에서 선명하게 두드러져 보인다. 나는 시력을 집중해서 그 형체가 벽에 걸린 하얀 간판이라는 사실을 알아낸다. 거기에 뭐라고 쓰여 있긴 한데, 정확히 뭔지는 보이지 않는다……

나는 이 간판에서 반시간 동안이나 시선을 떼지 못하고 있다. 간판의 하얀색은 내 시선을 끌어당긴다. 나는 마치 최면에 걸린 것 같은 느낌이다. 글씨를 읽으려 애써보지만 소용이 없다.

마침내 이상한 병증이 고조되기 시작한다.

마차들의 소음이 마치 천둥소리처럼 들리고, 거리의 악취 속에서 수천 가지의 냄새들이 낱낱이 구별되며, 주점의 램프와 가로등은 눈부신 번개처럼 보인다. 나의 오감이 너무 예민해져서 한계치 이상을 지각하고 있는 것이다. 나는 예전에 보지 못했던 것을 보기 시작한다.

"굴……" 나는 간판에 적힌 글씨를 알아본다.

이상한 단어다! 내가 이 세상에서 살아온 지 정확히 팔 년 하고도 삼 개월이 되지만 이런 단어는 여태껏 들어본 적이 없다. 혹시 이건 주점 주인의 성姓이 아닐까? 하지만 성이 적힌 간판은 실내가 아니라 대문 앞에 거는 법인데!

"아버지, 굴이 무슨 뜻이야?" 나는 아버지 쪽으로 간신히 고개를 돌리고 잠긴 목소리로 묻는다.

아버지는 듣지 못한다. 그는 군중의 움직임을 주시하면서 모든 행인을 눈으로 뒤쫓고 있다…… 그의 눈빛으로 보건대 행인들에게 뭔가를 얘기하고 싶은 눈치지만 그 운명의 말은 떨리는 입술 위에 마치 무거운 추처럼 걸린 채 터져나올 기미를 보이지 않는다. 그는 한 행인에게 과감히 다가가서 소매를 건드렸지만 상대가 뒤돌아보자 "죄송합니다"라고 말하더니 당황해서 뒷걸음질을 쳤다.

"아버지, 굴이 무슨 뜻이야?" 나는 다시 묻는다.

"그건 생물인데…… 바다에 살아……"

나는 단번에 이 미지의 바다 생물을 떠올려본다. 그것은 필경 물고기와 바닷가재의 중간쯤 되는 놈이리라. 바다 생물이니까 향긋한 통후추와 월계수 잎을 넣어서 생선 수프를 끓이면 틀림없이 아주 뜨끈하고 맛있을 것이다. 그 밖에도 뼈째로 끓인 시큼한 셀랸카*라든가, 바닷가재 소스라든가, 고추냉이를 곁들인 냉채라든가…… 나는 이 생물을 시장에서 가져와 잽싸게 손질해서, 뚝배기에 얼른 집어넣는 광경을 생생하게 떠올린다…… 모두들 배가 고프니까 빨리, 빨리…… 배가 너무 고파요! 부엌에서는 생선 튀김과 가재 수프 냄새가 풍겨온다.

그 냄새가 내 입천장과 콧구멍을 간질이고 내 온몸을 점점 사로잡는 걸 느낀다…… 주점에서도, 아버지에게서도, 하얀 간판에서도, 내 옷소매에서도 온통 그 냄새가 풍겨온다. 냄새가 너무 강렬해서 나는 맨입으로 씹기 시작한다. 마치 정말로 내 입속에 그 바다 생물 한 조각이 들어 있기라도 하듯 나는 씹어서 꿀걱 삼켜버린다……

느껴지는 쾌감이 너무 강렬해서 다리가 휘청거린다. 나는 쓰러지지 않으려 아버지의 소매를 붙잡고 축축한 여름 코트에 매달린다. 아버지는 덜덜 떨며 몸을 움츠린다. 그는 춥다……

"아버지, 굴은 정진용 음식**이에요? 부정한 음식은 아닌가요?" 나는 묻는다.

"굴은 산 채로 먹는 거란다……" 아버지가 말한다. "거북이처럼 딱딱한 껍질 속에 있는데…… 껍질이 두 쪽으로 이루어졌지."

내 몸을 간질이던 맛있는 냄새는 순식간에 사라지고 환영도 사라져버린다…… 이제 모든 걸 알겠군!

"아, 구역질나." 나는 속삭인다. "아, 구역질나!"

그래, 굴이라는 게 바로 그런 거였군! 나는 개구리를 닮은 생물을 상

---

* 고기, 생선, 양배추절임으로 만든 진한 수프.

** 러시아정교회에서는 연중 일정한 기간 동안 육식을 금하는 풍속이 있는데, 엄격한 금식이 아닌 경우에 생선 요리는 허용된다.

상한다. 개구리 한 마리가 조개껍질 속에 앉아 번들거리는 커다란 눈으로 바깥을 바라보며 징그러운 주둥이를 움찔거린다. 나는 조개껍질 속에 든 이 생물을 시장에서 가져오는 광경을 떠올린다. 집게발과 번들거리는 눈, 미끄덩거리는 피부…… 아이들은 모두 숨어버리고 식모는 질색한 표정으로 얼굴을 찡그리며 이 생물의 집게발을 들어 접시 위에 올려놓고 식당으로 가져간다. 어른들은 그것을 집어들고 먹는다…… 산 채로, 눈이며 이빨이며 발까지 먹는다! 그것은 찍찍거리는 소리를 내며 먹는 사람의 입술을 물려고 든다……

나는 얼굴을 찡그린다. 그런데…… 그런데 어째서 내 이가 이것을 씹고 있는 거지? 이 생물은 추잡하고 징그럽고 무섭다. 하지만 나는 맛이나 냄새가 느껴질까봐 두려워하면서도 그놈을 게걸스럽게 먹고 있다. 한 마리는 다 먹었고 이제 나는 두번째, 세번째 굴의 번들거리는 눈을 바라보고 있다…… 나는 이것들도 먹는다…… 급기야 나는 냅킨과 접시와 아버지의 덧신과 하얀 간판까지 먹어치운다…… 눈에 띄는 것이면 무엇이든 먹어치운다. 왜냐하면 음식을 먹어야 내 병이 나을 수 있다고 느끼기 때문이다. 무서운 눈으로 나를 노려보는 굴들이 혐오스럽다. 이놈들에 대한 생각 때문에 몸이 덜덜 떨리지만 그래도 먹고 싶다! 먹고 싶어!

"굴 좀 주세요! 굴 좀 주세요!" 내 가슴속에서 외마디 소리가 터져나온다. 나는 손을 앞으로 내민다.

"도와주세요, 여러분!" 바로 그때 아버지의 쥐어짜는 듯한 목소리가 아득하게 들려온다. "염치없는 부탁입니다만, 하느님! 버틸 기운이 없습니다!"

"굴 주세요!" 나는 아버지의 코트 자락을 잡아당기며 소리지른다.

"네가 굴을 먹는단 말이냐? 이렇게 작은 꼬마가!" 주변에서 웃음소리가 들린다.

우리 앞에서 실크해트를 쓴 두 신사가 껄껄거리며 내 얼굴을 바라보고 있다.

"꼬맹아, 네가 굴을 먹어? 정말로? 그거 재밌네! 네가 굴을 어떻게 먹어?"

어떤 힘센 손이 불이 환한 주점 안으로 나를 끌고 들어간 것이 기억난다. 잠시 뒤에 내 주변으로 사람들이 모여들더니 호기심 가득한 눈으로 낄낄거리며 나를 바라본다. 나는 식탁 앞에 앉아서 뭔가 미끄덩거리고 찝찔한데다 비리고 퀴퀴한 냄새가 나는 것을 먹고 있다. 내가 먹고 있는 것이 무엇인지 묻지도 보지도 않으면서, 씹지도 않고 게걸스럽게 먹고 있다. 내가 눈을 뜨면 당장 번들거리는 눈과 집게발과 날카로운 이빨이 보일 것만 같아서……

갑자기 뭔가 딱딱한 것이 씹히기 시작한다. 빠지직하고 뭔가 깨지는 소리가 들린다.

"하하! 이놈이 껍질을 먹네!" 사람들이 웃음을 터뜨린다. "바보야, 그걸 어떻게 먹냐?"

그러다가 나는 지독한 갈증을 느꼈던 게 기억난다. 나는 내 침대 위에 누워 있다. 입안이 타는 듯하고 이상한 맛이 느껴져서 잠들 수가 없다. 아버지는 방안을 이리저리 돌아다니며 뭐라 손짓을 하고 있다.

"내가 감기에 걸렸나보다." 그가 중얼거린다. "머릿속에 뭔가 들어있는 것 같은 느낌이야…… 마치 머릿속에 누가 들어앉아 있는 것 같아…… 아마…… 오늘 아무것도…… 먹질 못해서 그런가보다…… 내가 정말 황당하고 멍청한 놈이지…… 그 신사들이 굴값으로 10루블을 내는 걸 빤히 보면서도 왜 다가가서 돈을 좀 빌려달라고 부탁하지 않았을까? 아마도 빌려줬을 텐데."

아침이 돼서야 나는 잠이 든다. 그리고 꿈속에서 집게발이 달린 개구리가 조개껍질 속에 앉아 눈을 희번덕거리고 있는 것을 본다. 한낮에 목이 타서 잠을 깬 나는 눈으로 아버지를 찾는다. 그는 아직까지도 방 안을 돌아다니며 뭐라 손짓을 하고 있다……

(1884)

아뉴타

가구가 딸린 임대아파트 '리스본'의 가장 싼 방에서 의과대학 3학년 생 스테판 클로치코프가 방안을 이리저리 거닐며 의학 교과서를 암송하고 있었다. 지칠 줄 모르는 가열찬 암송으로 인해 그의 입안은 말라붙고 이마에는 땀이 송송 배어나왔다.

　가장자리에 성에가 낀 창가에는 그의 동거녀 아뉴타가 스툴 위에 앉아 있었다. 작고 여윈 몸집에 갈색 머리, 나이는 스물다섯 살쯤, 혈색이 몹시 창백하고 회색빛 눈동자가 온순해 보이는 아가씨다. 그녀는 등을 구부린 채 남자용 셔츠의 옷깃에 빨간 실로 수를 놓고 있었다. 서둘러 마쳐야 하는 일인 듯 손놀림이 바빴다. 복도의 시계는 갈라진 소리로 오후 두시 종을 쳤지만 방안은 아직도 어질러진 채였다. 구겨진 이불, 여기저기 내동댕이쳐진 베개와 책들, 옷, 구정물이 가득 담긴 커다랗고 지저분한 대야, 그 위를 떠다니는 담배꽁초들, 바닥에 쌓인 먼지 ─ 모든 것이 마치 한꺼번에 내던져서 일부러 뒤섞어놓은 듯 엉망진창이었다.

"우측 폐는 세 부분으로 구성된다……" 클로치코프는 되뇌었다. "각 부 경계! 상부는 흉곽 전면에서 네다섯 개의 늑골에 걸쳐 있으며 측면으로는 제4늑골에 이르고…… 뒤쪽으로 견갑골까지……"

클로치코프는 방금 읽은 것을 떠올려보려고 애쓰며 천장을 향해 눈을 치켜떴다. 그림이 명확하게 떠오르지 않자, 그는 조끼 위로 자신의 상부 늑골을 더듬기 시작했다.

"이 늑골들은 피아노 건반과 닮았어." 그가 말했다. "위치를 혼동하지 않으려면 숙달해야 한단 말이지. 골격 표본도 공부하고 살아 있는 사람도 공부해야 하는데…… 아 그래, 아뉴타, 위치 좀 잡아보게 이리 와!"

아뉴타는 바느질을 멈추고 블라우스를 벗은 다음, 허리를 쭉 폈다. 클로치코프는 그녀 앞에 앉아 인상을 찌푸리며 늑골을 세기 시작했다.

"흠…… 제1늑골이 잡히지 않는군…… 그건 쇄골 뒤에 있으니까…… 이게 제2늑골이겠군…… 그래…… 이게 제3…… 이게 제4…… 흠…… 그렇지…… 왜 움츠리는 거야?"

"손가락이 차가워요!"

"그래, 그래…… 그런다고 죽진 않을 테니 그렇게 몸을 비틀지 말라고…… 그러니까 이게 제3늑골, 이게 제4늑골…… 겉보기엔 이렇게 말랐는데, 늑골이 잘 만져지질 않는군. 이게 제2…… 이게 제3…… 이래가지곤 안 되겠네. 헷갈려서 그림이 분명하게 떠오르질 않아. 직접 그려봐야겠어. 내 목탄 어디 있지?"

클로치코프는 목탄을 집어들더니 그걸로 아뉴타의 가슴 위에 늑골을 표시하는 평행선들을 몇 개 그렸다.

"좋았어. 손바닥 위에 있는 것처럼 훤하군…… 자, 그럼 이제 타진도 할 수가 있지. 일어나!"

아뉴타는 일어나서 고개를 치켜들었다. 클로치코프는 타진 연습을 하면서 그 일에 너무 몰두하느라 아뉴타의 입술과 코와 손가락이 추위로 파랗게 질리는 것도 눈치채지 못했다. 아뉴타는 오들오들 떨면서도 의학생이 자기가 떠는 걸 보고 선 그리기나 타진 연습을 그만둘까봐 걱정하고 있었다. 그러면, 아뿔싸, 시험을 망치게 될 텐데.

"이제 확실히 알겠군." 타진을 멈추고 클로치코프가 말했다. "목탄 자국은 지우지 말고 그대로 앉아 있어. 나는 그동안 좀더 외우고 있을 테니까."

의학생은 다시 방안을 이리저리 거닐며 암기를 시작했다. 아뉴타는 마치 가슴에 까만 줄무늬 문신을 한 것 같은 모습으로 추위에 몸을 잔뜩 움츠린 채 앉아서 생각했다. 그녀는 평소에 거의 말을 하지 않았다. 항상 말없이 생각하고 생각하기만 할 뿐……

지난 육칠 년 동안 가구가 딸린 방들을 전전하면서 그녀는 클로치코프 같은 학생을 다섯 명쯤 거쳤다. 지금은 그들 모두가 이미 학업을 마치고 사회에서 자리를 잡았으며, 점잖은 사람이라면 으레 그렇듯 그녀를 잊어버린 지 오래다. 그들 중 한 사람은 파리에 살고 있고, 둘은 의사가 되었으며, 네번째는 화가, 다섯번째는 심지어 벌써 교수가 되었다고 한다. 클로치코프는 여섯번째다…… 이 사람도 곧 학업을 마치고 사회로 나갈 것이다. 의심할 나위 없이 클로치코프의 미래는 찬란할 터이며 필경 큰 인물이 될 테지만, 현재의 형편은 영 말이 아니었다. 클로치코프에게는 지금 담배도 차도 없고, 고작 설탕 네 조각이 남아 있을 뿐이었다. 가능한 한 빨리 바느질을 마무리지어 가게에 갖다주고, 품삯으로 받을 25코페이카*로 차와 담배를 사야 한다.

"들어가도 되나요?" 문 뒤에서 목소리가 들렸다.

아뉴타는 모직 숄을 황급히 어깨에 걸쳤다. 화가인 페티소프가 들어온 것이다.

"부탁이 있어서 왔습니다." 그는 클로치코프를 향해 말을 꺼내면서 이마에 드리운 머리카락 사이로 짐승 같은 눈을 희번덕거렸다. "노형의 아름다운 아가씨를 두어 시간 빌려주실 수 없겠습니까! 보시다시피 그림을 그려야 하는데, 모델 없이는 어떻게 해볼 도리가 없네요!"

"오, 얼마든지!" 클로치코프는 승낙했다. "가봐, 아뉴타."

"난 거기 볼일 없어요!" 아뉴타가 조용히 말했다.

"자, 됐어! 무슨 시시한 일 때문에 그러는 것도 아니고 예술을 위해서 부탁하시는 건데. 할 수 있는 일이라면 안 도와줄 이유가 없잖아?"

아뉴타는 옷을 입기 시작했다.

"그런데 뭘 그리시나요?" 클로치코프가 물었다.

"프시케요. 좋은 주제이긴 한데, 도무지 그림이 나와야 말이지. 다양한 모델들을 데리고 계속 시도하는 수밖에. 어제는 발이 시퍼런 여자를 그렸네요. 너 왜 그렇게 발이 퍼렇냐고 물어보니까, 양말에서 물이 들었다나. 그런데 노형은 자나깨나 암기를 하고 계시는구려! 참을성이

---

* 러시아의 화폐 단위로, 100코페이카는 1루블이다.

많아서 다행이십니다."

"의학 공부라는 게 그렇죠. 암기 없이는 아무것도 안 돼요."

"흠…… 클로치코프 씨, 그런데 실례지만 노형 방은 정말 돼지우리 같습니다! 어쩌면 이렇게 살 수가 있나!"

"어쩌라고요? 달리 방법이 없는데…… 아버지가 한 달에 12루블을 부쳐주시는데, 그 돈 가지고 번듯하게 생활하긴 힘들지요."

"그건 그러네……" 화가는 그렇게 말하며 거북한 표정으로 눈살을 찌푸렸다. "하지만 아무리 그래도 이건 좀 심하네요…… 모름지기 문명인이라면 미학적일 필요가 있어요. 그렇잖습니까? 노형 방은 도대체가! 침대는 어질러져 있고, 구정물에, 쓰레기에…… 접시에 담긴 건 어제 먹다 남은 죽인지 뭔지…… 맙소사!"

"맞아요." 의학생은 당황하며 말했다. "그런데 오늘은 아뉴타가 청소할 시간이 없었어요. 계속 다른 일로 바빠서."

화가와 아뉴타가 나간 뒤 클로치코프는 소파에 누워서 다시 암기를 시작했다. 그러다가 깜빡 잠이 들었고, 한 시간쯤 뒤에는 잠이 깨서 머리 밑에 주먹을 받치고 우울한 상념에 잠겼다. 그는 문명인이라면 미학적일 필요가 있다는 화가의 말을 떠올렸고, 자기가 보기에도 자신의 현재 환경이 정말 혐오스럽고 지긋지긋하다는 생각이 들었다. 마치 영혼의 눈으로 자신의 미래를 얼핏 엿본 느낌이 들었다. 진료실에서 환자를 받고, 널찍한 식당에서 우아한 아내와 함께 차를 마시는 미래의 한 장면 ─ 그러나 정작 눈앞에 보이는 것은 담배꽁초가 둥둥 떠다니는 구정물 통이었고, 그것이 바로 더할 수 없이 추악한 현재의 꼬락서니였다. 아뉴타 역시 못생기고 구질구질하고 처량해 보였다. 그는 아뉴타와 헤어지기로 결심했다. 꾸물거리지 말고, 무슨 일이 있더라도 반드시.

그녀가 화가의 방에서 돌아와 외투를 벗고 있을 때, 그가 일어나서 심각한 어조로 말했다.

"이봐, 자기…… 앉아서 얘기 좀 들어봐. 우린 헤어져야겠어! 한마디로 말해서, 난 더이상 너랑 같이 살고 싶지 않아."

아뉴타는 화가의 방에서 너무 시달린 나머지 녹초가 되어 돌아온 참이었다. 모델로 오랫동안 서 있느라 그녀의 얼굴은 홀쭉해졌고 턱은 더 뾰족해져 있었다. 그녀는 의학생의 말에 아무런 대꾸도 하지 않은 채, 그저 입술만 떨었다.

"이르건 늦건 간에 어차피 우리가 헤어지게 되어 있다는 걸 너도 알잖아." 의학생이 말했다. "넌 착하고, 상냥하고, 또 현명한 여자라서 잘 알겠지만……"

아뉴타는 다시 외투를 입고 말없이 자신의 바느질감을 종이로 싼 다음, 실과 바늘을 챙겼다. 그리고 설탕 네 조각이 담긴 꾸러미를 창가에서 가져다가 책상 위의 책들 옆에 올려놓았다.

"이건 당신 거예요…… 설탕……" 그녀는 조용히 말하며 눈물을 숨기려고 몸을 돌렸다.

"어, 도대체 왜 우는 거야?" 클로치코프가 물었다.

그는 당황하며 방안을 오락가락하다가 말했다.

"너도 참 이상한 여자야…… 우리가 헤어져야 한다는 걸 자기도 잘 알면서 말이야. 영원히 함께 살 수는 없잖아."

그녀는 벌써 자신의 물건을 다 꾸리고 이제 작별인사를 하기 위해 그에게로 몸을 돌렸다. 그러자 그는 그녀가 불쌍해졌다.

'여기서 일주일 더 지내라고 하면 어떨까?' 그는 생각했다. '정말 딱 일주일만 더 지내라 하고, 일주일 뒤에 가라고 하지 뭐.'

자신의 우유부단함에 역정이 난 그는 매몰차게 소리쳤다.

"뭘 그렇게 서 있어? 나갈 거면 나가고, 나가기 싫으면 그 외투 벗고 여기 있어! 있으라고!"

아뉴타는 말없이, 조용히 외투를 벗었다. 그리고 역시 조용히 코를 풀고 한숨을 쉬더니 자신이 항상 앉아 있던 자리, 창가의 스툴 쪽으로 소리 없이 걸어갔다.

학생은 교과서를 집어들고 다시 방안을 오락가락 거닐기 시작했다.

"우측 폐는 세 부분으로 구성된다……" 그는 되뇌었다. "상부는 흉곽 전면에서 네다섯 개의 늑골에 걸쳐 있으며……"

복도에서 누군가가 목청껏 고함을 질렀다.

"그리고리, 사모바르* 좀 올려놔!"

(1886)

---

* 러시아에서 물을 끓이는 데 사용하는 특수한 주전자.

반카

세 달 전 구두장이 알랴힌에게 견습공으로 보내진 아홉 살 소년 반카 주코프는 크리스마스 전날 밤 잠자리에 들지 않았다. 그는 주인 내외와 다른 견습공들이 새벽 예배를 보러 나갈 때까지 기다렸다가 주인집 벽장에서 잉크병과 녹슨 촉이 달린 펜을 꺼냈다. 그리고 구겨진 종이를 펼쳐놓고 편지 쓸 준비를 했다. 첫 글자를 쓰다 말고 반카는 문과 창 쪽을 겁먹은 눈으로 힐끔거리는가 하면, 양쪽으로 늘어선 구둣골 선반 한가운데 있는 거무스름한 성상화를 곁눈질하기도 하면서 한숨을 몇 번 쉬었다. 종이는 의자 위에 놓여 있었고 반카는 의자 앞에 무릎을 꿇고 있었다.

'사랑하는 할아버지, 콘스탄틴 마카리치!' 그는 편지를 쓰기 시작했다. '할아버지께 편지를 써요. 크리스마스를 축하하며 할아버지께 주님

의 은총이 깃들기를 빌어요. 아빠도 엄마도 없는 저에게는 할아버지 한 분만 남았어요.'

반카는 양초 불빛이 가물가물 반사되고 있는 캄캄한 창문으로 눈길을 돌렸다. 지바료프 씨 댁에서 야경꾼으로 일하는 할아버지, 콘스탄틴 마카리치의 모습이 생생하게 떠올랐다. 예순다섯 살인 그는 키가 작고 여위었지만 몸놀림이 무척이나 재빠르고 활달하며, 항상 웃는 얼굴에 술에 젖은 눈빛을 하고 있는 노인이다. 낮에는 부엌에서 잠을 자거나 요리사들과 농지거리를 하다가, 밤에는 커다란 털외투로 몸을 두르고 영지 주위를 돌아다니며 딱따기를 치는 것이 그의 일과였다. 할아버지 뒤로는 늙은 개 카시탄카, 그리고 검은 털 색깔과 족제비처럼 긴 몸집 때문에 비윤이라고 불리는 수캐가 고개를 늘어뜨린 채 따라다닌다.[*] 대단히 예의바르고 순한 비윤은 식구들이든 남이든 가리지 않고 상냥한 눈으로 바라보지만, 썩 믿을 만한 놈은 못 된다. 이 개의 예의와 순종 뒤에는 예수회 신도 같은 음험함이 숨겨져 있기 때문이다. 살그머니 다가와서 다리를 물거나, 얼음 창고에 몰래 들어가거나, 농가에서 닭을 훔쳐가는 재주로 말하자면 다른 어떤 개도 비윤을 따라올 수 없다. 벌써 여러 번 뒷다리가 부러질 정도로 매질을 당했고, 두 번이나 목이 매달렸으며, 일주일에 한 번씩은 꼭 초주검이 되도록 두드려맞았지만 비윤은 언제나 되살아났다.

아마도 지금 할아버지는 대문가에 서서 눈을 가늘게 뜨고 마을 교회의 진홍색 창문들을 바라보고 있을 것이다. 그리고 펠트 장화를 신은

---

[*] 러시아어로 카시탄카(Каштанка)는 '밤색', 비윤(Вьюн)은 '미꾸라지'라는 뜻.

30

발을 구르며 하인들과 농지거리를 주고받고 있을 것이다. 허리띠에는 딱따기를 차고 있을 것이다. 추위로 몸을 웅크린 채, 이리저리 팔을 휘두르고, 노인네처럼 키득거리며, 하녀나 요리사를 꼬집어대고 있을 것이다.

"코담배 냄새 좀 맡아보지 그래?" 할아버지가 아낙네들에게 담뱃갑을 내밀며 말한다.

아낙네들은 코담배 냄새를 맡고 재채기를 한다. 할아버지는 형언할 수 없을 만큼 신이 나서 즐거운 웃음을 터뜨리며 소리친다.

"코가 펑 뚫리지!"

개들에게도 코담배 냄새를 맡게 한다. 카시탄카는 재채기를 하고 머리를 도리질하더니 못마땅한 기색으로 뒷걸음친다. 예의바른 비윤은 재채기도 하지 않고 꼬리를 흔든다. 날씨는 기가 막히게 좋다. 바람도 없고, 공기는 투명하고 신선하다. 컴컴한 밤인데도 마을 농가의 하얀 지붕들이며, 굴뚝에서 피어오르는 연기들이며, 서리에 뒤덮인 은빛 나무들, 눈더미들이 훤히 보인다. 하늘에는 즐겁게 반짝이는 별들이 가득 흩뿌려져 있고, 은하수는 마치 명절을 맞아 눈으로 씻어낸 듯 선명한 모습으로 걸려 있다⋯⋯

반카는 한숨을 쉬고 펜에 잉크를 적신 뒤 편지를 이어나갔다.

'저는 어제 매를 맞았어요. 주인이 제 머리채를 끌고 마당으로 나가더니 가죽끈으로 저를 마구 때렸어요. 주인집 아기를 요람에 눕히고 흔들어 재우다가 깜박 잠이 들었거든요. 지난주에는 여주인이 저보고 청어를 손질하라고 했는데 제가 꼬리 쪽부터 손질하니까, 그걸 집어들더니 청어 대가리로 제 얼굴을 찔러댔어요. 견습공들은 저를 놀려대요. 보드카를 사 오라고 술집에 보내기도 하고, 주인집에서 오이를 훔쳐오라고 시키기도 해요. 주인은 아무거나 손에 잡히는 대로 집어들고 저를 때려요. 게다가 먹을 거라곤 하나도 없어요. 아침에 빵, 점심에 죽, 저녁에는 또 빵만 주고, 차나 양배춧국은 주인집 식구들만 처먹는답니다. 잠은 현관 바닥에서 자라고 하는데, 그나마 주인집 아기가 울면 저는 잠도 못 자고 일어나서 요람을 흔들어야 해요. 사랑하는 할아버지, 제발 저를 불쌍히 여기셔서 시골에 있는 집으로 데려가주세요. 제겐 아무 희망이 없어요. 언제까지라도 무릎 꿇고 기도드릴게요. 제발 저를 여기서 데려가주세요. 이러다간 죽을 것 같아요……'

반카는 입술을 일그러뜨리고 시커먼 주먹으로 눈물을 닦으며 흐느꼈다.

'제가 할아버지 담배를 갈아드릴게요.' 반카는 편지를 이어나갔다. '잘못하는 일이 있으면 저를 개처럼 두드려패세요. 제가 할 일이 없을까봐 걱정되신다면, 집사님께 부탁해서 장화 닦는 일이라도 맡을게요. 아니면 페지카 대신 양치기 일을 할게요. 사랑하는 할아버지, 제게는 아무런 희망이 없고, 이제 죽는 일만 남았어요. 걸어서라도 시골로 도망가고 싶지만 장화가 없어서 얼어죽을까봐 겁이 나요. 제가 자라서 어른이 되면 은혜에 대한 보답으로 할아버지를 먹여드리고 보호해드릴게요. 그리고 돌아가시면 엄마에게 하는 것과 똑같이 할아버지 명복을 빌어드릴게요.

그나저나 모스크바는 큰 도시랍니다. 집들은 전부 나리님들 댁이고 말들도 많아요. 양은 없고 개들은 순해요. 여기서는 크리스마스인데도 아이들이 별을 들고 다니지 않고,[*] 교회에서는 노래를 부르지 못하게 해요. 언젠가 어떤 가게 진열장에서, 온갖 물고기를 잡을 수 있는 낚싯바늘들을 낚싯줄에 매달아서 팔고 있는 걸 봤는데요, 아주 근사했어요. 그중에는 한 푸드^{**}짜리 메기도 잡을 것 같은 바늘이 있더라고요. 그리고 어떤 가게에서는 지주 어른 댁에 있는 것과 같은 온갖 총을 봤는데, 하나하나가 다 100루블은 될 것 같았어요…… 그리고 푸줏간에서는 멧닭이며, 들꿩이며, 토끼 고기를 팔고 있는데, 어디서 사냥해 온 건지는 얘기를 안 해주더라고요.

사랑하는 할아버지, 지주 어른 댁에서 크리스마스트리를 세우면 거기 달린 것 중에서 금박 입힌 호두를 달라고 해서 초록색 상자에 간수해주세요. 올가 이그나티예브나 아가씨에게 반카가 부탁하는 거라고 말씀하시면 돼요.'

반카는 짧게 한숨을 쉬고 다시 창문으로 눈길을 돌렸다. 그는 할아버지가 지주 댁의 크리스마스트리로 쓸 전나무를 베러 산에 갈 때면 언제나 자기를 데리고 갔던 일을 떠올렸다. 얼마나 즐거운 시절이었던가! 할아버지는 키득키득, 얼어붙은 나무들은 빠지직빠지직, 이걸 보는 반카는 깔깔깔. 전나무를 베기 전에 할아버지는 으레 파이프 담배를 양껏 피우거나 코담배 냄새를 오랫동안 맡으며 오들오들 떠는 반카를 놀려대곤 했다…… 상고대를 뒤집어쓴 어린 전나무들이 꼼짝 않고 서 있다. 자기들 중 누가 베어지게 될지 기다리고 있는 걸까? 갑자기 어디서 나타났는지 토끼 한 마리가 눈밭 위로 화살처럼 날아간다…… 그럴 때

---

* 크리스마스에 아이들이 커다란 별 장식을 들고 집집마다 다니며 축가를 부르는 옛 풍습.
** 러시아의 무게 단위로, 16.38킬로그램에 해당한다.

면 할아버지는 어김없이 소리친다.

"잡아, 잡아, 잡아! 아유, 저 몽당 꼬리 마귀 같은 놈!"

할아버지가 지주 댁에 전나무를 가져가면 거기서는 나무를 장식하기 시작한다…… 이 일을 누구보다 열심히 하는 건 반카가 좋아하는 올가 이그나티예브나 아가씨였다. 반카의 어머니 펠라게야가 생전에 지주 댁에서 하녀로 일했을 때, 올가 이그나티예브나는 반카에게 알사탕을 주기도 하고 심심풀이로 읽기와 쓰기, 백까지 숫자 세기, 게다가 카드리유 춤*까지 가르쳐주었다. 펠라게야가 죽은 뒤, 고아가 된 반카는 할아버지가 머무는 부엌방으로 보내졌고, 거기서 다시 모스크바의 구두장이 알랴힌에게로 보내졌다……

'저에게 와주세요, 사랑하는 할아버지,' 반카는 편지를 이어갔다. '예수님 이름으로 저를 여기서 데려가주길 빌어요. 불쌍한 고아를 가엾게 여겨주세요. 다들 저를 때려요. 배가 너무 고프고, 말도 못하게 힘들어서 눈물만 나와요. 저는 하루종일 울고 있어요. 얼마 전에는 주인이 구둣골로 머리를 때리는 바람에 기절했다가 간신히 깨어났어요. 저는 개보다 못한 생활을 하고 있어요…… 알료나와 애꾸눈 예고르카, 그리고 마부 아저씨에게 안부 전해주세요. 제 손풍금은 딴사람한테 주지 마세요. 이반 주코프는 언제나 할아버지의 손자입니다. 저에게 와주세요.'

반카는 편지를 네 번 접어서 전날 1코페이카를 주고 산 봉투에 넣었다…… 아이는 잠시 생각해보더니 펜에 잉크를 흠뻑 적시고 이렇게 썼다.

---

* 네 사람이 한 조가 되어 사방에서 서로 마주보며 추는 프랑스 춤.

시골에 있는 할아버지께.

그러고 나서 아이는 머리를 긁적이며 잠시 생각한 다음 덧붙였다. '콘스탄틴 마카리치께.' 방해받지 않고 편지를 다 썼다는 사실에 흡족해진 반카는 털모자를 쓰더니, 외투도 걸치지 않고 셔츠 바람으로 거리로 달려나갔다……

어제 푸줏간 점원들에게 물어본 바에 따르면 편지는 우체통에 넣으면 된다고 했다. 그러면 술 취한 마부들이 모는 우편 트로이카*가 방울을 딸랑거리며 우체통에 쌓인 편지들을 방방곡곡으로 배달해준다는 것이다. 반카는 제일 가까운 우체통으로 달려가서 소중한 편지를 구멍에 집어넣었다……

반카는 달콤한 희망을 자장가 삼으며 한 시간 뒤에 잠들었다…… 꿈속에 페치카**가 보였다. 할아버지가 페치카에 앉아 맨발을 건들거리며 부엌 하녀들에게 편지를 읽어준다…… 페치카 옆에서 비윤이 꼬리를 흔들며 돌아다닌다……

(1886)

---

* 세 마리 말이 끄는 마차.
** 러시아식 벽난로. 그 위에 침구를 놓고 생활하기도 하며 음식을 만드는 데 쓰기도 한다.

의사

응접실은 고요했다. 어찌나 고요한지 정원에서 날아들어온 등에가 천장에 부딪히는 소리가 분명하게 들릴 정도였다. 별장의 여주인 올가 이바노브나는 창가에 서서 꽃밭을 바라보며 생각에 잠겨 있었다. 그녀의 가정의이자 오랜 지인으로, 지금 미샤를 치료하기 위해 찾아온 츠베트코프 박사는 안락의자에 앉아 중절모를 두 손에 쥐고 흔들면서 역시 생각에 잠겨 있었다. 두 사람을 빼고는 응접실은 물론 옆에 있는 방들에도 다른 사람의 기척은 없었다. 해는 벌써 저물어서 가구 아래쪽 구석빼기며 천장 모서리에 저녁 그늘이 드리우기 시작했다.

올가 이바노브나가 정적을 깼다.

"이보다 더 끔찍한 불행은 생각할 수도 없을 거예요." 창에서 몸을 돌리지 않은 채 그녀가 말했다. "선생님도 아시겠지만 이 아이가 없는 인생은 저에게 아무런 가치도 없어요."

"네, 알아요." 의사가 말했다.

"아무런 가치도 없어!" 올가 이바노브나가 되뇌었다. 그녀의 목소리는 떨리고 있었다. "이 아이는 나의 전부예요. 나의 기쁨, 나의 행복, 나의 보물이에요. 만약 선생님이 말씀하신 대로 제가 더이상 엄마 노릇을 할 수 없게 된다면, 만약에 아이가…… 죽는다면, 저에겐 어둠만 남게 될 겁니다. 저는 그렇게 살 수 없어요."

양손을 쥐어짜듯 움켜쥐고 창문들 사이를 이리저리 오가면서 그녀는 말을 이었다.

"이 아이가 태어났을 때 제가 아이를 보육원에 보내려고 했던 걸 선생님도 기억하시죠. 오 하느님, 하지만 그때를 지금과 비교할 순 없잖아요? 그때 전 천박하고 어리석고 경솔했지만, 지금은 엄마예요…… 아시잖아요? 저는 엄마이고, 그 밖에 다른 건 알고 싶지도 않아요. 과거와 현재 사이에는 커다란 차이가 있어요."

다시 정적이 흘렀다. 의사는 안락의자에서 소파로 옮겨 앉더니 초조하게 중절모를 만지작거리면서 올가 이바노브나를 뚫어져라 바라보았다. 표정으로 미루어보아 그는 뭔가를 말하고 싶은 듯했으며, 그러기 위해 적절한 순간을 기다리는 것 같았다.

"선생님께선 아무 말씀이 없으시지만 저는 그래도 희망을 버리지 않아요." 여주인이 몸을 돌리며 말했다. "왜 아무 말씀이 없으시죠?"

"만약 희망이 있다면 나도 당신 못지않게 기쁘겠지만, 올가, 그게 그렇지가 않아요." 츠베트코프가 대답했다. "진실을 직시해야 합니다. 아이는 뇌결핵이고, 당신은 아이의 마지막을 받아들일 준비를 해야 해요.

이 증상을 보이면 결코 회복될 수가 없습니다.”

“니콜라이, 당신이 실수하지 않았다고 확신하세요?”

“그런 질문을 한다고 달라지는 건 없어요. 나는 얼마든지 대답해줄 수 있겠지만 그런다고 해서 우리 마음이 편해지지는 않을 겁니다.”

올가 이바노브나는 창문 커튼에 얼굴을 묻고 비통하게 울었다. 의사는 일어나서 응접실을 잠시 거닐다가 우는 여인에게 다가가서 그녀의 손을 가볍게 쥐어주었다. 그의 머뭇거리는 동작과 저녁 어스름으로 그늘진 침울한 얼굴로 미루어보건대, 그는 뭔가 말하고 싶은 것이 있는 듯했다.

“이거 봐요, 올가,” 그는 입을 떼었다. “내 얘기를 잠깐만 들어주구려. 당신에게 뭘 좀 물어볼 게 있소. 그런데, 하기야 지금 나에게 신경쓸 경황이 아니겠지. 나중에…… 나중에……”

그는 다시 앉아서 생각에 잠겼다. 간절하고 비통한 울음소리, 마치 소녀 같은 울음소리가 이어지고 있었다. 츠베트코프는 울음이 그치는 걸 기다리지 못하고 한숨을 쉬며 응접실에서 나왔다. 그리고 미샤가 있는 아이 방으로 갔다. 아이는 이전처럼 천장을 보고 누워서 마치 깊은 사색에 잠긴 듯, 한곳을 꼼짝 않고 응시하고 있었다. 의사는 침대에 앉아 아이의 맥을 짚어보았다.

“미샤, 머리가 아프니?” 그가 물었다.

미샤는 곧바로 대답하지 않았다.

“네. 계속 꿈을 꿔요.”

“무슨 꿈을 꾸는데?”

“여러 가지……”

우는 여자와 대화하는 방법도, 아이들과 대화하는 방법도 모르는 의사는 아이의 뜨거운 머리를 쓰다듬으며 우물우물 말을 건넸다.

"괜찮아, 불쌍한 것, 괜찮아…… 이 세상에서 병 없이 살아갈 수는 없는 거란다…… 미샤, 내가 누구지? 날 알아보겠니?"

미샤는 대답하지 않았다.

"머리가 많이 아프니?"

"마…… 많이. 계속 꿈을 꿔요."

아이를 살펴본 다음, 환자를 보살피러 들어온 하녀에게 몇 가지 질문을 던진 뒤 의사는 응접실로 천천히 돌아왔다. 그곳은 벌써 어두워져서 창가에 서 있는 올가 이바노브나가 실루엣으로 보였다.

"불을 켤까요?" 츠베트코프가 물었다.

대답은 없었다. 등에는 계속 날아다니며 천장에 부딪히고 있었다. 정원에서는 아무런 소리도 들려오지 않았고, 마치 온 세상이 의사와 함께 생각에 잠겨서 침묵하기로 작정한 것 같았다. 올가 이바노브나는 이미 울음을 그치고 아까처럼 깊은 침묵에 잠긴 채 꽃밭을 바라보고 있었다. 츠베트코프가 그녀에게로 다가가 어스름 속에서 그녀의 창백하고 고통에 전 얼굴을 바라보았다. 그것은 예전에 그녀에게 격심한 편두통 발작이 일어났을 때 본 그런 표정이었다.

"니콜라이 트로피미치!" 그녀가 의사의 이름을 불렀다. "다른 의사들에게 협진을 부탁하는 건 어떨까요?"

"좋아요, 내가 내일 불러오지요."

의사의 어조로 미루어보건대 그가 협진의 효과에 대해 회의적이라는 것은 쉽게 짐작할 수 있었다. 올가 이바노브나는 그 밖에도 또 뭔가를 물어보려 했으나 울음이 터져나와 말을 잇지 못했다. 그녀는 다시 커튼에 얼굴을 묻었다. 바로 그때 동네 클럽에서 악단이 연주하는 음악 소리가 정원으로부터 선명하게 들려왔다. 관악기는 물론, 바이올린과 플루트 소리까지 들려왔다.

"그런데 이 아이는 아프다면서 왜 조용히 있는 거죠?" 올가 이바노브 나가 물었다. "하루종일 아무 소리도 내질 않아요. 칭얼거리거나 울지 도 않아요. 우리가 이 아이를 귀중히 여기지 않았기 때문에 하느님이 우리에게서 이 불쌍한 아이를 뺏어가는 게 틀림없어. 이 귀중한 보물 을!"

악단은 행진곡을 끝내더니 잠시 뒤에 무도회를 위한 경쾌한 왈츠를 연주하기 시작했다.

"하느님, 정말 아무 방법이 없는 거예요?" 올가 이바노브나가 신음 했다. "니콜라이! 당신은 의사니까 뭘 어떻게 해야 할지 알아야 하잖아 요! 저는 이 아이를 잃고는 살 수가 없어요! 버텨내지 못할 거라고요!"

우는 여자와 대화하는 법을 모르는 의사는 한숨을 쉬고 조용히 응접 실을 거닐었다. 괴로운 침묵의 순간들이 울음소리와 아무런 도움도 못 되는 질문들로 이따금 끊겼다가 다시 이어지고 있었다. 악단은 이제 카 드리유와 폴카, 그리고 다시 카드리유를 연주하고 있었다. 날은 완전히 어두워졌다. 옆에 있는 홀에서는 하녀가 등에 불을 밝혔고, 의사는 모 자에서 손을 내내 떼지 못한 채 뭔가를 말하려 하고 있었다. 올가 이바 노브나는 몇 번인가 아들 방에 가서 아이 옆에 삼십 분쯤 앉아 있다가 다시 응접실로 돌아오곤 했다. 그리고 끊임없이 울음을 터뜨리며 중얼 거렸다. 시간은 고통스럽게 늘어졌고, 밤은 영원히 끝나지 않을 것 같았다.

한밤중이 되어서야 악단은 코티용*을 마지막으로 연주하더니 잠잠해졌고, 의사는 돌아갈 준비를 했다.

"내일 오겠소." 그는 여주인의 차가운 손을 잡으며 말했다. "당신도 이제 주무세요."

현관에서 외투를 입고 단장을 집어든 의사는 잠시 서서 생각해보더니 응접실로 돌아왔다.

"올가, 나는 내일 오겠소." 떨리는 목소리로 그가 말했다. "듣고 있소?"

그녀는 대답하지 않았는데, 아마도 고통 때문에 말문이 막혀버린 모양이었다. 츠베트코프는 외투 차림으로 단장을 내려놓지도 않은 채 그녀 옆에 앉아서, 자신의 건장하고 둔중한 체격에 전혀 어울리지 않는 부드럽고 작은 목소리로 조용히 말을 꺼냈다.

"올가! 내가 당신과 함께 겪고 있는 이 고통을 걸고 하는 말이오만…… 거짓이 죄가 될 지금 이 순간에, 나는 당신이 진실을 말해주길 간곡히 부탁하오. 당신은 항상 이 아이가 내 자식이라고 주장해왔어. 그게 정말 사실이오?"

올가 이바노브나는 말이 없었다.

"당신은 내 인생에서 유일한 여인이었소." 츠베트코프는 말을 이었다. "거짓말 때문에 내 마음이 얼마나 상처를 입었는지 당신은 상상도 못할 거요…… 그러니 제발 부탁이오, 올가. 일생에 한 번만이라도 나

---

* 네 명 혹은 여덟 명이 함께 추는 프랑스 춤곡의 일종.

에게 진실을 말해줘요…… 이런 순간에 거짓말할 수는 없는 거요……
미샤가 내 아들이 아니라고 말해요…… 자."

"당신 아들이에요."

올가 이바노브나의 얼굴은 보이지 않았지만, 츠베트코프는 그녀의
동요를 느낄 수 있었다. 그는 한숨을 쉬고 몸을 일으켰다.

"이런 순간에도 당신은 거짓말을 할 작정이네." 그는 평상시의 자기
목소리로 말했다. "당신에겐 이 세상에서 신성한 것이란 없군! 이봐요,
내 말 좀 들어주시오…… 내 인생에서 당신이 유일한 여인이었단 말이
오. 그래, 당신은 음탕하고 천박한 여자였지만, 나는 평생 당신 말고는
아무도 사랑하지 않았어. 내가 늙어가는 지금, 그 작은 사랑이 내 추억
속에서 유일하게 밝은 자리를 차지하고 있단 말이오. 어째서 당신은 그
것마저 거짓으로 먹칠하려는 거요? 뭣 때문에?"

"무슨 말인지 모르겠어요."

"아, 맙소사!" 츠베트코프는 소리쳤다. "거짓말, 당신은 분명히 알고
있어!" 그는 더 크게 소리를 지르고 단장을 사납게 흔들며 응접실을 돌
아다녔다. "당신은 잊었나보군? 그렇다면 내가 기억나게 해주지! 이 아
이에 대한 친부 권리는 나 말고도 페트로프와 변호사 쿠로프스키가 동
등한 지위로 나눠 갖고 있으며, 이자들이 나와 마찬가지로 지금까지 당
신에게 아들의 양육비를 주고 있다는 걸! 아무렴! 이 모든 걸 나도 잘
알고 있지! 하지만 과거의 거짓말과는 작별을 고하겠어. 그런 건 내가
알 바 아니야. 그러나 당신이 늙어버린 지금, 아이가 죽어가고 있는 이
순간에, 당신의 그 거짓말이 나를 숨막히게 한단 말이오! 내가 말주변
이 없는 게 너무 안타까워! 너무 안타까워!"

츠베트코프는 외투 단추를 끄르고 방안을 돌아다니며 말을 이었다.

"너절한 여자 같으니라고! 지금 같은 순간마저도 이 여자에게는 영향을 미치지 못하는구나! 이 여자는 지금도 구 년 전 '예르미타시' 식당에서 그랬던 것처럼 맘껏 거짓말을 하고 있어! 자기가 진실을 털어놓으면 내가 더이상 돈을 주지 않게 될까봐 두려운 게지! 자기가 거짓말하지 않았더라면 내가 이 아이를 사랑하지 않았을 거라고 생각하는 게지! 당신은 거짓말을 하고 있어! 이런 천박한!"

츠베트코프는 단장으로 마루를 내리치며 소리질렀다.

"역겨워! 망가지고 타락한 존재야! 당신은 경멸받아 마땅해. 정을 준 나 자신을 부끄러워해야겠지! 그래! 당신의 거짓말이 지난 구 년 내내 목에 걸려 있었지만 난 참았어. 하지만 이젠 됐어! 됐다고!"

올가 이바노브나가 앉아 있는 어두운 구석에서 울음소리가 들려왔다…… 츠베트코프는 말을 멈추고 헛기침했다. 정적이 찾아왔다. 의사는 천천히 외투 단추를 채우고 자신이 떨어뜨린 모자를 찾으며 방안을 돌아다녔다.

"내가 정신이 나갔소." 바닥을 향해 허리를 굽힌 채로 그가 중얼거렸다. "당신이 지금 나에게 신경쓸 경황이 아니라는 걸 완전히 잊고 있었소…… 무슨 말을 했는지 나도 모르겠군. 올가, 신경쓰지 말아요."

그는 모자를 찾아내고 어두운 구석 쪽으로 향했다.

"내가 당신을 모욕했구려." 그는 작고 부드러운 목소리로 속삭였다. "하지만 다시 한번 부탁하오, 올가. 진실을 말해주시오. 우리들 사이에 거짓이 있어서는 안 돼요…… 내가 말을 꺼냈으니 이제 당신도 알겠지만, 페트로프와 쿠로프스키의 일은 나에게 비밀이 아니오. 그러니 이제는 당신도 편하게 진실을 말할 수 있지 않겠소."

올가 이바노브나는 잠깐 생각을 해보더니 눈에 띌 정도로 머뭇거리며 말했다.

"니콜라이, 거짓말이 아니에요. 미샤는 당신 아들이에요."

"맙소사."츠베트코프는 신음했다. "그렇다면 내가 더 말해주리다. 나는 당신이 페트로프에게 보낸 편지를 갖고 있어. 당신이 그자를 미샤의 아버지라고 부르고 있는 편지를 말이오! 올가, 나는 진실을 알고 있어. 다만 당신에게서 직접 그걸 듣고 싶은 거라고! 알겠소?"

올가 이바노브나는 대답하지 않고 계속 울기만 했다. 대답을 기다리던 츠베트코프는 어깨를 으쓱하고 방을 나갔다.

"내일 오겠소."그가 현관에서 소리쳤다.

가는 길 내내 그는 자신의 마차에 앉아서 어깨를 으쓱거리며 중얼거렸다.

"내가 말주변이 없는 게 너무 안타까워! 나란 놈은 남을 설득하거나 확신하게 만드는 능력이 없다니까. 그 여자가 내 말을 못 알아듣는 게 틀림없어. 그러니 거짓말을 하는 게지! 확실해! 그런데 도대체 그 여자에게 어떻게 설명해야 되나? 어떻게?"

(1887)

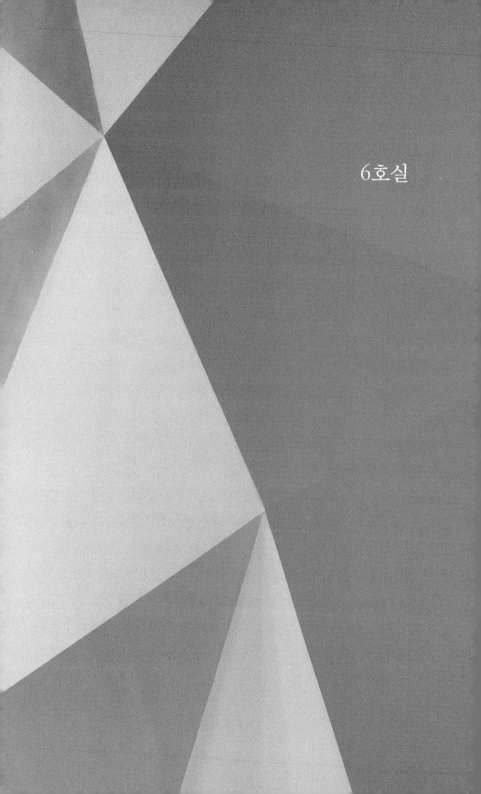

6호실

1

병원 앞마당에 우엉이며 쐐기풀이며 야생대마의 무성한 수풀로 둘러싸인 작은 별관이 서 있다. 지붕은 녹슬어 불그죽죽하고, 굴뚝은 반쯤 허물어졌으며, 잡초로 뒤덮인 채 썩어가는 현관 계단에는 희미한 회칠 흔적만 남아 있다. 건물 전면은 병원 본관 쪽을 향해 있고 후면은 들판에 접해 있는데, 그 사이를 촘촘하게 못이 박힌 회색 병원 담장이 가로지르고 있다. 삐죽삐죽 위로 솟아 있는 못들과 담장도 그렇거니와, 무엇보다도 별관의 생김새 자체가 딱 병원이나 감옥 건물에서 볼 수 있는 음산하고 불길한 형상이었다.

만약 당신이 쐐기풀에 찔리는 게 겁나지 않는다면, 별관으로 이어지는 좁다란 오솔길을 따라가보시라. 그러면 안에서 무슨 일이 벌어지고 있는지 볼 수 있을 것이다. 첫번째 문을 열고 현관으로 들어가보자. 벽과 페치카 주변에 병원의 쓰레기들이 산더미처럼 쌓여 있다. 매트리스, 너덜너덜해진 환자복과 바지와 푸른 줄무늬 셔츠들, 아무짝에도 쓸모 없는 해진 신발들. 이런 온갖 넝마들이 뒤죽박죽 엉킨 채 한 무더기로 썩어가면서 숨이 막힐 듯한 냄새를 풍기고 있다.

이 넝마들 위에는 항상 경비원 니키타가 파이프 담배를 입에 물고 누워 있다. 빛바랜 견장을 달고 있는 이 남자는 늙은 퇴역 군인이다. 그는 험상궂게 생긴 홀쭉한 얼굴에 마치 초원의 양치기 개 같은 인상을 주는 처진 눈썹과 붉은 코를 하고 있다. 키는 큰 편이 아니고 호리호리해 보이지만 근육질의 늠름한 풍채에 강력한 주먹을 가지고 있는 남자다. 그는 이 세상에서 다른 무엇보다도 질서를 사랑하며, 이를 위해서는 환자들을 때릴 수밖에 없다고 믿고 있는, 순박하고 긍정적이고 부지런하지만 동시에 둔탁한 부류의 인간이다. 그는 얼굴이건, 가슴이건, 등짝이건 닥치는 대로 때리면서, 구타 없이는 이곳에 질서가 유지되지 않는다고 확신한다.

이제 현관을 제외한 별관 전체 공간을 차지하는 크고 널찍한 방으로 들어가보도록 하자. 벽에는 지저분한 하늘색이 대충 칠해져 있고 천장은 굴뚝 없는 오두막처럼 온통 그을려 있다. 겨울이면 난로에서 피어오르는 연기가 방안에 가득찰 것임이 틀림없다. 창문들에는 안쪽으로 보기 흉하게 쇠창살이 쳐져 있다. 잿빛 바닥은 울퉁불퉁하다. 절인 양배추 냄새, 램프 심지 타는 냄새, 빈대와 암모니아 냄새가 진동하는데, 이로 인해 당신은 방안에 들어서는 순간 마치 동물원에라도 온 것 같은 인상을 받게 된다.

방안의 침대들은 바닥에 나사로 고정되어 있다. 그 위에 파란 환자복을 입고 옛날식으로 나이트캡을 쓴 사람들이 앉아 있거나 누워 있다. 이들이 바로 정신병자들이다.

이곳에는 전부 합해서 다섯 명이 있다. 한 사람만 귀족 신분이고 나머지는 모두 평민이다. 입구에서 첫번째 자리의, 윤기나는 붉은 콧수염에 울어서 퉁퉁 부은 눈을 한 키 크고 여윈 환자는 손으로 턱을 괴고 앉은 채, 물끄러미 한곳만을 응시하고 있다. 그는 낮이나 밤이나 슬픔에 잠겨서 머리를 흔들어대기도 하고 한숨을 쉬기도 하고 씁쓸한 미소를 짓기도 한다. 그는 대화에 끼어드는 법이 거의 없고, 뭘 물어봐도 대개는 대답하지 않는다. 그리고 주면 주는 대로 기계적으로 먹고 마신다. 고통스러운 밭은기침과 여윈 몸 그리고 뺨에 어린 홍조로 미루어보건대, 그는 폐결핵 초기인 것 같다.

그 옆에는 흑인처럼 까만 곱슬머리에 뾰족한 턱수염을 지닌 키 작은 노인이 있다. 노인은 생기가 가득하고 매우 활동적이다. 그는 낮이면 병실 창문들 사이를 왔다갔다하기도 하고, 터키 사람처럼 책상다리로 침대 위에 앉아 있기도 하면서, 마치 피리새처럼 쉴새없이 휘파람을 불거나 나직이 노래를 부르며 키득거린다. 그의 아이 같은 명랑함과 활달한 성격은 밤에도 역시 나타나는데, 이를테면 신에게 기도를 드린다며 일어나서 주먹으로 가슴을 친다든가 손가락으로 문을 후벼댄다든가 하는 식이다. 이 사람이 바보 모이세이카, 이십 년 전에 자신의 모자공방이 몽땅 불타버리자 미쳐버린 유대인이다.

6호실의 거주자들 가운데서 오로지 그에게만 별관을 나가는 것이 허용되어 있으며, 심지어 그는 병원 밖으로 나갈 수도 있다. 노인이 그런 특권을 누리게 된 지는 오래됐다. 이는 아마도 그가 병원의 최고참

환자이며, 오래전부터 거리에서 꼬마들과 개들에 둘러싸여 구경거리
가 되는 데 익숙해진 동네 어릿광대, 양순한 바보이기 때문일 것이다.
그는 환자용 가운을 입고 우스꽝스러운 나이트캡을 쓰고 구두를 신은
차림으로, 혹은 맨발에 바지도 안 입은 채 거리를 돌아다니다가, 가게
나 대문 앞에 서서 푼돈을 구걸하곤 한다. 한 집에서는 크바스* 한 잔
을, 다른 집에서는 빵 한 쪽을, 또다른 집에서는 동전을 받고 나면 그는
배부른 부자가 되어 병원 별관으로 돌아온다. 하지만 니키타는 노인이
가져온 것들을 전부 빼앗아 자기가 챙긴다. 이 퇴역 군인은 거칠게 성
을 내며 노인의 주머니들을 뒤지는가 하면, 신을 증인으로 들먹이면서,
이 유대인을 다시는 거리에 내보내지 않겠다는 둥, 이 세상에서 자기가
제일 싫어하는 것이 무질서라는 둥 위협을 한다.

　모이세이카는 봉사하는 것을 좋아한다. 그는 동료들에게 물을 따라
주기도 하고, 잠잘 때 이불을 덮어주기도 하고, 거리에서 돈을 적선받
아 모두에게 1코페이카씩 가져다준다거나 새 모자를 만들어준다는 약
속을 하기도 한다. 게다가 그는 자기 왼쪽 자리에 있는 중풍 환자에게
숟가락으로 음식을 떠먹여주기도 한다. 그런데 이런 행동은 동정심이
라든가 그 어떤 인류애적 신념에서 비롯된 것이 아니다. 그는 단지 자
기 오른쪽 자리의 이웃인 그로모프에게 무의식적으로 종속되어 그 행
동을 모방하는 것일 뿐이다.

　이반 드미트리치 그로모프는 서른셋쯤 된 귀족 출신의 남자로서, 왕
년에는 법원 집행관에다 현청 서기로까지 근무했던 인물이지만 지금

---

* 엿기름, 보리, 호밀 따위로 만든 러시아 음료.

은 추적망상증에 시달리는 환자다. 그는 몸을 웅크리고 침대에 누워 있거나, 마치 운동하듯 방 이 구석에서 저 구석으로 왔다갔다할 뿐, 좀처럼 앉아 있는 법이 없다. 그는 언제나 잔뜩 흥분한 채 긴장해 있으며, 막연하고 알 수 없는 기대로 들떠 있다. 현관에서 바스락거리는 소리가 나거나 마당에서 누가 고함이라도 지르면 그는 고개를 번쩍 들고 귀를 기울이기 시작한다. 그에게 누가 찾아온 것은 아닐까? 사람들이 그를 찾고 있는 것은 아닐까? 이런 때면 그의 얼굴은 극도의 불안과 혐오감으로 가득찬다.

나는 광대뼈가 도드라진 그의 넓은 얼굴이 마음에 든다. 항상 창백하고 불행해 보이는 그 얼굴은 마음의 투쟁과 쉴새없는 공포로 고통받는 영혼을 거울처럼 반영하고 있다. 그의 찡그린 얼굴은 이상하고 병적이지만, 깊은 고뇌로 인해 그의 얼굴에 새겨진 섬세한 윤곽은 명석하고 이지적이며, 그 눈에는 온화하고 건강한 광채가 깃들어 있다. 나는 그의 사람됨이 마음에 든다. 그는 예의바르고 친절하며 니키타를 제외한 모든 사람을 배려 깊게 대한다. 누가 단추나 숟가락을 떨어뜨리기라도 하면 그는 재빨리 침대에서 뛰어내려와 그것을 주워준다. 그는 매일 아침 동료들에게 "잘 잤어요?"라고 인사하며, 자리에 누울 때는 "잘 자요!"라고 인사한다.

지속적인 긴장 상태와 찡그린 표정 말고도 그의 광증은 다음과 같은 행동에서 나타난다. 이따금 저녁 시간에 그는 환자 가운 차림으로 온몸을 떨고 이를 맞부딪치면서 방 이 구석 저 구석을 오가거나 침대들 사이를 돌아다닌다. 마치 심한 열병을 앓고 있는 듯한 모습이다. 그가 갑자기 멈춰 서서 동료들을 바라볼 때면 뭔가 굉장히 중요한 것을 말하고 싶어하는 눈치인데, 결국 아무도 그의 말을 듣거나 이해하지 못하리라고 생각하는 것인지 신경질적으로 머리를 흔들고는 다시 걸어다니기 시작한다. 그러나 곧이어 말하고 싶은 욕망이 그 모든 망설임을 압도하게 되고, 그러면 그는 이내 마음 내키는 대로 열정적으로 말을 시작하는 것이다. 그의 말은 두서도 없고 잠꼬대처럼 발작적이고 단속적이어서 항상 이해될 수 있는 것은 아니지만, 한편으로는 그 단어들이며 음성에 뭔가 아주 좋은 느낌이 있다. 그가 말할 때, 당신은 그 말 속에서 광인과 정상인을 함께 보게 될 것이다. 그의 광적인 연설을 종이 위에 옮겨 적기는 어렵다. 그는 인간의 비열함에 대해, 진실을 짓밟는 폭력에 대해, 이 세상에 도래할 아름다운 삶에 대해, 압제자의 우매함과 잔혹성을 끊임없이 떠올리게 만드는 창문의 쇠창살에 대해 말한다. 그런 식으로 못다 부른 옛 노래들로부터 뒤죽박죽 두서없는 혼성곡이 만들어지게 되는 것이다.

2

십이 년인가 십오 년 전쯤, 이 도시의 중심가에 있는 저택에 그로모프라는 건실하고 유복한 관리가 살고 있었다. 그에게는 세르게이와 이반이라는 두 아들이 있었다. 세르게이는 대학 4학년 때 급성 폐렴에 걸려 죽었는데, 이 죽음은 그로모프 가족에게 별안간 닥친 온갖 불행의 발단이 된 것 같았다. 세르게이의 장례식을 치른 지 일주일 뒤, 늙은 아버지는 공문서 위조와 횡령죄로 재판을 받았고 얼마 지나지 않아 교도

소 병원에서 티푸스로 죽었다. 집과 모든 동산은 경매로 팔렸고, 이반 드미트리치와 어머니는 무일푼의 신세가 되었다.

예전에 아버지가 살아 있었을 때, 페테르부르크에서 대학을 다니던 이반 드미트리치는 한 달에 60에서 70루블을 받으며 지냈기 때문에 궁핍이라는 걸 몰랐지만, 이제는 생활방식을 완전히 바꿔야만 했다. 그는 아침부터 밤까지 헐값으로 개인교습도 하고 문서필사도 했지만, 번 돈 전부를 어머니 생활비로 부쳐야 했기 때문에 자신은 여전히 배를 주렸다. 이반 드미트리치는 그런 생활을 버텨낼 수가 없었다. 마음도 지치고 몸도 쇠약해진 그는 대학을 중퇴하고 낙향했다. 이 도시에서 그는 연줄에 힘입어 공립학교 교사 자리를 얻었지만, 동료 교사들과 잘 지내지도 못했고 학생들에게도 인기가 없었기에 곧 학교를 떠나고 말았다. 어머니도 죽었다. 그는 반년 동안 직업도 없이 빵과 물만 먹으며 살다가 법원 집행관으로 취직했다. 그리고 병 때문에 해직되기 전까지 이 직책을 맡아왔다.

그는 평생, 심지어 젊은 대학생 시절에도, 건강하다는 인상을 준 적이 한 번도 없었다. 항상 창백하고 여위었으며, 걸핏하면 감기에 걸렸고, 부실하게 먹었고, 제대로 자지 못했다. 포도주 한 잔에도 머리가 빙빙 돌고 히스테리를 일으켰다. 그는 항상 사람들에게 다가가고 싶었지만 자신의 민감하고 의심 많은 성격 탓에 누구와도 가깝게 지내기 힘들었고, 따라서 친구도 없었다. 그는 항상 주민들을 멸시했으며, 그들의 무지몽매한 동물적 생활방식이 역겹고 혐오스럽다고 말하곤 했다. 말할 때는 마치 화라도 난 듯이 높고 큰 목소리로, 흥분과 경탄을 뒤섞으며 떠들었는데, 거기에는 항상 진심이 담겨 있었다. 그와 무슨 이야기를 나누건 간에 결론은 늘 하나였다. '이 도시의 삶은 숨막히고 따분하다. 사람들은 저열한 일에만 관심을 가지면서 생기 없고 무의미한 삶을 이어가고 있다. 사람들은 자신의 삶을 방탕과 위선으로 애써 채우고 있다. 비열한 자들은 호의호식하는데, 정직한 사람들은 빵 부스러기로 연명한다. 학교가 필요하다. 정직한 관점을 가진 지역신문이 필요하다. 극장과 공개 강연이 필요하다. 지식인들이 힘을 모아야 한다. 이 사회는 자신의 참모습을 깨닫고 놀랄 필요가 있다.' 이런 식이었다. 사람들을 평가함에 있어 그는 흑과 백 말고는 다른 어떤 색깔도 인정하지 않았다. 그에게 인간은 정직한 사람과 비열한 사람, 두 종류로만 나뉘었으며 그 중간은 없었다. 그는 여성과 사랑이라는 주제에 대해 항상 열광적으로 말하곤 했지만 그 자신은 한 번도 사랑을 해본 적이 없었다.

그의 독설과 신경질에도 불구하고 주민들은 그를 좋아했으며 자기들끼리 바냐라는 애칭으로 다정하게 부르곤 했다. 그의 타고난 민감성, 봉사심, 예의바름, 순수한 품성, 낡은 프록코트, 병약한 외모, 불행한 가정사 같은 것들이 사람들로 하여금 그에게 온화하면서도 애처로운 감정을 갖게 만들었던 것이다. 게다가 그는 좋은 교육을 받은 박식한 사람이었기에 주민들은 그가 모르는 것이 없다고 생각했으며, 그를 마치이 도시의 걸어다니는 백과사전 같은 존재로 여겼다.

그는 대단한 독서가였다. 클럽에 하루종일 앉아서 신경질적으로 턱수염을 잡아 뜯으며 책과 잡지의 페이지를 넘기곤 했다. 그의 얼굴 표정으로 보건대, 그것은 읽는다기보다는 씹지도 않고 삼켜대는 모습이긴 했지만 말이다. 그의 독서는 병적인 습관 중 하나라고 보아야 할 것이다. 왜냐하면 그는 자신의 손에 닿는 것은 그것이 해묵은 신문이든 달력이든 가리지 않고 게걸스럽게 달라붙어 읽어댔기 때문이다. 그리고 집에서는 항상 누워서 책을 읽었다.

3

어느 가을날 아침, 외투깃을 세운 이반 드미트리치는 진창길 위를 철벅거리며 좁은 골목길들을 지나가고 있었다. 법원의 집행명령서에 따라 돈을 징수하기 위해 어떤 상인에게 가는 중이었다. 여느 날 아침과 마찬가지로 그의 기분은 우울했다. 어느 골목에서 그는 쇠고랑을 찬 두 죄수와 마주쳤다. 총을 든 네 명의 호송병이 두 죄수를 데려가고 있었다. 이반 드미트리치는 예전에도 길에서 죄수들을 본 적이 많았는데, 그때마다 그들은 그에게 동정심과 거북한 마음을 갖게 만들었다. 그런데 지금 이 만남은 그에게 특별하고도 묘한 인상을 불러일으켰다. 어떤 이유에서인지 불현듯 자신도 그들과 똑같은 모습으로 쇠고랑을 차고 진창길을 따라 감옥으로 끌려갈지도 모른다는 생각이 든 것이다. 상인의 집에 갔다가 귀가하던 길에 그는 우체국 옆에서 안면이 있는 경찰서장을 만났다. 경찰서장은 그에게 인사를 건네고 그와 함께 몇 걸음 걸었는데, 그는 이 일이 미심쩍게 느껴졌다. 집에 있는 동안 내내 죄수들과 총을 든 호송병들에 대한 생각이 머리를 떠나지 않았다. 알 수 없는 불안감 때문에 책을 읽을 수도 정신을 집중할 수도 없었다. 저녁이 됐지만 그는 등불을 켜지 않았다. 밤에는 잠을 이루지 못하고 줄곧 사람들이 그를 잡아가서 쇠고랑을 채우고 감옥에 집어넣을지 모른다는 생각을 하고 또 했다. 그는 살아가는 동안 자신이 어떤 죄도 짓지 않았으며, 앞으로도 자기가 누구를 죽이거나 방화하거나 도둑질하는 일은 없을 거라고 보증할 수 있었다. 하지만 어쩌다가 뜻하지 않게 범죄를 저지를 수도 있는 것 아닌가? 누가 나를 모함할 수도 있고, 심지어 재판에서 오심이 내려질 수도 있는 것 아닌가? 파산과 감옥살이는 누구도 장담할 수 없는 일임을 오랜 세월에 걸친 인간의 경험이 말해주고 있지 않은가? 오늘날의 재판에서 오심은 얼마든지 가능하며 딱히 이상한 일도 아니다. 타인의 고통에 대해 직무상의 관련을 갖는 사람들, 가령 판사, 경찰, 의사 같은 사람들은 세월이 흐르면서 습관에 단련된 나머지, 아무리 그러지 않으려 해도 자신의 의뢰인들을 어쩔 수 없이 형식적으로 대하게 되는 것이다. 이런 면에서 그들은 뒷마당에서 양이나 송아지를 잡으며 피를 보아도 아무렇지도 않은 농부와 전혀 다를 바 없다. 개인을 대하는 이런 형식적이고 비정한 관계에서 무고한 인간의 모든 권리와 재산을 빼앗고 징역살이를 보내기 위해 판사에게 필요한 것은 오직 하나, 시간밖에 없다. 이러저러한 형식적 절차를 준수하기 위한 시간만 있으면 되고, 판사는 그에 대한 대가로 월급을 받으며, 그러고 나면 모든 것이 끝난다. 철도로부터 200베르스타*나 떨어진 이 작고 지저분한 소도시에서 정의니 인권 수호니 하는 것들을 외쳐봐야 무슨 소용이 있겠는가! 온갖 폭력이 합리적이고 불가피한 방편으로 이 사회에 받아들여지고, 무죄 선고와 같은 관대한 처분은 불만과 복수심의 폭발을 불러일으키는 상황에서, 정의에 대해 성찰한다는 것은 우습

---

* 구러시아의 거리 단위. 1베르스타는 약 1.067킬로미터이므로, 200베르스타면 약 213.4킬로미터다.

지 않은가?

다음날 아침 이반 드미트리치는 공포에 질린 나머지 이마에 식은땀을 흘리며 침대에서 일어났다. 그는 이제 자신이 언제든 체포될 수 있으리라 믿고 있었다. 그는 생각했다. 어제의 무거운 생각이 그토록 오랫동안 그를 지배하고 있다는 것은 결국 그 생각 속에 일말의 진실이 담겨 있기 때문인 것이다. 그런 생각이 정말 아무런 이유 없이 머릿속에 떠오를 수는 없는 것이다.

한 순경이 천천히 창문 앞을 지나갔다. 이것도 심상치 않다. 저기 두 남자가 집 근처에서 말없이 멈춰 서 있다. 그들은 왜 말이 없지?

그런 식으로 이반 드미트리치에게 고통스러운 낮과 밤이 찾아왔다. 창문 앞을 지나가거나 마당에 들어오는 사람들 모두가 밀정이나 염탐꾼처럼 보였다. 대개 정오에는 경찰서장이 쌍두마차를 타고 거리를 지나간다. 경찰서장은 근교에 있는 자신의 영지로부터 경찰서로 가고 있는 것이었지만, 이반 드미트리치에게는 그가 지나치게 빨리 달리고 있으며 그 표정 또한 심상치 않아 보였다. 이건 틀림없이 이 도시에 매우 심각한 범죄자가 나타났다고 알리러 가는 것이다. 이반 드미트리치는 초인종이 울리거나 대문을 두드리는 소리가 들릴 때마다 소스라치게 놀랐고 주인집에서 낯선 사람과 마주칠 때면 마음을 졸였다. 경찰이나 헌병과 마주치면 태연한 척하려고 미소를 짓거나 휘파람을 불었다. 그는 체포될 것을 예상하며 잠을 이루지 못하고 매일 밤을 꼴딱 새웠지만, 집주인에게는 자는 사람처럼 보이기 위해 코를 골며 깊은 숨을 내쉬었다. 사람이 잠을 못 잔다는 것은, 다시 말해서 그가 양심의 가책을 겪고 있다는 뜻이다. 이만한 증거가 어디 있겠는가! 사실들과 건전한 상식은 이 모든 공포가 허튼 생각이고 정신병이라고 그를 설득했다. 넓은 관점에서 사태를 바라본다면, 설령 체포되어 감옥에 있다손 치더라도 양심이 깨끗하다면 본질적으로는 아무것도 두려워할 일이 없는 것이다. 그러나 그가 현명하게 논리적으로 판단하려고 하면 할수록 마음의 불안은 점점 더 커지고 고통스러워졌다. 이것은 마치 원시림 속에서 자신이 지낼 거처를 마련하려고 나무를 베던 어떤 은자의 일화 같았다. 도끼질을 열심히 하면 할수록, 나무들은 더 빨리 자라고 숲은 더 울창해지는 것이다. 마침내 이 모든 노력이 부질없다고 생각한 이반 드미트리치는 판단을 완전히 포기하고 절망과 공포에 자신을 맡겨버렸다.

그는 은둔하며 사람들을 멀리하기 시작했다. 진작부터 그는 자신의 업무가 싫었지만 이제는 도저히 참을 수 없어졌다. 누군가가 일을 꾸며서 그가 모르는 사이에 주머니에 뇌물을 찔러넣고서 나중에 이를 폭로할까봐 두려웠다. 혹은 자신이 공문서를 작성하다가 뜻하지 않게 문서 위조에 해당할 만한 실수를 저지를까봐 두려웠다. 혹은 타인의 돈을 잃어버리게 될까봐 두려웠다. 이상한 일이었다. 예전에는 그의 생각이 이처럼 유연하고 창의적이었던 적이 없었다. 지금 그는 매일 자신의 자유와 명예를 심각한 위험에 빠뜨리게 될 수천 가지 다양한 원인들을 창안해내고 있었다. 그러는 가운데 외부 세계에 대한 흥미, 특히 책에 대한 흥미는 눈에 띄게 사그라졌고, 기억력도 현저히 감퇴하기 시작했다.

봄이 되어 눈이 녹았을 때, 공동묘지 근처의 골짜기에서 반쯤 부패한 시신 두 구가 발견되었다. 노파와 소년 시신에는 타살된 흔적이 있었다. 도시는 온통 이 시신들과 밝혀지지 않은 살인자에 대한 이야기로 떠들썩했다. 이반 드미트리치는 사람들이 자신을 살인범이라 생각하지 않도록 하기 위해 미소를 지으며 거리를 거닐었고, 아는 사람과 마주치게 되면 붉으락푸르락 흥분하며, 방어력이 없는 약자를 살해하는 것만큼 비열한 범죄는 없다고 열변을 토했다. 그러나 이런 연극은 그를 금방 지치게 만들었다. 그래서 숙고를 거듭한 그는 결국 자신의 상황에서 가장 좋은 방법은 주인집 지하실에 숨어 지내는 것이라고 생각하기에 이르렀다. 지하실에서 한나절을 보낸 뒤 밤을 새우고 다음날까지 앉아 있던 그는 몸이 꽁꽁 얼고 말았다. 그래서 어두워지기를 기다렸다가 마치 도둑처럼 살금살금 자기 방으로 돌아왔다. 새벽까지 그는 방 한가운데에서 꼼짝 않고 귀를 기울이며 서 있었다. 이른아침 해가 뜨기도 전에 난로 수리공들이 주인집에 찾아왔다. 이반 드미트리치는 그들이 부엌의 난로를 옮기기 위해 왔다는 사실을 잘 알고 있었지만, 공포는 그에게 이들이 난로 수리공으로 변장한 경찰들이라고 속삭였다. 공포에 사로잡힌 그는 재킷도 입지 않고 모자도 없이 아파트를 살그머니 빠져나와 거리를 달렸다. 개들이 짖어대며 그의 뒤를 쫓아왔고, 저 뒤편에서 한 농부가 소리치고 있었다. 바람이 귓전을 스쳤다. 이반 드미트리치에게는 마치 온 세상의 폭력이 등뒤에서 한덩어리로 뭉쳐 자기 뒤를 쫓고 있는 것처럼 느껴졌다.

사람들이 그를 붙잡아 집에 데려다주고 집주인에게 의사를 불러오게 했다. 안드레이 예피미치라는 이름의 이 의사(이 사람에 대해서는 나중에 다시 이야기하겠다)는 머리에 냉찜질을 하라고 하며 월계수버찌 물약을 처방해주고 나서, 미쳐가는 사람을 굳이 성가시게 할 필요는 없으므로 자신은 다시 오지 않겠다고 집주인에게 말하고 침울하게 머리를 흔들며 가버렸다. 집에서는 생계 대책도 치료비도 없었기 때문에 이반 드미트리치는 병원으로 보내졌고, 거기서 성병 환자 병실에 수용되었다. 그는 밤에 잠을 자지 않고 짜증을 부리며 다른 환자들을 불편하게 했다. 그래서 안드레이 예피미치의 지시에 따라 6호실로 옮겨지게 되었다.

일 년 뒤, 주민들은 이반 드미트리치에 관한 일을 완전히 잊어버렸고, 집주인이 처마밑 썰매 위에 쌓아둔 그의 책들은 아이들 손에 갈가리 찢어졌다.

4

이반 드미트리치의 왼쪽에 있는 환자는 내가 앞서 말한 유대인 모이세이카이며, 오른쪽에 있는 비곗덩어리 환자는 너무 살이 쪄서 풍선처럼 부풀어오른 농부인데, 그는 아무런 생각이 없는 멍한 표정을 하고 있다. 이 움직임 없는 식충, 불결한 짐승은 이미 오래전에 생각하고 느끼는 능력을 잃어버린 상태다. 그에게서는 항상 숨이 막힐 만큼 지독한 악취가 풍긴다.

니키타는 이 농부의 자리를 청소할 때마다 온 힘을 다해 사정없이 그를 두들겨팬다. 여기서 끔찍한 것은 그가 맞는다는 사실 자체보다 — 이런 일에 대해서는 익숙해질 수 있다 — 이 무감각한 짐승이 구타에 대해 그 어떤 소리나 움직임이나 눈빛으로도 반응하지 않은 채, 마치 무거운 나무통처럼 살짝 흔들릴 뿐이라는 점이다.

6호실의 다섯번째이자 마지막 거주자는 한때 우체국 분류계원으로 근무했던 평민으로서, 선량하지만 어딘가 좀 교활한 얼굴을 하고 있는 금발의 작고 야윈 남자다. 흔들림 없이 쾌활하게 상대를 바라보는 영리하고 평온한 눈빛으로 미루어보건대, 그는 나름대로 생각도 있어 보이며 뭔가 매우 중요하고 뿌듯한 비밀을 간직하고 있는 것처럼 보인다. 그의 베개와 매트리스 밑에는 아무에게도 보여주지 않는 뭔가가 있다. 그가 그것을 숨기는 이유는 누가 빼앗아가거나 훔쳐가는 것이 두려워서가 아니라, 부끄러워서다. 그는 이따금 창가로 가서 동료들을 등진 채 가슴에 뭔가를 갖다댄 다음 고개를 숙이고 그것을 바라보곤 한다. 이 순간에 누가 그에게 다가가기라도 하면 그는 어쩔 줄 모르며 가슴에서 뭔가를 황급히 떼어낸다. 그러나 그의 비밀을 알아내는 것은 어렵지 않다.

"저를 축하해주세요." 그는 자주 이반 드미트리치에게 말한다. "제가 별이 달린 스타니슬라프 이등훈장을 받게 되었어요. 별이 달린 이등훈장은 원래 외국인에게만 주는 것인데, 제 경우는 무슨 이유인지 예외가 적용되었나봅니다." 그는 미소를 지으며 어색하게 어깨를 으쓱한다. "솔직히 예상도 못했던 일이에요!"

"그런 일에 대해서 저는 아는 게 없습니다만." 이반 드미트리치는 뚱하게 대꾸한다.

"제가 조만간 뭘 받게 될지 아십니까?" 왕년의 분류계원은 능청맞게 눈을 찡긋하며 말을 계속한다. "반드시 스웨덴의 북극성장을 받게 될 겁니다. 그런 훈장은 애써볼 만한 가치가 있지요. 하얀 십자가에 까만 리본 형태예요. 아주 멋집니다."

이 별관만큼 생활이 단조로운 곳은 세상 어디에도 없을 것이다. 아침에 중풍 환자와 뚱뚱한 농부를 제외한 나머지 환자들은 현관에 있는 커다란 물통에서 세수를 하고 환자복 자락으로 물기를 닦는다. 그러고 나서 니키타가 본관에서 가져온 차를 주석 잔에 따른다. 차는 각자에게 한 잔만 허용된다. 정오에는 절인 양배추 수프와 죽을 먹고, 저녁에는 점심때 먹고 남은 죽을 또 먹는다. 그 사이사이에 누워서 잠을 자기도 하고, 창밖을 바라보기도 하고, 병실 안을 이리저리 돌아다니기도 한다. 그렇게 똑같은 하루하루가 지나가는 것이다. 심지어 왕년의 분류 계원은 훈장에 관해 똑같은 이야기를 허구한 날 되풀이한다.

6호실에서 새로운 얼굴을 보게 되는 일은 거의 없다. 벌써 오래전부터 의사가 새 정신병자를 받아들이지 않고 있을뿐더러, 이 세상에는 정신병원을 일부러 방문할 사람도 별로 없는 것이다. 두 달에 한 번 이발사 세묜 라자리치가 찾아온다. 그가 광인들의 머리를 어떻게 깎으며 니키타가 그것을 어떻게 거드는지, 그리고 이 주정뱅이 이발사가 싱글벙글거리며 나타날 때마다 환자들이 어떤 소동을 벌이는지에 대해 굳이 이야기하지 않겠다.

이발사를 제외한 그 누구도 별관을 거들떠보지 않는다. 환자들은 허구한 날 니키타만을 바라보며 살도록 운명지어져 있다.

그런데 병원에 꽤나 이상한 소문이 돌고 있다.

그것은 의사가 6호실을 방문하고 있는 것 같다는 소문이었다.

5

이상한 소문 아닌가!

안드레이 예피미치 라긴이라는 의사는 나름대로 주목할 만한 인물이다. 사람들 말로는 그가 청소년 시절에 신앙심이 매우 독실해서 성직자의 길을 가겠다는 생각을 품었고, 그래서 1863년에 김나지움을 졸업하고서 신학대학에 입학하려 했다는 것이다. 그러나 의학박사이자 외과의사인 그의 아버지는 그에게 조소를 퍼부었으며, 만약에 그가 신부가 된다면 자식으로 취급하지 않겠노라고 단호히 선언했다고 한다. 이것이 얼마나 믿을 만한 얘기인지는 모르겠으나, 안드레이 예피미치 본인은 자신이 의사라는 직업은 물론이거니와 그 어떤 학문에도 특별한 소명의식을 가져본 적이 없다고 여러 차례 말해온 터였다.

어찌됐건 의과대학 과정을 마친 그는 성직자가 되지는 않았다. 그가 자신의 신앙심을 드러내 보인 적도 없으며, 의사 활동 초기나 지금이나 그에게서 성직자의 면모 같은 것은 도무지 찾아볼 수 없었다.

그의 외모는 육중하고 농부처럼 거칠다. 곧은 머릿결과 턱수염이 난 얼굴, 단단하고 투박한 체구로만 보면 그는 대로변 선술집의 영양 상태 좋고 거칠고 건방진 주인장 같다. 파란 핏줄이 여기저기 불거진 그의 얼굴은 험상궂고, 눈은 작으며, 코는 불그레하다. 큰 키에 어깨가 딱 벌어지고 손발도 거대해서 주먹 한 방이면 상대를 날려보낼 것 같다. 하지만 그의 행동거지는 조용하며 걸음걸이는 조심스럽고 얌전하다. 좁은 복도에서 마주쳤을 때 먼저 멈춰 서서 길을 내주는 것은 항상 그다. 그리고 으레 예상할 만한 저음이 아닌 가늘고 부드러운 고음으로 "죄송합니다!"라고 말한다. 그의 목에는 작은 혹이 나 있는데, 이 때문에 그는 빳빳하게 풀을 먹인 칼라 달린 셔츠를 입을 수 없어서 항상 부드러운 마나 면으로 된 셔츠를 입는다. 그의 복장은 전혀 의사처럼 보이지 않는다. 그는 같은 양복을 십 년 남짓 입고 다니는데, 어쩌다 유대인 상점에서 새 옷을 사더라도 그가 입으면 마치 입던 옷처럼 낡고 구겨진 느낌이 든다. 한 벌뿐인 프록코트를 입고 진찰도 하고, 식사도 하고, 남의 집을 방문하기도 한다. 그런데 이는 그가 인색하기 때문이 아니라 자신의 외모에 전혀 관심이 없기 때문이다.

안드레이 예피미치가 직책을 맡기 위해 이 도시에 왔을 때, 이 '자선기관'의 상태는 끔찍했다. 병실이고 복도고 마당이고 간에 악취 때문에 숨쉬기가 힘들 지경이었다. 병원 잡역부, 간호사, 그리고 이들의 자식들까지 병실에서 환자들과 함께 생활하고 있었다. 모두들 바퀴벌레며 빈대, 쥐들 때문에 살 수가 없다고 아우성이었다. 외과 병동에서는 세균성 감염이 끊이질 않았다. 병원 전체에 메스는 단 두 자루였고 체온계는 하나도 없었으며 욕실은 감자 창고로 바뀌어 있었다. 관리부장과 조무사와 조수들은 환자용품을 착복하고 있었고, 안드레이 예피미치의 전임이었던 늙은 의사는, 사람들 말에 따르면, 병원의 알코올을 밀거래했을 뿐만 아니라 간호사와 여성 환자들을 첩으로 거느렸다는 것이다. 주민들은 이런 난장판에 대해 잘 알고 있었을뿐더러, 심지어 과장된 소문을 퍼뜨리기도 했지만 그렇다고 딱히 문제삼지도 않았다. 어떤 사람들은 병원 환자들이 평민과 농부뿐이며, 이들이 집에서는 병원에서보다 더 험한 생활을 하니까 불만을 가질 처지가 아니라고 두둔했다. 요컨대 '이런 자들에게 들꿩 요리를 먹여줄 수는 없지 않느냐!'라는 것이었다. 또 어떤 사람들은 지방자치회의 보조 없이 시 당국의 힘만으로 훌륭한 병원을 운영할 수는 없다, 열악한 병원이라도 있는 게 어디냐며 두둔했다. 새로 구성된 지방자치회는 이 도시에 병원이 이미 하나 있다는 점을 들어 시내나 변두리 그 어느 곳에도 새로운 진료소를 개설하려 들지 않았다.

병원을 둘러본 안드레이 예피미치는 부도덕한 병원 시설이 주민들의 건강을 심하게 해치고 있다는 결론에 도달했다. 그가 생각하기에 지금 할 수 있는 가장 현명한 대처는 환자들을 내보내고 병원을 폐쇄하는 것이었다. 그러나 곰곰이 생각해보니 자기 혼자 의지로는 그런 조치를 취하기에 역부족인데다 별로 효과도 없으리라는 판단이 들었다. 한곳에서 육체적, 정신적 불결함을 추방한다 해도 그것은 다른 장소로 옮겨가게 될 것이기 때문이다. 그러니 저절로 사라져버리길 기다리는 수밖에 없었다. 사실 사람들이 이 병원을 세워두고 유지하는 이유는 결국 그것이 필요하기 때문 아닐까. 이 모든 악폐와 추잡하고 역겨운 생활환경들도 필요한 것이다. 왜냐하면 그런 것들도 마치 세월이 지나면 거름이 옥토로 변하듯이 뭔가 쓸모 있는 것으로 바뀔 수 있기 때문이다. 이 세상에 있는 모든 좋은 것도 그 근원 속에는 추악한 면을 갖고 있기 마련이다.

직무를 시작한 안드레이 예피미치는 병원의 난맥상에 대해 다분히 무관심한 태도를 취했다. 그는 다만 잡역부와 간호사들이 병실에서 잠자지 말 것을 요구했고 의료기구가 들어 있는 장을 두 개 들여놓았을 뿐이었다. 관리부장과 조무사와 조수, 그리고 수술실의 세균은 원래 있던 자리에 그대로 남게 되었다.

안드레이 예피미치는 이성과 명예를 각별히 중시하는 사람이지만, 자신의 생활을 이성적이고 명예롭게 조직하기에는 근기가 부족하고 자신의 권리에 대한 신념도 부족하다. 그는 지시하거나 금지하거나 강요하는 방법을 전혀 모른다. 그는 마치 절대로 언성을 높이거나 명령문을 사용하지 않기로 맹세라도 한 사람 같다. "줘" "가져와" 같은 반말을 하기가 부담스러워서, 그는 식사하고 싶을 때도 공연히 헛기침을 하면서 가정부에게 "차를 좀 마시고 싶은데……"라거나 "식사를 좀 했으면 하는데……"라고 말한다. 관리부장에게 도둑질을 그만두라고 말하거나, 그를 쫓아내거나, 아니면 쓸모없는 기생충 같은 직무 자체를 아예 폐지한다는 것은 그로서는 도저히 해낼 수 없는 일이다. 직원들이 속이거나, 아부하거나, 혹은 속이 빤히 보이는 거짓 계산서를 가져와서 서명해달라고 할 때면, 마치 가재처럼 얼굴이 빨개진 그는 자신이 잘못하고 있다는 기분을 느끼면서도 결국 서명을 해주고 만다. 환자들이 그에게 찾아와 배고픔을 호소하거나 무례한 간호사들에 대해 불평하면, 그는 당황한 표정으로 미안하다는 듯 이렇게 중얼거렸다.

"그래요, 그래, 내가 나중에 알아보지요…… 아마 무슨 오해가 있나 본데……"

부임 초기에 안드레이 예피미치는 매우 열심히 근무했다. 그는 매일 아침부터 점심때까지 진찰하고, 수술하고, 심지어 산파역까지 도맡았다. 부인네들은 그가 매우 세심한 의사이며 병증을 진단하는 데 뛰어나다고, 특히 아이들과 여자들의 병을 잘 본다고 입을 모았다. 그러나 시간이 지나면서 일의 단조로움과 무익함은 그를 몹시 권태롭게 만들었다. 오늘 서른 명의 환자를 받으면 내일은 그 숫자가 서른다섯 명으로 늘어나고 모레는 다시 마흔 명으로 늘어나는 그런 일상이 날마다 이어지며 해를 거듭하고 있었지만, 도시의 사망률은 감소하지 않았고 환자들은 여전히 줄을 잇고 있었다. 아침부터 점심까지 마흔 명의 외래환자에게 실질적인 도움을 주기란 물리적으로 불가능하다. 요컨대 그것은 본의 아니게 계속 거짓말을 하게 된다는 얘기다. 한 해에 만 이천 명의 환자를 진찰했다고 친다면, 쉽게 말해서 만 이천 명을 기만한 셈이다. 중환자를 병실에 입원시켜 과학적 원칙에 따라 치료하는 것 역시 불가능하다. 왜냐하면 원칙은 있지만 과학이 없기 때문이다. 개똥철학은 집어치우고 다른 의사들처럼 고지식하게 원칙만을 따를 수도 있을 것이다. 하지만 원칙을 지키기 위해서는 무엇보다도 불결 대신에 청결과 신선한 공기가 필요하고, 쉰내나는 양배춧국 대신에 건강한 음식이 필요하며, 도둑 대신에 훌륭한 직원들이 필요한 것이다.

하기야 죽음이 모든 인간의 정상적이고 필연적인 결말이라면, 사람들이 죽어가는 것을 방해할 이유가 뭐 있겠는가? 어떤 장사치나 관리가 오 년이나 십 년을 더 산다고 해서 무엇이 달라지겠는가? 만약 의술의 목적이 약이나 치료를 통해 고통을 덜어주는 것이라면, 이런 질문이 자연스럽게 떠오른다. 뭐하러 고통을 덜어주지? 첫째, 고통은 인간을 완성의 길로 이끌어준다고 하지 않는가? 둘째, 만약 인류가 알약과 물약을 통해 자신의 고통을 정말로 치료할 수 있게 된다면, 인류는 종교와 철학을 완전히 버리게 될 것 아닌가? 이제까지는 인류가 그것들 속에서 온갖 불행에 대한 방패막이를 찾고, 심지어 행복까지도 찾아왔으니 말이다. 푸시킨은 죽기 전에 끔찍한 고통을 겪었고, 불쌍한 하이네는 중풍으로 몇 년을 누워 지냈다. 그런데 어째서 별 볼 일 없는 안드레이 예피미치나 마트료나 사비시나 같은 사람은 병을 앓으면 안 되는 가? 만약 고통이 없다면, 이들의 삶은 마치 아메바의 삶처럼 무의미하고 공허한 것이 되지 않을까?

이런 상념들에 압도된 안드레이 예피미치는 의욕을 잃고 이전처럼 매일 병원에 나가지 않게 되었다.

6

그의 일상은 다음과 같은 식으로 흘러간다. 보통 그는 아침 여덟시쯤 일어나서 옷을 입고 차를 마신다. 그러고 나서 서재에 앉아 책을 읽거나 병원으로 간다. 좁고 어두운 병원 복도에는 외래환자들이 앉아서 진찰을 기다리고 있다. 그들 옆으로 병원 잡역부와 간호사들이 장홧발로 벽돌바닥을 쿵쿵거리며 뛰어다니고, 환자복을 입은 초췌한 환자들이 지나다니고, 시신과 오물통이 운반되고, 아이들이 울어대고, 바깥바람이 들이친다. 이런 환경은 열병 환자나 폐병 환자는 물론이거니와 모든 민감한 환자에게 견디기 힘든 조건임을 안드레이 예피미치는 알고 있다. 하지만 그렇다고 무엇을 할 수 있겠는가? 진찰실에서는 조수 세르게이 세르게이치가 그를 맞는다. 세르게이 세르게이치는 키가 작고 뚱뚱한 남자다. 면도를 한 깔끔하고 포동포동한 얼굴에 부드럽고 세련된 매너를 갖고 있는 그는 새로 맞춘 낙낙한 정장을 입은 모습이 조수라기보다는 상원의원에 더 가까워 보인다. 시내에서 개업하여 하얀 넥타이를 매고 다니면서 엄청난 수의 환자를 받고 있는 그는 개업하지 않은 안드레이 예피미치보다 자신이 더 유능한 의사라고 생각한다. 진찰실 모서리에는 커다란 성상 액자가 묵직한 의례용 등잔과 함께 놓여 있고, 그 옆에는 하얀 덮개가 씌워진 대형 촛대가 서 있다. 그리고 벽에는 주교들의 초상화와 스뱌토고르스크 수도원의 그림, 말린 수레국화 화환이 걸려 있다. 독실한 신자인 세르게이 세르게이치는 웅장한 교회 의례를 좋아한다. 성상화도 자기 돈을 들여 갖다놓은 것이다. 일요일마다 그는 환자들 중 한 명을 불러서 찬송가를 부르게 하고 있으며, 찬송이 끝난 뒤에는 손수 향로를 들고 병실마다 돌아다니며 향을 피운다.

환자들은 많고 시간은 모자라기 때문에 진찰은 한두 마디 짧은 질문을 던지고 휘발성 연고나 피마자기름 같은 약을 내주는 것에 국한된다. 안드레이 예피미치는 주먹에 뺨을 괴고 앉아 딴생각에 잠긴 채 환자에게 기계적으로 질문을 던진다. 세르게이 세르게이치도 역시 앉아서 양손을 비비고 있다가 이따금 대화에 끼어든다.

"우리가 병이 나고 가난에 시달리는 것은," 그가 말한다. "자비로운 주님께 기도를 제대로 하질 않아서 그런 겁니다. 정말로!"

진료 시간에 안드레이 예피미치는 그 어떤 수술도 하지 않는다. 수술하지 않은 지 워낙 오래되었기 때문에 이제는 피만 봐도 기분이 나빠진다. 아기의 입을 벌리고 목구멍을 들여다봐야 할 경우가 있는데, 이때 아기가 소리를 지르며 작은 손으로 그를 밀쳐내면 그는 소음 때문에 현기증이 나고 눈물을 글썽거릴 지경이 된다. 그는 서둘러 처방전을 써주고 아기 엄마더러 얼른 아기를 데려가라고 손을 젓는다.

겁먹은 환자들의 앞뒤가 맞지 않는 이야기들, 옆에 있는 세르게이 세르게이치의 근엄한 태도, 벽에 걸린 초상화들, 그리고 이십 년이 넘도록 계속되는 자신의 똑같은 질문들은 얼마 못 가서 그를 신물나게 만든다. 그래서 대여섯 명의 환자를 받고 나면 그는 진찰실을 떠나고 나머지 환자는 조수가 혼자서 받는다.

오래전부터 병원 밖에서는 환자를 받지 않고 있기 때문에 그를 방해할 사람이 아무도 없다고 생각하며 안드레이 예피미치는 기분이 좋아진다. 그는 집으로 돌아오자마자 서재 책상 앞에 앉아 책을 읽기 시작한다. 대단한 독서가인 그는 책 읽는 일에 큰 만족을 느낀다. 월급의 절반을 책 사는 데 써버리는 까닭에, 아파트의 방 여섯 개 중 세 개가 책과 과월호 잡지로 가득차 있다. 그가 무엇보다도 좋아하는 분야는 역사와 철학이다. 그가 구독하고 있는 의학 잡지는 『의사』 한 종류뿐인데, 그마저도 늘 뒷부분부터 읽기 시작한다. 독서는 항상 몇 시간이고 쉼없이 계속되지만 그는 지치는 법이 없다. 앞서 이반 드미트리치가 빠른 속도로 허겁지겁 책을 읽었던 데 반해 그는 천천히 정독하는 쪽이며, 마음에 들거나 이해되지 않는 대목이 나오면 자주 멈춰서 그 대목을 음미하곤 한다. 책 옆에는 언제나 보드카 병이 놓여 있고 그 옆에는 절인 오이나 사과가 접시도 없이 테이블보 위에 올려져 있다. 삼십 분마다 그는 책에서 눈을 떼지 않은 채 보드카를 한 잔 따라 마신 뒤, 오이를 손으로 더듬어서 집어들고 한입 베어먹는다.

오후 세시가 되면 그는 부엌문 쪽으로 조심스럽게 다가가서 헛기침을 하며 말한다.

"다류시카, 식사를 좀 했으면 하는데……"

어지간히 부실하고 지저분하게 차려놓은 식사를 마친 뒤, 안드레이 예피미치는 팔짱을 끼고 자기 방안을 거닐며 생각에 잠긴다. 네시 종이 울리고 다섯시 종이 울리는데도 그는 여전히 방안을 거닐며 생각하고 있다. 이따금 부엌문이 삐걱 열리고 잠이 덜 깬 다류시카의 빨간 얼굴이 문틈으로 나타난다.

"안드레이 예피미치, 맥주 드실 시간 아닌가요?" 그녀가 걱정스럽게 물어본다.

"아니, 아직 시간이 안 됐는데······" 그가 대답한다. "좀 있다가, 좀 있다가······"

저녁에는 대개 우체국장 미하일 아베리야니치가 찾아오는데, 그는 이 도시에서 안드레이 예피미치가 허물없이 지내는 유일한 사람이다. 미하일 아베리야니치는 한때 굉장히 부유한 지주였으며 기병대에서 복무한 적도 있는 인물이지만 파산해버린 뒤로는 생계를 위해 늘그막에 우체국으로 들어가게 되었다. 그는 건강하고 활기찬 풍모에 근사한 흰 구레나룻을 기르고 있으며, 교양 있는 태도와 우렁차고 듣기 좋은 목소리를 가지고 있다. 선량하고 정이 많지만 욱하는 기질도 있어서, 우체국에서 어쩌다 방문객이 항의하거나, 일처리에 불만을 가지거나, 혹은 공연히 트집을 잡으려 들면 미하일 아베리야니치는 얼굴을 붉히고 온몸을 떨며 벽력같은 소리로 "조용!" 하고 고함친다. 이 때문에 오래전부터 우체국은 찾아가기 겁나는 관청으로 악명을 떨쳤다. 미하일 아베리야니치는 교양이 높고 고결한 심성을 지닌 안드레이 예피미치를 존경하고 좋아하지만, 다른 주민들은 마치 부하직원 대하듯 거만하게 대한다.

"제가 이렇게 또 왔습니다!" 안드레이 예피미치의 집으로 들어오며 그가 말한다. "안녕하세요! 혹시라도 제가 귀찮아지신 건 아닌지?"

"천만에요, 오히려 반갑죠." 의사가 대답한다. "저는 당신을 뵙는 게 항상 기쁩니다."

두 친구는 서재의 소파에 앉아 한동안 말없이 담배를 피운다.

"다류시카, 맥주 좀!" 안드레이 예피미치가 말한다.

두 친구는 여전히 아무 말도 없이 첫번째 병을 마신다. 의사는 생각에 잠겨 있고, 미하일 아베리야니치는 마치 굉장히 재미있는 이야깃거리라도 갖고 있는 사람처럼 생기 있고 쾌활한 기색이다. 대화를 시작하는 것은 언제나 의사다.

"안타까워요." 그는 상대방의 눈을 바라보지 않은 채(그는 항상 상대방의 눈을 바라보지 않는다) 고개를 가로저으며 천천히 그리고 조용히 말한다. "참으로 안타깝습니다, 존경하는 미하일 아베리야니치 씨. 흥미롭고 지적인 대화를 할 능력이 되고 이를 즐기는 사람이 우리 도시에 한 명도 없다는 게 말입니다. 이것은 우리에게 커다란 결핍입니다. 심지어 지식인들도 속물근성을 넘어서지 못하고 있어요. 단언컨대, 그들의 발달 수준은 결코 하층계급보다 높지 않습니다."

"옳은 말씀이에요. 동감입니다."

"당신도 잘 아시겠지만," 의사는 잠깐 뜸을 들였다가 조용히 말을 이어갔다. "이 세상에서 인간 지성을 높이 구현하는 일보다 더 의미 있고 흥미로운 일은 없지요. 지성은 동물과 인간 사이에 명확한 경계선을 그어줍니다. 지성은 인간의 신성에 대한 단서가 되기도 하며 심지어 존재하지 않는 불멸성을 어느 정도는 대신해주는 것이기도 합니다. 이런 사실 때문에 지성은 쾌락의 유일한 원천이 될 수 있는 것이지요. 그런데 우리 주변에서 지성이 보이거나 들리지 않습니다. 즉, 우리는 쾌락을 빼앗긴 것입니다. 물론 우리에게는 책이 있습니다만, 이것은 생생한 대화나 소통에 견줄 수가 없지요. 시시한 비유가 될지 모르겠습니다만, 책이 악보라면 대화는 노래라고 하겠습니다."

"옳은 말씀입니다."

침묵이 찾아온다. 부엌에서 나온 다류시카가 막연한 애수가 깃든 표정을 지으며 주먹으로 턱을 괴고 문가에 서서 이야기를 듣고 있다.

"에이!" 미하일 아베리야니치가 한숨을 쉰다. "요즘 사람들한테 지성을 기대하시다니!"

그러면서 그는 사람들이 예전에는 얼마나 건강하고 즐겁고 재미있게 살았는지 이야기하기 시작한다. 러시아의 지식인들은 얼마나 현명했던가. 명예와 우정을 그들이 얼마나 소중히 여겼던가. 차용증 없이도 돈을 빌려주었으며, 곤란을 겪고 있는 동료에게 도움의 손길을 내밀지 않는 걸 수치로 생각하지 않았던가. 원정 파병, 모험, 적과의 접전들, 전우들! 그리고 여자들! 캅카스*는 얼마나 경이로운 곳이었던가! 어떤 중대장의 아내는 참 독특한 여자였어. 장교복을 입고 저녁마다 안내인도 없이 혼자서 말을 타고 산길을 돌아다녔지. 한 산간 지역의 부족장과 염문을 뿌렸다는 얘기도 있었지.

"성모님……" 다류시카가 한숨을 쉰다.

"술은 또 얼마나 마셨던지! 먹기는 또 얼마나 먹어댔던지! 참으로 대책 없는 자유주의자들이었지!"

안드레이 예피미치는 듣고 있는 듯 듣지 않는다. 그는 딴생각을 하

---

* 흑해와 카스피해 사이에 있는 산악 지역.

며 맥주를 홀짝거리고 있다.

"저는 종종 현명한 사람들과 대화를 나누는 꿈을 꿉니다." 그가 별안간 미하일 아베리야니치의 말을 끊으며 입을 열었다. "아버지는 제가 훌륭한 교육을 받도록 해주셨습니다. 그런데 60년대 사상의 영향을 받아서인지 저를 의사로 만드셨어요. 그때 만약 아버지 말씀을 듣지 않았더라면 오늘날 지적인 운동의 중심에 제가 있었을지도 모른다는 생각이 듭니다. 어쩌면 어느 대학의 교수가 됐을 수도 있겠지요. 물론 지성 또한 영원하지 않습니다. 그 또한 덧없죠. 그렇더라도 당신은 제가 왜 이처럼 지성에 경도되어 있는지 이미 아실 겁니다. 인생은 고약한 함정이지요. 한 인간의 사색이 무르익어 완숙한 단계가 되었을 때, 그는 자신도 모르는 사이에 자기가 출구 없는 함정에 빠졌다는 걸 느끼게 됩니다. 사실 그는 자신의 의지와 상관없이 어떤 우연성에 의해 무無로부터 세상으로 불려나온 거예요…… 왜죠? 그는 자기 존재의 의미와 목적을 알고 싶어하지만, 그것에 대해 말해주는 사람도 없고, 말해준다 하더라도 헛소리들일 뿐입니다. 그는 문을 두드리지만, 그 문은 열리지 않습니다. 그리고 그에게 죽음이 찾아오지요. 이 역시 자신의 의지와 무관합니다. 감옥에서 공통의 불행으로 엮인 인간들이 함께 지내며 위안을 느끼듯이, 인생에서는 분석과 이론을 즐기는 인간들이 함께 모여 고담준론을 자유롭게 나누며 시간을 보내지요. 그러다보면 그것이 함정이라는 것도 잊게 되겠죠. 그런 의미에서 지성은 무엇과도 바꿀 수 없는 쾌락입니다."

"옳은 말씀입니다."

안드레이 예피미치는 상대방의 눈을 쳐다보지 않은 채, 현명한 사람들에 대해, 그리고 그들과 나누는 대화에 대해 이따금 사이를 두며 조용하게 말을 이어간다. 한편 미하일 아베리야니치는 열심히 그의 얘기를 들으며 맞장구친다. "옳은 말씀입니다."

"그런데 당신은 영혼의 불멸을 믿지 않으시나요?" 갑자기 우체국장이 묻는다.

"네, 존경하는 미하일 아베리야니치. 믿지 않습니다. 믿을 근거가 없어요."

"솔직히 말하면 저도 의심스러워요. 하지만 그렇더라도 저는 어쩐지 영원히 죽지 않을 것 같다는 느낌이 듭니다. 속으로 생각하지요. '이 영감탱이야, 너 죽을 때가 됐잖아!' 그런데도 마음속에서는 다른 목소리가 들리는 겁니다. '그런 건 믿지 마, 넌 죽지 않을 거야!……'"

아홉시가 좀 넘으면 미하일 아베리야니치는 돌아간다. 현관에서 외투를 걸치고 나서 그는 한숨을 쉬며 말한다.

"하여간, 운명은 어쩌다가 우리를 이런 촌구석으로 내몰았는지! 무엇보다도 화나는 건 우리가 여기에 뼈를 묻어야 한다는 거지요. 어휴!……"

7

친구를 보내고 나서 안드레이 예피미치는 책상 앞에 앉아 다시 책을 읽기 시작한다. 저녁과 밤의 정적 속으로 그 어떤 소리도 끼어들지 않는다. 시간은 의사와 함께 책 위에 멈춰서 사라져버리고, 마치 이 책과 녹색 갓을 씌운 전등 말고는 아무것도 존재하지 않는 듯하다. 의사의 거칠고 투박한 얼굴은 인간 지성의 활약상 앞에서 차츰 감동과 환희의 미소로 빛나기 시작한다. 오, 어째서 인간은 영생할 수 없는가? 그는 생각한다. 뇌 중추며 주름은 무엇 때문에 존재하는가? 시각, 언어, 자의식, 천재성은 또 무엇 때문에 존재하는가? 이 모두가 흙으로 돌아가도록 정해진 운명이라면, 그래서 마침내 지표면 속에서 차갑게 식어 수백만 년 동안 아무런 의미도, 목적도 없이 지구와 함께 태양 주위를 배회하도록 정해진 운명이라면 말이다. 그처럼 식어서 우주를 배회하게 만들 작정이라면, 거의 신에 가까운 높은 지성을 가진 인간을 무로부터 불러내어 마치 놀리기라도 하듯 다시 흙으로 돌려보낼 필요가 없지 않은가 말이다.

'만물의 순환'이라! 하지만 이것을 영생의 대체품이라고 여기며 위안을 삼는다는 건 얼마나 용렬한 태도인가! 자연에서 이루어지는 비자각적 과정은 심지어 인간의 어리석음보다도 낮은 차원에 있는 것이다. 인간의 어리석음 속에는 어쨌든 의식과 의지가 있지만 자연의 순환 과정에는 무상無常만이 있을 뿐이기 때문이다. 죽음 앞에서 의연하지 못하고 두려움이 앞서는 겁쟁이만이 그의 육신이 나중에 풀이나 돌, 혹은 두꺼비 속에서 살게 된다는 사실로 자신을 위로할 수 있는 것이다. 만물의 순환 속에서 자신의 영생을 구하는 것은 마치 귀한 바이올린이 부서져서 쓸모없어진 마당에 바이올린 케이스의 빛나는 미래를 예언하는 것만큼이나 우스꽝스럽다.

매시간 시계 종이 울릴 때마다 안드레이 예피미치는 안락의자에 몸을 기대고 잠시 생각하기 위해 눈을 감는다. 책에서 읽은 훌륭한 생각들의 영향 속에서, 그는 문득 자신의 과거와 현재를 돌이켜본다. 과거는 지긋지긋하므로 추억하지 않는 편이 낫다. 그러나 현재도 과거와 다를 바 없이 지긋지긋하다. 그는 알고 있다. 자신의 상념이 식어버린 지구와 함께 태양 주위를 배회하고 있는 바로 그 시간에, 자기 아파트 옆 중앙 병동에서는 사람들이 질병과 육체적인 불결함 속에서 고통받고 있다는 것을. 아마도 어떤 사람은 벌레들과 싸우느라 잠을 설치고 있을 것이며, 또 어떤 사람은 세균에 감염되었거나 혹은 너무 세게 감겨진 붕대 때문에 신음하고 있을 것이다. 어쩌면 환자들은 간호사들과 카드놀이를 하거나 보드카를 마시고 있을지도 모른다. 한 해에 만 이천 명의 환자가 기만당하고 있다. 병원의 모든 사업은 이십 년 전과 마찬가지로 도둑질과 오물과 험담과 엽관매직과 엉터리 진료로 운영되고 있다. 병원은 예전과 다름없이 비윤리적이며 주민의 건강에 극히 해로운 시설일 따름이다. 그는 알고 있다. 6호실의 쇠창살 너머에서는 니키타가 환자들을 때리고 있으며, 모이세이카는 매일 시내로 나가 구걸한다는 것을.

다른 한편으로 그는 지난 이십오 년간 의학 분야에 놀라운 변화가 일어났다는 사실을 잘 알고 있다. 그가 대학에서 공부할 때만 해도 의학은 머지않아 연금술이나 형이상학과 같은 운명을 겪게 될 것처럼 보였다. 그러나 밤마다 책을 읽는 지금, 의학은 그를 감동시키고 경탄케 하며 심지어 환희를 불러일으킨다. 사실 그 얼마나 뜻밖의 성취인가! 얼마나 멋진 혁명인가! 오늘날에는 살균제 덕분에 위대한 피로고프*가

---

* 러시아의 외과의사이자 해부학자 니콜라이 이바노비치 피로고프(1810~1881). 에테르를 마취제로 사용해 수술한 유럽 최초의 의사이며, 크림전쟁 당시에 전장에서 여러 외과 치료를 실행했다.

미래에도 불가능하리라고 여겼던 수술들을 하고 있다. 평범한 시골 의사도 주저 없이 무릎 관절 절제술을 하는가 하면, 개복수술에서 사망률은 백 명 중 한 명에 불과하고, 결석증은 굳이 화제에 올릴 필요도 없을 만큼 사소한 병으로 간주되고 있는 것이다. 매독은 근치되고 있으며 유전학, 최면술, 파스퇴르와 코흐*의 발견, 위생 통계학이 등장했다. 그리고 러시아의 지방 의료 수준은 또 어떠한가? 정신의학에서도 지금은 현대적인 질병 분류법과 진단, 처치 기법을 사용하고 있다. 예전과 비교하면 신천지가 열린 것이나 다름없다. 이제는 정신병자들의 머리에 찬물을 쏟아붓지 않으며, 구속복을 입히지도 않는다. 신문 기사에 따르면 이들을 위한 공연과 무도회가 마련될 정도로 인간적인 대우를 받는다고 한다. 안드레이 예피미치는 알고 있다. 오늘날의 관점과 척도에서 본다면 6호실 같은 형편없는 시설은 철도에서 200베르스타나 떨어져 있는 이런 소도시에나 있을 수 있는 것이다. 시장과 시의원들조차 반문맹의 평민들인 이곳에서 사람들은 의사를 무슨 제사장처럼 여긴다. 의사가 설령 자기들 입속으로 쇳물을 들이붓더라도 아무런 의심 없이 믿어야 한다고 생각하는 것이다. 만약 다른 곳이었다면 벌써 오래전에 대중과 신문이 이 작은 바스티유 감옥을 박살내버렸을 것이다.

'하지만 그래서 어쨌다고?' 안드레이 예피미치는 눈을 뜨며 자문한다. '달라진 게 뭐지? 살균제도 나왔고, 코흐와 파스퇴르도 나왔지만 문제의 본질은 전혀 변한 게 없잖아. 발병률과 사망률은 예전과 다름이 없으니 말이야. 정신병자들에게 무도회를 열어주고 공연을 보여준다

---

* 독일의 의사이자 세균학자 로베르트 코흐(1843~1910). 세균학 연구 방법의 기초를 마련하고 결핵균과 콜레라균을 발견해 1905년 노벨생리학·의학상을 받았다.

지만, 그렇다고 해서 그들을 해방시켜주는 것은 아니잖아. 그러니까 다 쓸데없는 헛수작이야. 빈에 있는 최고의 병원과 우리 병원 사이에 본질적인 차이는 없는 거야.'

비애와 질시 비슷한 감정이 그의 평정심을 흔든다. 이건 분명히 피곤해서 그런 거야. 무거워진 머리가 책 쪽으로 기울어지자 그는 손으로 얼굴을 받쳐 편안한 자세를 취한다. 그리고 생각한다.

'나는 해로운 사업을 위해 일하면서 내가 기만하는 사람들에게서 월급을 받고 있군. 나는 부정한 인간이야. 하지만 사실 나는 아무것도 아닌데. 나는 그저 필연적인 사회악의 한 부분일 뿐이야. 군청 관리들 모두가 썩었다고. 그들도 하는 일 없이 월급을 받고 있어…… 그러니까 이 부정은 내가 아니라 시대 탓이야…… 내가 이백 년 뒤에 태어났더라면 다른 사람이 되었을 거야.'

세시 종이 울리자 그는 등을 끄고 침실로 들어간다. 그러나 잠이 오지 않는다.

8

이 년 전에 현 자치회는 장차 현립병원이 만들어질 때까지 시립병원의 의료 인력을 보강한다는 명목으로 매년 자그마치 300루블의 보조금을 지원하기로 결정했다. 그리고 안드레이 예피미치를 돕기 위해 보건의 예브게니 표도리치 호보토프가 초빙되었다. 예브게니 표도리치는 아직 서른도 안 된 아주 젊은 남자로, 큰 키에 흑발이며 광대뼈가 두

드러지고 눈은 작다. 아마도 그의 선조는 이민족인 듯했다. 그는 돈 한 푼 없이 작은 여행가방을 들고, 자신이 가정부라고 부르는 젊고 못생긴 여자와 함께 이 도시에 왔다. 여자에게는 젖먹이 아기가 있다. 예브게니 표도리치는 앞 챙이 달린 모자를 쓰고 긴 부츠를 신고 다니며, 겨울에는 짧은 털외투를 입는다. 그는 조수 세르게이 세르게이치 그리고 경리직원과 친해졌지만, 나머지 직원들을 어떤 이유에선지 양반님네들이라 부르며 경원시했다. 그의 아파트에는 오직 한 권의 책『1881년 빈 병원의 최신 처방』이 있다. 환자에게 갈 때 그는 항상 이 책을 가지고 간다. 사교클럽에서 저녁마다 당구를 치지만 카드놀이는 좋아하지 않는다. 그리고 대화할 때 걸핏하면 '헛짓거리'니, '쓰잘머리없는 소리'니, '헷갈리는 소리' 같은 표현을 사용한다.

그는 일주일에 두 번 병원에 나와 병실을 돌며 진료를 한다. 살균제와 부항단지가 하나도 없다는 사실에 분개하지만 그렇다고 해서 새로운 원칙을 도입하지는 않는다. 괜히 그런 일을 해서 안드레이 예피미치를 불쾌하게 만들까봐 두려운 것이다. 그는 자신의 동료인 안드레이 예피미치가 노회한 사기꾼이며 많은 재산을 모았을 거라고 의심하면서도 내심 그를 부러워한다. 기회만 있다면 언제든 그의 자리를 꿰차려는 인간이다.

9

3월 말, 땅 위의 눈도 다 녹고 병원의 정원에서는 찌르레기가 울고 있는 어느 봄날 저녁, 의사는 친구인 우체국장을 병원 정문까지 바래다주러 나왔다. 때마침 수확물을 가지고 돌아온 유대인 모이세이카가 마당으로 들어오고 있었다. 그는 모자도 없이 맨발에 작은 덧신을 신고, 손에는 동냥한 물건이 들어 있는 작은 자루를 들고 있었다.

"한푼 줍쇼!" 그는 추위에 떨면서도 입가에 미소를 지으며 의사에게 말했다.

절대로 거절하는 법이 없는 안드레이 예피미치는 그에게 10코페이카 동전을 내주었다.

'이건 좀 심하군.' 그는 빨갛고 앙상한 발목이 드러난 모이세이카의 맨발을 보며 생각했다. '완전히 젖었잖아.'

동정심과 혐오감이 뒤섞인 감정에 이끌린 의사는 유대인의 대머리와 발목을 바라보며 그를 따라 별관으로 들어갔다. 의사가 들어가자 니키타가 넝마 더미에서 벌떡 일어나 차려 자세를 취했다.

"잘 있었나, 니키타." 안드레이 예피미치가 부드럽게 말했다. "이 유대인에게 장화를 지급해주면 좋겠는데 말이야. 저러다간 감기 걸리겠어."

"알겠습니다, 원장님. 관리부장님께 보고하겠습니다."

"그렇게 해줘. 내 이름으로 부탁하게. 내가 부탁하는 거라고 말해."

현관에서 병실로 통하는 문은 열려 있었다. 팔꿈치로 몸을 괴고 침대 위에 반쯤 누워 있던 이반 드미트리치는 낯선 목소리에 긴장해서 귀를 기울이다가 문득 그것이 의사의 목소리라는 것을 알았다. 그는 분노로 몸을 부들부들 떨며 벌떡 일어났다. 그리고 증오심에 불타는 얼굴로 두 눈을 부릅뜨며 병실 한가운데로 달려나왔다.

"의사가 왔다!" 그는 그렇게 외치며 큰 소리로 웃어댔다. "드디어! 여러분 축하합니다. 의사 선생님께서 황송하게도 우리를 방문해주셨습니다! 이 망할 놈아!" 그는 광란하며 꽥꽥 소리를 지르고 발을 굴러댔다. 이 병실에서 이제껏 한 번도 볼 수 없었던 광경이었다. "이 망할 놈을 죽여라! 아니, 죽이는 걸로는 모자라! 똥통에 처넣어버려야 해!"

현관에서 이 소리를 들은 안드레이 예피미치는 병실 쪽을 보며 부드럽게 물었다.

"왜 그러세요?"

"왜 그러냐고?" 이렇게 외친 이반 드미트리치는 발작적으로 환자복을 여미며 위협적인 얼굴로 의사에게 다가왔다. "왜 그러냐고? 이 도둑놈아!" 그는 혐오스럽다는 듯이 그렇게 말하고 침이라도 뱉을 기세로 입술을 오므렸다. "사기꾼! 백정 놈!"

"진정하세요." 안드레이 예피미치는 미안한 얼굴로 미소를 지으며 말했다. "분명히 말하지만, 저는 아무것도 훔치지 않았습니다. 그리고 다른 문제들에 대해서도 당신은 과장이 너무 심한 것 같습니다. 제게 화가 나 있다는 점은 알겠습니다만. 제발 진정하시고 왜 이렇게 화가 나셨는지 차근차근 말해주지 않겠습니까?"

"당신들은 나를 왜 여기 가둬놓고 있는 거요?"

"당신이 병자이기 때문이지요."

"내가 병자인 건 사실이지. 하지만 지금도 수십, 수백 명의 정신병자가 거리를 활보하고 있잖소. 단지 무식한 당신들이 그들을 멀쩡한 사람들과 구별할 수 없다는 이유 때문에 말이오. 그런데 어째서 다름 아닌 내가 그리고 이 운수 나쁜 사람들이 그 모두를 대신해서 희생양처럼 여기 있어야 되는 거요? 당신, 조수, 관리부장, 그리고 이 병원의 모든 개자식들이 도덕적인 면에서 우리보다 훨씬 더 열등한데, 어째서 당신들이 아니라 우리가 여기 있는 거요? 무슨 이런 논리가 다 있소?"

"도덕적인 면이니 논리니 하는 건 여기서 아무런 상관이 없습니다. 모든 것은 우연에 달려 있어요. 입원시키면 입원하는 거고, 입원시키지 않으면 돌아다니는 겁니다. 그게 전부예요. 제가 의사라는 것도, 당신이 정신병자라는 것도 도덕이나 논리와 아무 상관이 없습니다. 단지 무의미한 우연일 따름입니다."

"무슨 헛소리를 하는 건지 모르겠군……" 이반 드미트리치는 그렇게 맥없이 내뱉고 자기 침대로 가서 앉았다.

의사가 온 덕분에 니키타의 몸수색을 피할 수 있었던 모이세이카는 빵 부스러기며 종이 쪼가리며 뼈다귀 나부랭이를 자기 침대 위에 늘어놓았다. 그는 여전히 한기에 몸을 떨며 히브리어로 무슨 말인가를 노래하듯 빠르게 중얼거리고 있었다. 자기가 가게라도 열었다고 상상하는 모양이었다.

"나를 내보내주시오." 이반 드미트리치가 떨리는 목소리로 말했다.

"그럴 수 없습니다."

"어째서? 어째서요?"

"왜냐하면 그건 제 권한 밖의 일이니까요. 그리고 생각을 해보세요. 제가 당신을 내보낸다고 해도 그게 당신에게 무슨 도움이 되겠습니까? 당신이 거리로 나가면 주민들이나 경찰이 다시 병원으로 돌려보낼 텐데요."

"그래, 그래, 맞아……" 이반 드미트리치는 그렇게 말하며 이마를 문질렀다. "끔찍한 노릇이군! 그러면 나는 어떻게 해야 하는 거요? 어떻게?"

이반 드미트리치의 음성과 잔뜩 찌푸린 젊고 총명한 얼굴은 안드레이 예피미치의 마음에 들었다. 그는 젊은이를 위로하고 안심시키고 싶어졌다. 그는 침대 위에 젊은이와 나란히 앉아 잠시 생각한 후 말했다.

"당신은 어떻게 해야 하냐고 물었지요? 지금 당신 상황에서 가장 좋은 것은 여기서 도망치는 것이겠죠. 그러나 유감스럽게도 그건 도움이 되질 않아요. 다시 붙잡힐 테니까. 이 사회가 범죄자와 정신병자 그리고 그 밖에 성가시다고 여겨지는 사람들로부터 자신을 지키려고 작정했다면, 그것은 절대로 거역할 수 없습니다. 당신에게 남은 건 하나뿐입니다. 여기서 지내는 것이 불가피하다고 생각하며 안정을 취하는 겁니다."

"그런 건 아무에게도 소용이 없어."

"감옥과 정신병원이 일단 존재하게 되었으면 누군가는 거기 갇혀 있어야 하는 겁니다. 당신이 아니라면 제가, 제가 아니라면 어떤 제삼자겠지요. 두고 봅시다, 언젠가 먼 미래에 감옥과 정신병원이 없어질 날이 올 겁니다. 그때가 되면 창문의 쇠창살도, 이런 환자복도 없어지겠지요. 이르건 늦건 결국엔 그런 시대가 올 겁니다."

이반 드미트리치는 냉소를 지었다.

"농담도 참." 눈을 가늘게 뜨며 그가 말했다. "당신이나 당신네 직원 니키타나 그런 미래와 아무런 상관도 없는 사람들이지만, 그래도 나리, 좋은 시대가 올 거라고 믿는 건 당신 자유지! 내 말투가 점잖지 못하다고 웃으시는데, 뭐 어쨌든 새 생활의 서광이 밝아오고 정의가 승리를 구가하겠지요. 거리에서는 축제가 벌어질 거고! 그런데 나는 그때까지 기다릴 수가 없어요. 그전에 뒈져버릴 테니까. 대신에 누군가의 증손자들이 그날을 맞겠지. 그들을 진심으로 축하하고, 그들을 위해 기뻐하노라! 전진! 친구들이여, 그대들에게 신의 가호가 있기를!"

이반 드미트리치는 눈을 빛내며 일어났다. 그리고 창문을 향해 팔을 쭉 뻗고 들뜬 목소리로 계속 말했다.

"이 쇠창살 뒤에서 당신들을 축복하노라! 정의 만세! 기쁘도다!"

"저는 그렇게 기뻐할 이유를 못 찾겠군요." 안드레이 예피미치가 말했다. 이반 드미트리치의 동작은 연극적이었지만 그래도 그에게는 무척 근사해 보였다. "감옥과 정신병원은 없어질 것이며, 당신의 표현을 빌리자면 정의가 승리를 구가하겠지요. 하지만 세상의 본질은 변하지 않을 것이며 자연의 법칙도 예전과 다름없을 겁니다. 사람들은 지금과 마찬가지로 병들고 늙고 죽어가겠지요. 아무리 찬란한 서광이 당신의 인생을 비춘다고 해도 결국 당신은 관 속에 갇힌 채 못박혀 구덩이 속으로 던져질 겁니다."

"영생은 어쩌고?"

"허, 무슨 그런 말씀을!"

"당신은 믿지 않아도 나는 믿소. 도스토옙스키인가 볼테르의 책에서 누가 이런 말을 했지. 만약 신이 없다면 사람들이 신을 만들어낼 거라고. 나는 굳게 믿어. 설령 영생이 없더라도 언젠가는 위대한 인간의 지성이 그것을 발명해낼 거라고."

"좋은 얘기네요." 안드레이 예피미치는 만족스러운 미소를 지으며 말했다. "당신이 뭔가를 믿는다는 건 좋은 일입니다. 그런 믿음이 있다면 벽 속에 갇혀 있더라도 속 편하게 살아갈 수 있겠습니다. 그런데 당신은 고등교육을 받으셨나보군요?"

"대학에 다녔지만 졸업은 못했소."

"당신은 사색적이고 지적인 분입니다. 어떤 상황에서도 스스로 위안을 찾을 수 있을 겁니다. 인생의 비의를 깨우치기 위한 자유롭고 심원한 사색, 그리고 어리석고 허망한 세상사에 대한 전적인 경멸은 이제껏 인류가 발견한 최고의 축복이에요. 설령 삼중의 쇠창살 안에서 살더라도 당신은 그런 축복을 누릴 수 있습니다. 디오게네스는 나무통 안에서 살았지만 지상의 어느 왕보다도 행복했잖습니까."

"당신의 디오게네스는 멍텅구리였어." 이반 드미트리치는 음울하게 말했다. "그런데 당신은 뭣 때문에 나에게 디오게네스니 깨우침이니 하는 얘기를 늘어놓는 거요?" 그는 벌컥 화를 내며 일어났다. "나는 삶을 사랑해요. 열렬히 사랑한다고! 추적망상증이 있어서 항상 공포에 시달리지만, 그러다가도 삶에 대한 욕구에 사로잡히는 순간들이 있어요. 그런 때는 미쳐버릴 것 같아서 겁이 나요. 나는 살고 싶소, 너무나도!"

그는 흥분 속에서 병실을 돌아다니며 낮은 목소리로 말했다.

"꿈을 꾸면 환영들이 나를 찾아와요. 어떤 사람들이 나에게 다가오고 목소리, 음악소리가 들려요. 나는 어떤 숲이나 바닷가를 산책하고 있는 것 같소. 그럴 때면 세상 돌아가는 일이며 관심거리들이 사무치게 그리워집니다…… 말 좀 해주시오, 그래서 그쪽에는 무슨 소식이 있소?" 이반 드미트리치가 물었다. "거기는 어떻죠?"

"이 도시에 대해 듣고 싶으신 건지, 아니면 전반적인 세상 얘길 듣고 싶으신 건지?"

"뭐, 우선 도시에 대해서 얘기해주고, 그다음에 전반적인 얘길 해주시든가."

"그럼 그럴까요? 도시는 따분하기 그지없습니다. 이야기 나눌 상대도 들어줄 상대도 없어요. 새로운 인물도 없습니다. 아, 그러고 보니 얼마 전에 호보토프라는 젊은 의사가 새로 왔네."

"그 사람은 내가 밖에 있을 때 이미 와 있었소. 어때요, 잡놈이지요?"

"네, 교양 있는 사람은 아닙니다만. 이상한 일이에요. 뭐랄까…… 내가 아는 한 우리 수도에는 지적인 흐름이 정체되어 있지는 않아요. 어떤 움직임이 있습니다. 무슨 뜻이냐 하면, 거기에는 분명히 제대로 된 사람들이 있을 거란 말입니다. 그런데 어째서인지 거기서 우리한테 보내는 건 한결같이 그래 보이지 않는 인물들이라는 겁니다. 불행한 도시예요!"

"맞아, 불행한 도시지!" 이반 드미트리치는 한숨을 쉬고 나서 웃었다. "세상은 어떻소? 신문이나 잡지에는 무슨 얘기가 실리나요?"

병실은 벌써 어두워졌다. 의사는 일어나서 외국과 러시아의 신문이나 잡지에 어떤 기사가 실리고 있으며, 요즘에 어떤 사상들이 주목받고 있는가에 대해 이야기하기 시작했다. 이반 드미트리치는 열심히 들으며 질문을 던지기도 했다. 그러다 갑자기, 마치 끔찍한 기억이라도 떠올린 듯, 머리를 감싸안고 침대에 눕더니 의사에게 등을 돌렸다.

"무슨 일입니까?" 안드레이 예피미치가 물었다.

"당신은 나에게서 더이상 한마디도 듣지 못할 거요!" 이반 드미트리치가 거칠게 내뱉었다. "나를 내버려두시오!"

"왜 그러시나요?"

"내버려두라지 않소! 도대체 뭘 원하는 거요?"

안드레이 예피미치는 어깨를 으쓱하고 한숨을 쉬며 병실을 나왔다. 그리고 현관을 지나가며 말했다.

"여기 좀 치웠으면 하는데, 니키타…… 냄새가 정말 끔찍하군!"

"알겠습니다, 원장님."

'아주 맘에 드는 젊은이야!' 자신의 아파트로 가며 안드레이 예피미치는 생각했다. '여기 살면서 말이 통하는 사람을 처음으로 본 것 같군. 토론도 할 줄 알고 무엇에 관심을 가져야 할지도 아는 친구야.'

책을 읽으면서도 잠자리에 들면서도 그는 계속해서 이반 드미트리치에 대해 생각했다. 그리고 다음날 아침에 잠이 깼을 때, 어제 똑똑하고 흥미로운 사람을 알게 되었다는 사실을 상기하고는 기회가 닿는 대로 다시 그를 찾아가기로 마음먹었다.

10

이반 드미트리치는 두 손으로 얼굴을 감싸고 다리는 웅크린 채 어제와 똑같은 자세로 누워 있었다. 그의 얼굴은 보이지 않았다.

"안녕하세요, 친구," 안드레이 예피미치가 말했다. "자는 건 아니죠?"

"첫째, 나는 당신 친구가 아니오." 이반 드미트리치는 베개에 얼굴을 묻은 채로 대꾸했다. "둘째, 당신은 헛수고를 하고 있소. 나에게서 한마디도 들을 수 없을 거요."

"이상하네요……" 안드레이 예피미치는 당황하며 우물거렸다. "어제 우리가 그처럼 편하게 이야기를 나누고 있었는데, 당신이 갑자기 무슨 이유에서인지 기분이 상해서 대화를 중단했지요…… 혹시 제가 부적절한 표현을 쓰거나, 아니면 당신의 신념을 거스르는 말을 해서 그런 건 아닌지……"

"내가 당신을 어떻게 믿겠어!" 이반 드미트리치가 몸을 일으키고 경멸과 불안이 엇갈린 눈빛으로 의사를 바라보며 말했다. 그의 눈은 빨갛게 충혈되어 있었다. "다른 곳에 가서 첩자 노릇을 할 수는 있겠지만 여기서는 아무것도 못 할 거요. 나는 어제부터 당신이 왜 왔는지 진작에 알고 있었어."

"이상한 상상이네요!" 의사는 피식 웃었다. "그러니까 당신은 제가 첩자라고 생각한단 말이죠?"

"그래요, 내 생각엔…… 첩자이거나 아니면 나를 시험해보려고 심어놓은 의사겠지. 어느 쪽이든 마찬가지요."

"아, 이런…… 미안하지만 당신은 정말 괴짜군요!"

의사는 침대 옆의 간이의자에 앉아 책망하듯 머리를 가로저었다.

"설령 당신 말이 맞다고 치죠." 그는 말했다. "설령 제가 당신 말꼬리를 잡아서 경찰에 넘긴다고 합시다. 그러면 당신은 체포돼서 재판을 받겠지요. 하지만 재판정이나 감옥에 가는 것이 여기 있는 것보다 더 나쁠까요? 만약 당신을 유형지로 보내고 심지어 강제 노역을 시킨다고 해도 말입니다. 그것이 이 병동에서 지내는 것보다 더 나쁠까요? 제 생각에는 그렇지 않을 것 같은데…… 그러니 두려워할 것이 뭐가 있나요?"

아무래도 이 얘기는 이반 드미트리치에게 효과가 있는 것 같았다. 그는 얌전히 침대에 앉았다.

오후 네시였다. 평소 같으면 안드레이 예피미치가 자기 방안을 서성거리고 있고, 다루시카는 그에게 맥주 마실 때가 되지 않았냐고 물어볼 시간이었다. 밖은 조용했고 날씨는 청명했다.

"점심을 먹고 산책하러 나왔다가 보시다시피 이렇게 잠깐 들러본 겁니다." 의사가 말했다. "완연한 봄이에요."

"지금 몇 월입니까? 3월?" 이반 드미트리치가 물었다.

"네, 3월입니다."

"바깥은 땅이 질퍽거리겠지요?"

"아니, 별로 그렇지도 않습니다. 정원에는 벌써 오솔길들이 생겼어요."

"지금 마차를 타고 교외 어디로든 나갈 수 있다면 좋을 텐데." 이반 드미트리치는 이제 막 잠이 깬 사람처럼 자신의 충혈된 눈을 비비며 말했다. "그런 다음 집에 돌아와서 따뜻하고 안락한 서재로 들어가는 거지. 그리고…… 그리고 제대로 된 의사에게서 두통 치료도 받고…… 사람답게 살아본 지가 너무 오래됐어. 여긴 더러워! 참을 수 없을 만큼 더러워!"

어제 흥분했던 여파로 그는 지치고 나른한 상태였고 말할 기분도 들지 않았다. 그의 손가락은 떨리고 있었고, 얼굴에는 심한 두통에 시달린 흔적이 역력했다.

"따뜻하고 안락한 서재와 이 병실 사이에는 그 어떤 차이도 없습니다." 안드레이 예피미치가 말했다. "인간의 안식과 만족은 외부에 있는 것이 아니라 그 사람 자신 속에 있어요."

"뭐가 어떻다고요?"

"범속한 인간은 좋고 나쁜 것을 외부에서, 즉 마차니 서재니 하는 것들에서 찾지만, 사색하는 인간은 자기 자신 속에서 찾습니다."

"그런 개똥철학일랑 그리스에나 가서 설파하시오. 거기라면 날씨도 따뜻하고 오렌지 향기도 넘쳐날 테니까. 그런데 여기는 그런 철학을 하기에는 기후가 맞질 않아요. 그나저나 내가 누구랑 디오게네스 얘길 했더라. 그거 혹시 당신 아닙니까?"

"네, 어제 저하고 얘기했지요."

"디오게네스는 서재나 따뜻한 방 같은 게 필요 없었소. 안 그래도 더운 곳이니까 말이오. 그 사람은 그저 나무통 속에 누워서 오렌지나 올리브를 먹고 있으면 되는 거야. 하지만 그를 러시아로 데려와서 살게 해보라지. 12월은 고사하고 5월이라도 방에 들어가고 싶다고 할 거요. 너무 추워서 쪼그라들어버리겠지."

"아닙니다. 다른 모든 고통과 마찬가지로, 추위는 느끼지 않을 수 있는 겁니다. 마르쿠스 아우렐리우스가 말했죠. '고통은 단지 고통에 대한 생생한 관념일 뿐이다. 의지를 단련하여 그 관념을 변화시키고 내던져버려라. 불평을 멈춰라. 그러면 고통은 사라져버릴 것이다.' 맞는 말입니다. 현인, 단순히 말해서 사색하는 인간, 생각이 깊은 인간은 바로 고통을 경멸한다는 점 때문에 탁월한 것입니다. 그는 언제나 만족해하며 어떤 일에도 놀라지 않습니다."

"그러니까 나는 바보라는 거네. 나는 고통스러워하고, 불만이 가득하며, 인간의 비루함에 놀라니까 말이오."

"그러면 안 돼요. 좀더 깊이 생각하면 우리를 불안하게 만드는 모든 외적인 것들이 얼마나 보잘것없는지 알게 됩니다. 인생의 의미를 깨우치기 위해 노력해야 합니다. 그 깨우침 속에 진정한 행복이 있어요."

"깨우침이라……" 이반 드미트리치는 얼굴을 찡그렸다. "외적인 것,

내적인 것…… 미안하지만 나는 이해를 못하겠소. 내가 아는 건 오로지," 그는 성난 눈빛으로 의사를 바라보며 일어나서 말했다. "내가 아는 건 신이 따뜻한 피와 신경들로 나를 창조했다는 겁니다. 아무렴! 유기적인 조직은 생명을 유지하기 위해 모든 자극에 반응해야 하지요. 그래서 나도 반응하는 거요! 고통에는 비명과 눈물로, 비열함에는 분노로, 추악함에는 혐오감으로 반응하는 겁니다. 그런 반응 자체가 바로 생명이란 말이오. 하등한 유기체일수록 둔감하며 자극에 대한 반응도 미약한 것이고, 고등한 유기체일수록 현실에 대해 예민하고 왕성하게 반응하는 겁니다. 어떻게 이걸 모를 수가 있소? 의사라면서 이런 초보적인걸 모르다니! 고통을 경멸하고 언제나 만족해하며 어떤 일에도 놀라지 않으려면 바로 여기 이런 상태까지 가야 한단 말이오." 그렇게 말하면서 이반 드미트리치는 비곗덩어리 뚱보 농부를 가리켰다. "아니면 모든 민감성을 상실할 단계까지 자신을 고통으로 혹사시켜야 하겠지. 그건 다른 말로 하면 죽어야 가능하다는 얘기요. 미안하지만, 나는 현자도 아니고 철학자도 아니라서," 이반 드미트리치는 치를 떨며 말을 이었다. "그런 얘기는 도무지 이해할 수 없소. 그리고 나는 토론을 할 만한 상태가 아니오."

"아니, 오히려 토론을 멋지게 하시는데요."

"당신이 어설프게 인용하고 있는 그 스토아 철학자들은 한때 위대한 사람들이었소. 하지만 그들의 가르침은 이천 년 전에 이미 얼어붙어서 한 발짝도 앞으로 나아가지 못했고 앞으로도 그럴 거요. 도무지 실용적이지도 않고 생활에 도움을 주지도 못하니까. 그런 가르침은 온갖 학문을 연구하고 음미하는 게 일상생활인 소수의 사람들에게나 인기가 있었을 뿐, 대다수의 사람들에게는 이해되지 않았소. 부와 생활의 편리에 대한 무관심, 고통과 죽음에 대한 초탈을 설파하는 가르침은 절대다수의 인간에게 전혀 이해될 수 없는 것이오. 왜냐하면 그 절대다수는 살면서 단 한 번도 부나 생활의 편리함을 누려보지 못한 사람들이니까. 이 사람들에게 고통을 경멸한다는 건 곧 인생 자체를 경멸하는 걸 뜻하오. 왜냐하면 이 사람들의 전 생애는 기아와 추위와 모욕과 상실의 지각으로, 그리고 죽음 앞에서 햄릿이 느끼는 것 같은 공포의 지각으로 이루어졌으니까 말이오. 이 지각 속에 인생 전체가 있는 거요. 그 지각으로 인해 힘들어하고 그것을 증오할 수는 있겠지만 경멸할 수는 없는 겁니다. 그러니, 다시 한번 말하지만, 스토아학파의 가르침에는 미래가 없었던 겁니다. 보다시피 인류의 초기부터 오늘날까지 진보를 이루어낸 것은 고통에 대한 투쟁과 민감성이었고 자극에 대해 반응하는 능력이었소⋯⋯."

이반 드미트리치는 갑자기 생각의 실마리를 놓친 듯 말을 멈추고 신경질적으로 이마를 문질렀다.

"뭔가 중요한 얘기를 하려고 했는데, 생각이 나질 않아." 그가 말했다. "무슨 얘길 하려고 했더라? 그래! 이 얘기를 하려고 했지. 어떤 스토아 철학자가 친구를 방면시키기 위해 자기 자신을 노예로 팔았소. 말하자면 이 스토아 철학자는 자극에 대해 반응한 거요. 친구를 위해 자신을 희생할 정도로 숭고한 행위를 하려면 분노하고 공감하는 마음이 있어야 하니까 말이오. 이 감옥 같은 곳에서는 배운 것도 다 잊어버리게 된다니까, 뭔가 또다른 예를 들 수 있을 텐데. 예수를 예로 들어볼까요? 예수는 울고, 웃고, 괴로워하고, 분노하고, 심지어 우수에 젖기도 하면서 현실에 반응했소. 그는 미소를 지으며 고통과 대면하지도 않았고 죽음을 경멸하지도 않았소. 그리고 겟세마네 정원에서는 운명의 잔이 자신을 비켜 가길 기도했소."

이반 드미트리치는 웃음을 터뜨리고 자리에 앉았다.

"인간의 안식과 만족이 외부가 아니라 자기 안에 있다고 칩시다." 그는 말했다. "고통을 경멸하고 어떤 일에도 놀라지 말아야 한다고 칩시다. 그래서 당신은 무슨 근거로 이런 설교를 하는 거요? 당신은 현자요? 철학자요?"

"저는 철학자가 아닙니다. 하지만 누구라도 그렇게 말해야 한다고 생각합니다. 왜냐하면 그것이 이성적이니까요."

"아니, 나는 어째서 당신이 깨달음이니, 고통에 대한 경멸이니 하는 문제들에 관해 말할 자격이 있다고 생각하는지 궁금하단 말이오. 당신이 예전에 고통을 겪어본 적이라도 있소? 도대체 고통에 대한 개념을 알고 있기나 한 거요? 실례지만 어렸을 때 매를 맞아봤나요?"

"아니요, 저희 부모님은 체벌을 혐오하셨습니다."

"나는 아버지에게 혹독하게 맞으며 자랐소. 내 아버지는 고지식한 사람이었소. 치질이 생길 정도로 앉아서 일만 하던 관리였지. 긴 코에 누런 목을 한 관리. 그보다는 당신에 대해서 이야기합시다. 평생 누구도 당신에게 손을 대지 않았을 거요. 누구도 당신을 겁주거나 때리지 않았겠지. 당신은 황소처럼 건강하오. 당신은 아버지의 보호 속에서 아버지의 돈으로 교육을 받고 한가한 직장도 금방 얻었소. 그리고 이십 년이 넘도록 집세와 광열비가 무료인 아파트에서 하녀를 두고 살고 있소. 게다가 직장은 당신 마음 내키는 대로 일하거나 아예 아무것도 안

해도 되는 곳이지. 당신은 천성이 게으르고 유약한 사람이기 때문에, 아무에게도 방해받지 않고 번거롭게 움직일 일이 없게끔 자신의 생활을 갖추어놓으려고 애썼소. 일은 조수나 다른 잡놈들에게 내맡겨버린 채, 자신은 따뜻하고 조용한 방에 앉아 돈 쓰는 일 없이 책이나 읽으며 오만 가지 고상한 헛소리들에 대한 사색을 즐기고 동시에 (그는 의사의 빨간 코를 보며 말했다) 술도 즐기지요. 한마디로 말해서 당신은 진짜 인생을 보지 않았고 인생에 대해 전혀 알지 못하오. 현실에 대해서 단지 이론적인 지식만을 갖고 있을 뿐이지. 당신이 고통을 경멸하고 어떤 일에도 놀라지 않는 이유는 매우 간단해요. 속세의 무상함, 외적인 것과 내적인 것, 삶과 고통과 죽음에 대한 경멸, 깨달음, 진정한 행복. 이런 것들이야말로 러시아의 게으름뱅이에게 딱 어울리는 철학이니까. 가령 어떤 농부가 아내를 때립니다. 뭐하러 그 사이에 끼어들어요? 때리건 말건 어차피 둘 다 조만간 죽을 텐데, 사실상 때리는 자는 그로 인해 상대방이 아니라 자기 자신을 욕보이는 건데…… 폭음은 어리석고 천박한 짓이지요. 하지만 마셔도 죽고 안 마셔도 죽는 것 아니겠소. 시골 아낙네가 이빨이 아프다고 찾아옵니다. 뭐, 그래서 어쩌라고? 고통은 단지 고통에 대한 관념일 뿐인데. 병 없이 이 세상을 살 수는 없거든. 인간은 다 죽기 마련이야. 그러니 아주머니도 내가 사색하며 보드카 마시는 걸 방해하지 말고 그만 나가세요. 어떤 젊은이가 뭘 해야 할지, 어떻게 살아야 할지 조언해달라고 부탁합니다. 다른 사람이라면 대답하기 전에 깊이 생각이라도 해볼 텐데, 이 사람 대답은 이미 준비돼 있지요. 깨달음을 얻기 위해, 진정한 행복을 얻기 위해 노력하라. 그런데 그 환상적인 '진정한 행복'이란 무엇이죠? 대답이 없습니다. 당연해요. 우리는 여기 이 쇠창살 안에 갇혀서 고통받으며 곪아가고 있지만, 이것도 훌륭하고 이성적인 일이거든. 왜냐하면 이 병실과 따뜻하고 쾌적한 서재 사이에는 아무런 차이도 없으니까. 참 편리한 철학이올시다. 아무것도 하지 않는데, 양심은 깨끗하고, 자신이 현자라고 느껴지니…… 아니죠, 나리, 그런 건 철학도 사상도 혜안도 아니에요. 그냥 게으름병, 속임수, 나른한 혼수상태지. 아무렴!" 이반 드미트리치는 다시 울분을 터뜨렸다. "당신이 고통을 경멸한다고? 문틈에 손가락 하나만 끼어도 당신은 목청이 터져라 비명을 지를 거요!"

"비명을 안 지를 수도 있지요." 안드레이 예피미치는 상냥하게 웃으며 말했다.

"그래, 어렵하시겠소! 그런데 이런 경우는 어떨까? 당신이 중풍으로 전신이 마비되었는데 어떤 바보 같은 무뢰한이 자신의 신분과 지위를 이용해서 당신을 공개적으로 모욕했고, 그런데도 아무런 처벌을 받지 않고 끝났다는 걸 알았다고 해봅시다. 아마 그때는 당신도 다른 사람에게 깨달음이니 진정한 행복이니 하는 걸 강요하는 게 무슨 의미인지 이해하게 될 거요."

"그것참 독창적입니다." 그렇게 말하고 안드레이 예피미치는 만족스러운 미소를 지으며 두 손을 비볐다. "당신이 지닌 일반화의 재능에 저는 놀랍고도 기쁜 마음이 듭니다. 그리고 방금 당신이 보여준 저에 대한 묘사는 정말로 훌륭한데요. 솔직히 말해서 당신과의 대화는 저에게 커다란 만족감을 주었습니다. 자 그럼, 당신 이야기를 들었으니, 이제 당신이 제 이야기를 들어주시지요……"

11

한 시간쯤 더 이어진 이 대화는 안드레이 예피미치에게 깊은 인상을 남긴 것 같았다. 그는 별관에 매일 드나들기 시작했다. 아침에도 가고, 오후에도 갔다. 이반 드미트리치와의 대화는 종종 저녁 어스름이 찾아올 때까지 계속되기도 했다. 처음에 이반 드미트리치는 의사에게 곁을 주지 않았으며, 의사의 저의를 의심하면서 불쾌감을 노골적으로 표현했다. 그러나 나중에는 의사에게 익숙해지면서 자신의 모난 태도를 겸손한 척 비꼬는 태도로 바꾸게 되었다.

얼마 못 가서 병원에는 의사 안드레이 예피미치가 6호실을 방문하기 시작했다는 소문이 퍼졌다. 조수도, 니키타도, 간호사들도 왜 그가 6호실에 가는지, 왜 그곳에서 몇 시간씩이나 앉아 있다 오는지, 환자와 무슨 이야기를 하는지, 처방전은 왜 쓰질 않는지 알 수 없었다. 그의 행동은 이상했다. 미하일 아베리야니치가 찾아왔을 때 그가 집에 없는 경우가 자주 있었는데, 이런 일은 예전엔 결코 없던 일이었다. 다류시카는 더이상 의사가 정해진 시간에 맥주를 마시지 않을 뿐 아니라 점심 식사 시간에도 이따금 늦는지라 몹시 당황하고 있었다.

벌써 6월도 끝나가던 어느 날, 의사 호보토프가 일 때문에 안드레이 예피미치를 찾아왔다. 안드레이 예피미치는 집에 없었다. 호보토프가 그를 찾으러 마당으로 나가보니 사람들이 말하길, 노의사가 정신병동에 갔다는 것이었다. 별관으로 간 호보토프는 현관에 멈춰 서서 안으로부터 들리는 대화에 귀를 기울였다.

"우리는 결코 의견의 일치를 볼 수 없을 겁니다. 나에게 당신의 믿음을 전도하는 일은 성공할 수 없어요." 이반 드미트리치가 신경질적으로 말하고 있었다. "당신은 현실을 전혀 알지 못하고 고통을 겪어본 적도 없어요. 단지 거머리처럼 남의 고통을 빨아먹고 있을 뿐입니다. 하지만 나는 태어난 날부터 지금까지 끊임없이 고통을 겪어왔어요. 그래서 대놓고 말씀드리는 겁니다. 나는 모든 면에서 당신보다 더 높은 위치에 있으며 더 깊이 알고 있다고 생각해요. 그러니 당신이 나를 가르칠 이유가 없단 말이죠."

"당신에게 저의 믿음을 전도할 권리가 저에게는 전혀 없습니다." 안드레이 예피미치는 상대방이 자기 말을 이해하려 들지 않는 것이 서운하다는 듯 조용히 말했다. "그게 아니에요, 친구, 문제는 당신이 고통을 겪었고 저는 그렇지 않다는 데 있는 게 아니에요. 고통과 기쁨은 지나가는 것입니다. 그런 건 아무래도 좋으니 제쳐놓읍시다. 여기서 중요한 것은 우리가 함께 숙고하고 있다는 겁니다. 우리는 서로에게서 사색하고 의견을 나눌 수 있는 인간을 발견했고, 우리의 견해가 아무리 차이가 나더라도 그것이 우리를 연결시켜준다는 것입니다. 당신은 모를 겁니다. 이 세상의 무지와 무능과 무감각이 나를 얼마나 질리게 만드는지, 그리고 내가 매번 얼마나 기쁜 마음으로 당신과 대화하는지! 당신은 현명한 사람이에요. 나는 그런 당신에게서 위안을 얻고 있는 겁니다."

호보토프는 문을 살짝 열고 병실 안을 들여다보았다. 이반 드미트리치는 나이트캡을 쓰고 있었고 안드레이 예피미치는 그 옆에서 침대 위에 앉아 있었다. 정신병자는 얼굴을 잔뜩 찡그리고 몸을 떨며 신경질적으로 환자복을 움켜잡고 있었고, 의사는 꼼짝 않고 앉아 고개를 떨구고 있었다. 의사의 상기된 얼굴에는 슬프고 절망적인 표정이 어려 있었다. 호보토프는 어깨를 으쓱하고 피식 웃으며 니키타와 시선을 마주쳤다. 니키타 역시 어깨를 으쓱했다.

다음날, 호보토프는 조수와 함께 별관을 찾아왔다. 두 사람은 현관에 서서 이야기를 엿들었다.

"우리 영감님 정신이 오락가락하시는 것 같네!" 별관을 나오며 호보토프는 그렇게 말했다.

"주여, 우리 죄인들을 불쌍히 여기소서!" 신심 깊은 세르게이 세르게이치는 반들거리게 닦인 가죽장화를 더럽히지 않으려고 조심스럽게 웅덩이들을 피해 다니며 한숨을 쉬었다. "예브게니 표도리치, 솔직히 말해서 저는 벌써 오래전에 이럴 줄 알았어요!"

12

그런 일이 있은 뒤로 안드레이 예피미치는 자기 주변에서 뭔가 미묘한 분위기를 느끼기 시작했다. 잡역부들이며 간호사들이며 환자들은 그를 만날 때마다 의아한 눈초리로 바라보았고, 뒤에서 자기들끼리 소곤거렸다. 병원 정원에서 마주칠 때마다 반가웠던 관리부장의 사랑스러운 어린 딸 마샤는 이제 그가 머리를 쓰다듬어주려고 미소를 지으며 다가가면 어쩐 일인지 그를 피해 도망갔다. 우체국장 미하일 아베리야니치는 더이상 그의 말을 들으면서 "옳은 말씀입니다"라고 하지 않았고, 괜히 당황한 기색으로 "아, 네, 네……"라고 중얼거리며 의미심장한 눈빛으로 그를 슬프게 바라보았다. 게다가 어쩐 일인지 그는 자기 친구에게 보드카와 맥주를 끊으라고 충고하기 시작했다. 물론 세심한 사람답게 대놓고 그러지는 않고 암시적으로 말했는데, 이를테면 성품이 참 괜찮은 어떤 중대장이, 또는 신심 깊은 어떤 젊은 군종 신부가 술을 마시다가 몸이 상했지만 술을 끊은 뒤로 완전히 건강해졌다는 식이었다. 두세 번쯤 동료 의사 호보토프가 안드레이 예피미치를 찾아왔는데, 그 역시 알코올음료를 끊으라면서 뜬금없이 브롬화칼륨*을 복용하기를 권하는 것이었다.

8월에 안드레이 예피미치는 시장에게서 매우 중요한 일로 와달라고 부탁하는 편지를 받았다. 안드레이 예피미치가 약속된 시간에 시청사에 가보니 군부대 사령관, 군 장학관, 시 집행위원, 호보토프, 그리고 그에게 의사라고 소개된 뚱뚱한 금발 신사가 와 있었다. 발음하기 어려운 폴란드 성을 가진 이 의사는 시에서 30베르스타 떨어진 종마사육장에 살고 있는데, 오늘 지나가는 길에 시에 들렀다고 했다.

"여기 선생님의 소관 업무에 대한 청원이 들어왔습니다." 모두가 인사를 나누고 회의 탁자에 앉자 시 집행위원이 안드레이 예피미치에게 말했다. "예브게니 표도리치 씨가 말씀하신 바에 따르면 본관에 있는 약국이 좀 작아서 이걸 별관들 중 한 곳으로 이전시켜야 하지 않느냐는 것입니다. 저, 물론, 별일은 아니에요, 이전시킬 수 있죠. 그런데 문제는 별관에 보수공사가 필요하다는 겁니다."

"네, 보수공사 없이는 곤란하겠죠." 안드레이 예피미치가 잠시 생각

---

* 브로민과 칼륨의 화합물로, 신경안정제의 원료로 쓰인다.

해보고는 말했다. "예를 들어 병원 한 모퉁이에 있는 별관을 약국으로 개조한다면, 제 예상으로는 최소한 500루블이 필요합니다. 비생산적인 비용이죠."

잠시 침묵이 흘렀다.

"제가 십 년 전에 이미 보고드린 바 있습니다만," 안드레이 예피미치는 조용한 음성으로 말을 이었다. "현재 상태에서 이 병원은 우리 시의 재정 형편에 맞지 않는 사치입니다. 40년대에 병원이 지어졌을 때에는 재정 형편이 지금과는 달랐죠. 시는 불필요한 건물과 쓸모없는 직책들에 너무 많은 비용을 지출하고 있습니다. 체제를 개편한다면 저는 이 돈으로 두 개의 모범적인 병원을 운영할 수도 있다고 생각합니다."

"그렇다면 체제를 개편합시다!" 시 집행위원이 활기차게 말했다.

"제가 이미 보고드렸습니다만, 의료 부문을 자치회 소관으로 넘겨야 합니다."

"그래요, 자치회로 돈이 넘어가면 옳다구나 하고 가로채겠지." 금발 의사가 웃음을 터뜨렸다.

"그렇게 되겠지요." 집행위원이 맞장구치며 함께 웃었다.

안드레이 예피미치는 시들한 눈빛으로 금발 의사를 망연히 바라보며 말했다.

"올바로 해야지요."

다시 침묵이 흘렀다. 다과가 나왔다. 군부대 사령관은 무슨 이유에선지 매우 당황한 표정을 지으며 회의 탁자 너머로 안드레이 예피미치의 손을 잡고 말했다.

"의사 선생은 우리를 완전히 잊어버리셨군요. 선생은 수도승처럼 사시니 말입니다. 카드놀이도 안 하고, 여자도 멀리하고. 우리 같은 사람들과 있으면 따분하신가보죠."

　제대로 된 인간이 이 도시에서 사는 게 얼마나 따분한가에 대해 모두가 한마디씩 했다. 극장도 없고, 음악회도 없다. 최근에 열린 사교클럽의 무도회에는 숙녀들이 이십여 명이나 왔는데 신사는 두 명밖에 없었다. 젊은이들은 춤 같은 건 관심이 없고 항상 카페에 모여 있거나 카드놀이만 한다…… 안드레이 예피미치는 그 누구에게도 시선을 주지 않은 채, 조용한 음성으로 천천히 말하기 시작했다. 주민들이 자기 삶의 에너지를, 자신의 감정과 이성을 카드놀이와 잡담에 낭비하는 것이 너무도 안타깝다. 흥미로운 대화와 독서로 시간을 보낼 줄 모르며 그걸 원하지도 않는다. 지성이 제공하는 즐거움을 누리려 하지 않는다는 것이 너무도, 너무도 안타깝다. 오직 지성만이 흥미롭고 의미 있으며, 나머지 모든 것은 사소하고 비루하다…… 호보토프는 동료의 말을 주의 깊게 듣고 있다가 갑자기 질문을 던졌다.

　"안드레이 예피미치, 오늘이 며칠이죠?"

　대답을 들은 호보토프는 금발 의사와 함께 자신들의 미숙함을 스스로도 의식하고 있는 시험관의 어투로 오늘이 무슨 요일인지, 일 년이 며칠인지, 6호실에 대단한 선지자가 살고 있다는데 그게 정말인지 안드레이 예피미치에게 묻기 시작했다.

　마지막 질문에 대해 안드레이 예피미치는 얼굴을 붉히며 말했다.

　"네, 이 사람은 환자이긴 하지만 흥미로운 젊은이입니다."

　그리고 더이상 질문은 주어지지 않았다.

　그가 현관에서 외투를 입고 있는데 군부대 사령관이 그의 어깨 위에 손을 얹고 한숨을 쉬며 말했다.

"우리 노인들은 쉴 때가 되었어요!"

시청사를 나오면서 안드레이 예피미치는 이것이 자신의 정신능력을 검증하기 위해 소집된 위원회였다는 사실을 깨달았다. 그는 자신에게 던져진 질문들을 떠올리며 얼굴을 붉혔다. 뜬금없이 난생처음으로 의학에 대해 깊은 회의를 느꼈다.

'맙소사,' 그는 방금 의사들이 자신을 시험하던 장면을 떠올리며 생각했다. '이 사람들은 정신병학 강의를 듣고 시험을 본 지도 얼마 안 된 자들인데. 어쩌면 이렇게 무식할 수 있는 거지? 정신병학에 대해 아무것도 모르잖아!'

그는 난생처음으로 모욕감과 분노를 느꼈다.

그날 저녁 미하일 아베리야니치가 그를 찾아왔다. 우체국장은 인사말도 없이 그에게 다가와서 양손을 잡고 흥분한 목소리로 말했다.

"친구, 당신이 저의 진심 어린 마음을 믿고 저를 당신 친구로 생각한다는 것을 부디 증명해주세요. 친구!" 그는 안드레이 예피미치가 말할 틈을 주지 않고 흥분을 가라앉히지 못한 채 계속 말했다. "저는 당신의 교양과 고결한 영혼을 사랑합니다. 제 얘길 들어주세요, 친구. 의사들은 학문적 원칙 때문에 당신에게 진실을 숨기고 있지만 군인인 저는 대놓고 진실을 말할 것입니다. 당신은 건강하지 않아요! 저를 용서해주세요, 친구, 그러나 그것이 진실입니다. 주변 사람들은 벌써 오래전에 알고 있었어요. 오늘 예브게니 표도리치 박사가 말하길, 당신의 건강을 위해 휴식과 기분전환이 꼭 필요하다는 겁니다. 전적으로 맞는 말이에요! 당연히! 근일 내에 저는 휴가를 받아서 바람을 좀 쐬러 떠나려고 합니다. 당신이 저의 친구라는 걸 증명해주세요. 같이 갑시다! 가서 젊었을 때처럼 놀아봅시다."

"저는 제가 완전히 건강하다고 느낍니다." 잠시 생각해보고 안드레이 예피미치는 말했다. "여행을 떠날 수는 없습니다. 뭔가 다른 방식으로 제 우정을 증명하게 해주시기 바랍니다."

특별한 목적도 없이, 그리고 책도, 다류시카도, 맥주도 없이 이십 년 동안 길이 든 생활의 질서를 깨고 어딘가로 떠난다는 것. 처음에는 그런 생각이 낯설고 황당해 보였다. 그러나 시청사에서 있었던 대화와 집으로 돌아오면서 느꼈던 괴로운 기분을 떠올린 그는, 자기를 정신병자 취급하는 이 어리석은 인간들의 도시를 잠시 떠나 있는 것도 괜찮을 것 같다는 생각이 들었다.

"그런데 어디로 가실 예정인지요?" 그가 물었다.

"모스크바, 페테르부르크, 바르샤바…… 바르샤바에서 저는 제 생애 중 가장 행복했던 오 년을 보냈습니다. 참으로 멋진 도시예요. 갑시다, 친구!"

13

일주일 뒤 안드레이 예피미치는 휴가를 떠나라는, 다시 말해서 사직하라는 권고를 받았지만 이 일을 무심하게 받아들였다. 그리고 다시 일주일 뒤, 그는 이미 미하일 아베리야니치와 함께 우편마차를 타고 가장 가까운 기차역으로 가고 있었다. 날씨는 선선하고 맑았으며, 하늘은 푸르고 공기가 깨끗해서 아득히 먼 곳까지도 잘 보였다. 그들은 기차역까지 200베르스타의 거리를 이틀 동안 가면서 도중에 우편 역참에서 두 번 숙박했다. 역참에서 차를 내줄 때 잔이 제대로 씻겨 있지 않거나 말을 교체하는 데 시간이 오래 걸리면 미하일 아베리야니치는 붉으락푸르락한 얼굴로 온몸을 떨며 소리질렀다. "조용히 해! 말대꾸하지 마!" 마차에 타고 있는 동안에는 한순간도 멈추지 않고 자기가 캅카스며 폴란드 왕국을 돌아다니던 이야기를 했다. 얼마나 멋진 모험들이 있었으며, 얼마나 멋진 사람들을 만났는지! 그럴 때면 그가 하도 큰 소리로 말하며 눈을 휘둥그레 뜨는 바람에 거짓말일 수도 있겠다는 생각이 들 정도였다. 게다가 그는 말하는 동안 안드레이 예피미치의 얼굴에다 숨을 내쉬고 귓가에다 웃음을 터뜨렸다. 이런 것들이 의사를 갑갑하게 만들었고 생각에 집중하는 것을 방해했다.

철도로 가는 동안은 비용을 절약하기 위해 삼등칸의 금연석을 잡았다. 승객의 반 정도는 깔끔한 사람들이었다. 금방 모든 승객과 친해진 미하일 아베리야니치는 이 좌석 저 좌석으로 옮겨가며 이런 끔찍한 철도로는 여행을 다닐 게 못 된다고 큰 소리로 떠들고 다녔다. 전부 사기꾼들이야! 말을 타봐라, 한번 내달리면 하루에도 100베르스타는 갈 수 있다. 그러면 건강에도 좋고 기분도 상쾌해진다. 이 지방에 흉작이 온 이유는 핀스크 늪지대의 물을 말려버렸기 때문이다. 세상이 온통 엉망진창이다…… 그는 다른 사람들이 말할 틈을 주지 않고 열을 내며 큰 소리로 떠들어댔다. 중간중간 껄껄대는 웃음소리와 요란한 몸짓을 곁들이며 끝없이 이어지는 수다는 안드레이 예피미치를 녹초로 만들었다.

'우리 둘 중에 누가 미친놈이지?' 그는 분노를 느끼며 생각했다. '어떻게든 다른 승객을 방해하지 않으려고 애쓰는 내가 미친놈인가? 아니면 자기가 여기서 제일 똑똑하고 재미있는 인간이라고 생각하면서 모든 사람을 불편하게 하는 이 이기주의자가 미친놈인가?'

모스크바에서 미하일 아베리야니치는 견장이 달리지 않은 군복 상의에 빨간 줄무늬가 있는 바지를 입었다. 그가 군모에 외투 차림으로 길거리를 나다니면 사병들은 그에게 경례를 했다. 이제 안드레이 예피미치에게 그는 한때 자신이 가지고 있던 귀족의 품성 중에서 좋은 것들은 전부 탕진해버리고 단지 너절한 것만 남겨놓은 인간으로 보였다. 그는 대접받기를 좋아했으며, 심지어 전혀 필요 없는 상황에서도 그것을 즐겼다. 성냥이 바로 자기 앞 탁자 위에 있는 걸 빤히 보면서도 사람을 불러 그것을 가져다달라고 소리치는가 하면, 객실 하녀 앞에서 뻔뻔스럽게 속옷만 입고 돌아다니기도 했다. 하인들에게는 젊은이이건 노인이건 가리지 않고 반말하고 성질을 내면서 멍텅구리니 바보니 하며 함부로 불러댔다. 안드레이 예피미치는 생각했다. 이게 귀족적인 것인지는 모르겠지만 참 역겹군.

미하일 아베리야니치가 가장 먼저 자기 친구를 데려간 곳은 이베르스카야 성모상이었다. 그는 바닥에 엎드려 절하고 눈물을 흘리면서 열렬한 기도를 올렸다. 기도가 끝난 뒤에는 깊은 한숨을 쉬며 말했다.

"당신이 신자가 아니더라도 기도를 하면 마음이 편안해질 겁니다. 성모상에 입을 맞춰보세요."

안드레이 예피미치는 당황하며 성모상에 입을 맞췄다. 그동안 미하일 아베리야니치는 입술을 내밀고 머리를 흔들며 기도문을 속삭였고,

그의 눈에는 다시금 눈물이 고였다. 그다음에는 크렘린궁으로 가서 '차르의 대포'와 '차르의 종'*을 보고 손으로 만져보기도 했으며, 모스크바 강변의 경치도 즐기고, 구세주성당과 루먄체프박물관에도 가보았다.

두 사람은 테스토프 레스토랑에서 식사를 했다. 미하일 아베리야니치는 구레나룻을 쓰다듬으며 오랫동안 메뉴를 들여다보더니 레스토랑을 자기 집처럼 여기는 미식가 같은 어조로 말했다.

"그럼 어디 볼까, 우리 천사가 오늘은 무엇을 먹여줄지!"

14

의사는 걷고, 보고, 먹고, 마셨지만 느끼는 감정은 단 하나, 미하일 아베리야니치에 대한 분노였다. 그는 친구에게서 떨어져 쉬고 싶었고 숨고 싶었다. 그러나 친구는 그를 한시도 내버려두지 않고 최대한 많은 즐거움을 제공하는 것이 자신의 의무라고 생각하고 있었으며, 구경할 것이 없을 때는 대화로 그의 주의를 빼앗았다. 안드레이 예피미치는 이틀을 참았지만 사흘째 되는 날에는 친구에게 몸이 아파서 하루종일 호텔에 남아 있고 싶다고 말했다. 친구는 그렇다면 자기도 남겠다고 했다. 사실 쉬어야 했다. 안 그랬다간 다리가 성하지 않을 터였다. 안드레이 예피미치는 소파에 누워 얼굴을 등받이 쪽으로 돌렸다. 그리고 자기 친구가 열을 내며 주장하는 소리들, 프랑스는 조만간 독일을 반드시 쳐

* 크렘린궁 안의 마당에 전시된 대형 대포와 종.

부술 것이라느니, 모스크바에는 사기꾼이 굉장히 많다느니, 말은 겉모습만 보고 장점을 판단할 수 없다느니 하는 소리들을 이를 악문 채 듣고 있었다. 귀가 울리고 심장이 두근거리기 시작했지만, 여린 성격 때문에 의사는 차마 친구에게 나가달라거나 조용히 해달라고 부탁하지 못했다. 다행히 미하일 아베리야니치는 방안에 있기가 지루했던지 점심을 먹고 산책하러 나가버렸다.

혼자 남겨진 안드레이 예피미치는 편안한 느낌에 온몸을 내맡겼다. 이렇게 소파에 꼼짝 않고 누워서 방안에 자기 혼자뿐임을 의식한다는 것은 얼마나 달콤한가! 고독 없이는 진정한 행복이 있을 수 없어. 타락한 천사가 신을 배반한 이유도 아마 천사들에게 허용되지 않는 고독을 원했기 때문일 거야. 안드레이 예피미치는 자기가 요 며칠 동안 보고 들었던 것에 관해 생각해보려고 했다. 그러나 미하일 아베리야니치에 대한 생각이 머릿속에서 떠나지 않았다.

'그가 휴가를 받고 나와 함께 여행을 떠난 것은 우정과 배려 때문이 아닌가.' 의사는 분노를 느끼며 생각했다. '이 우정 어린 보살핌보다 더 나쁜 건 없다. 이 인간은 선량하고 관대하고 유쾌해 보이지만 따분하다. 참을 수 없을 만큼 따분해. 세상에는 항상 현명하고 좋은 말만 하지만, 사실은 멍청한 걸 숨길 수 없는 사람들이 있는 법이야.'

그리고 다음날에도 안드레이 예피미치는 몸이 아프다는 핑계로 외출하지 않았다. 그는 친구가 이야기하는 동안 소파에 누워 등받이 쪽으로 얼굴을 돌리고 괴로워하다가 친구가 나가면 휴식을 취했다. 그는 여행을 나선 것에 대해 그리고 나날이 수다스러워지고 염치없어지는 친구에 대해 속으로 분통을 터뜨렸다. 진지하고 고상한 주제로 자신의 사고를 조율하는 것은 도저히 불가능했다.

"이반 드미트리치가 말했던 바로 그 현실이 나에게 벌을 주고 있구나." 그는 자신의 무력함에 화를 내며 말했다. "아니, 쓸데없는 소리야…… 집에 가면 모든 게 예전대로 돌아갈 거야……"

페테르부르크에서도 사정은 마찬가지였다. 그는 하루종일 방을 떠나지 않고 소파에 누워 있으면서 맥주를 마실 때만 일어났다.

미하일 아베리야니치는 바르샤바로 가는 여정을 줄곧 재촉하고 있었다.

"제가 뭣 때문에 거기로 갑니까?" 안드레이 예피미치는 간절한 목소리로 말했다. "혼자서 가시죠. 저는 집으로 가게 해주시고! 제발 부탁입니다!"

"그건 절대로 안 돼요!" 미하일 아베리야니치는 우겨댔다. "바르샤바는 멋진 도시입니다. 거기서 제가 제 인생의 가장 행복한 오 년을 보냈단 말입니다!"

안드레이 예피미치는 자기 뜻을 관철할 만큼 성격이 강하지 못했으므로, 싫은 마음을 억누르고 바르샤바로 갔다. 거기서도 그는 방을 나가지 않고 소파에 누워서 자기 자신과 친구에게, 그리고 러시아어를 못 알아듣겠다며 뻗대는 하인들에게 화를 냈다. 반면에 항상 그랬듯이 원기 왕성하고 쾌활한 미하일 아베리야니치는 아침부터 저녁까지 시내를 활보하며 옛 지인들을 찾아다녔고, 며칠인가는 외박을 하기도 했다. 그러던 어느 날, 알 수 없는 어딘가에서 밤을 보낸 그가 잔뜩 흥분한 상태로 얼굴이 벌게지고 머리는 산발한 채 아침 일찍 숙소로 돌아왔다. 그는 오랫동안 방안을 이리저리 거닐며 혼잣말을 중얼거리다가 이윽고 걸음을 멈추더니 이렇게 말했다.

"무엇보다도 중요한 건 명예야!"

그러고 나서 조금 더 서성거리던 그는 머리를 감싸며 비극적인 어조로 말했다.

"그래, 무엇보다도 중요한 건 명예야! 이 바빌론으로 오겠다는 생각이 내 머릿속에 맨 처음 떠오른 그 순간, 내가 뭐에 씐 거야!" 그는 의사를 향해 말했다. "저를 경멸해주시오. 도박판에서 돈을 다 잃었소! 나에게 500루블만 빌려줘요!"

안드레이 예피미치는 500루블을 세어 그것을 말없이 친구에게 주었다. 아직까지도 수치심과 분노로 얼굴이 벌건 친구는 쓸데없는 맹세를 두서없이 뇌까리더니 군모를 쓰고 밖으로 나갔다. 두 시간쯤 뒤에 돌아온 그는 안락의자에 몸을 던지고 나서 큰 소리로 한숨을 쉬며 말했다.

"명예는 회복됐소! 갑시다, 친구! 이 저주받은 도시에 한순간이라도 머물고 싶지 않소. 사기꾼들! 오스트리아 첩자들 같으니!"

두 친구가 자신들의 도시에 돌아왔을 때는 벌써 11월이어서 거리에 눈이 많이 쌓여 있었다. 안드레이 예피미치의 자리는 호보토프 의사가 차지하고 있었다. 그는 안드레이 예피미치가 돌아와 병원 관사를 정리하기를 기다리며 예전 아파트에서 살고 있었다. 그가 자기 가정부라고 부르던 못생긴 여자는 벌써 병원 별관들 중 한 동에서 살고 있었다.

도시에서는 병원에 관한 새로운 소문이 돌고 있었다. 그 못생긴 여자가 관리부장과 언쟁을 벌였는데, 관리부장이 그 여자 앞에서 무릎으로 벌벌 기며 용서를 빈 것 같다는 얘기였다.

안드레이 예피미치는 돌아온 첫날부터 살 집을 찾아야만 했다.

"친구," 우체국장이 그에게 겸연쩍게 말했다. "경우에 없는 질문을 해서 미안합니다만, 재산이 얼마나 되세요?"

안드레이 예피미치는 말없이 돈을 세어보고 말했다.

"86루블이군요."

"제가 물어본 것은 그게 아니고요," 의사의 말을 이해하지 못한 미하일 아베리야니치는 당황하며 말했다. "전 재산이 얼마나 되시냐는 겁니다."

"지금 말했다시피 86루블이라니까요…… 그것 말고는 아무것도 없습니다."

미하일 아베리야니치는 의사가 정직하고 고결한 사람이라고 생각했지만, 그러면서도 한편으로는 그에게 최소한 2만 루블 정도의 재산은 있을 거라고 짐작했던 터였다. 이제 안드레이 예피미치가 거지나 다름없는 신세이며 앞으로 살아갈 대책도 없다는 사실을 알게 된 그는 와락 울음을 터뜨리며 자신의 친구를 끌어안았다.

15

안드레이 예피미치는 벨로바라는 평민 여자의 창문이 세 개 달린 작은 집에서 살게 되었다. 이 집에는 부엌을 제외하고 방이 세 개밖에 없었다. 길 쪽으로 창문이 나 있는 방 두 개는 의사가 썼고, 세번째 방과 부엌에서는 다류시카와 여주인이 아이 셋과 함께 살고 있었다. 여주인에게는 술주정꾼인 농부 애인이 이따금 찾아와서 자고 갔는데, 그가 밤새 난동을 부리는 통에 아이들과 다류시카는 두려움에 떨어야 했다. 그가 와서 부엌에 자리잡고 보드카를 내놓으라고 다그치기 시작하면 식구들 모두가 너무 힘들어했기 때문에, 이를 안쓰럽게 여긴 의사는 우는 아이들을 자기 방에 데려와 마루에서 재워주곤 했다. 아이들은 그에게 큰 위안을 가져다주었다.

그는 예전처럼 여덟시에 일어나서 차를 마신 뒤 자리에 앉아 자신이 가지고 있던 책과 잡지를 읽었다. 새 책을 살 돈은 없었다. 책들이 오래돼서 그런지, 아니면 환경이 바뀌어서 그런지 독서는 이제 그를 그다지 사로잡지 못했고 오히려 피곤하게 만들었다. 빈둥거리며 시간을 보내지 않기 위해 그는 자기 책들에 대한 상세한 카탈로그를 만들고 책등에 기록표를 붙였는데, 이 기계적이고 수고로운 작업은 독서보다 더 흥미롭게 느껴졌다. 단조롭고 수고로운 작업이 어떤 알 수 없는 방식으로 그의 사고 활동을 잠재운 것 같았다. 그는 그 무엇에 대해서도 생각하지 않았고, 시간은 빠르게 흘러갔다. 부엌에 앉아 다류시카와 함께 감자를 깎거나 메밀에서 티끌을 골라내는 일도 그에게는 재미있게 여겨졌다. 토요일과 일요일에는 교회에 갔다. 벽 쪽에 서서 눈을 반쯤 감고 찬송가를 들으면서 그는 아버지와 어머니에 대해, 그리고 대학 시절과 종교에 대해 생각했다. 평화롭고, 또한 서글펐다. 나중에 교회를 나설 때는 예배가 너무 빨리 끝난 것을 아쉬워했다.

그는 이반 드미트리치와 이야기를 나누러 두 번 병원에 갔다. 그러나 이반 드미트리치는 두 번 다 심하게 흥분하며 화를 냈다. 그는 이제 공허한 넋두리에는 신물이 났으니 자기를 조용히 내버려두라고 부탁했다. 그러면서 자신이 겪은 모든 고통에 대한 대가로 저주받을 비열한 인간들에게 요구하는 것은 오로지 독방 처분뿐이라고 말했다. 그들은 이조차 들어주지 않을 것인가? 안드레이 예피미치가 그와 헤어지면서 잘 자라는 말을 건넸을 때, 그는 두 번 다 으르렁대며 이렇게 대꾸했다.

"꺼져!"

이제 안드레이 예피미치는 세번째로 그를 방문해야 할지 말아야 할지 알 수 없었다. 하지만 가고 싶었다.

예전에 안드레이 예피미치는 점심식사 후에 방안을 거닐며 사색을 했었다. 그러나 지금 그는 점심부터 저녁 차 시간까지 소파에 누워 등받이 쪽으로 얼굴을 돌린 채, 자신이 아무리 해도 감당할 수 없는 자질구레한 걱정거리들에 시달려야 했다. 이십 년 넘게 공직에 종사했음에도 자신에게 연금은커녕 퇴직금도 주어지지 않았다는 사실은 모욕적이었다. 그가 성실하게 근무하지 않은 것은 사실이다. 하지만 성실했건 아니건 간에 연금은 모든 공직자가 차별 없이 받는 것 아닌가? 공정성에 대한 현대의 개념은 바로 관직과 훈장과 연금이 도덕적 품성이나 능력에 따라 주어지는 것이 아니라, 내용이 어떻건 간에 근무 일반에 대해 주어지는 데 있는 것 아닌가? 어째서 자기 혼자만 예외가 되어야 한단 말인가? 그는 돈이 한푼도 없었다. 가게를 지나치면서 주인 여자의 얼굴을 보기가 부끄러웠다. 맥줏값으로 벌써 32루블을 빚지고 있었기 때문이다. 하숙집 여주인 벨로바에게도 역시 집세를 빚지고 있었다. 다류시카는 입던 옷가지와 책들을 몰래 팔고 있었고, 여주인에게는 의사가 곧 아주 많은 돈을 받게 될 거라고 거짓말했다.

그는 그동안 모아둔 천 루블을 여행으로 탕진해버린 자신에게 화가 치밀었다. 그 천 루블이 지금 있었으면 얼마나 도움이 됐을까! 사람들이 자신을 가만히 내버려두지 않는 것도 짜증나는 일이었다. 호보토프는 병든 동료를 이따금 방문하는 것이 자신의 의무라고 생각하고 있었다. 안드레이 예피미치에게는 그의 모든 점이 역겨웠다. 포동포동한 얼굴, 너그러운 척하는 징그러운 어조, '동료'라는 표현, 그리고 목이 긴 가죽장화까지…… 무엇보다도 역겨운 것은, 그가 안드레이 예피미치를 치료하는 것이 자신의 의무라고 여기며 실제로도 병이 치료되고 있다고 믿는 점이었다. 그는 매번 방문할 때마다 브롬화칼륨이 든 약병과 대황으로 만든 환약을 가지고 왔다.

미하일 아베리야니치 또한 친구를 방문해서 위로해주는 것이 자신의 의무라 여기고 있었다. 안드레이 예피미치의 방에 들어올 때마다 그는 짐짓 허물없는 척 과장된 웃음을 터뜨리며 오늘은 아주 좋아 보인다는 둥, 다행히 완치되고 있는 것 같다는 둥, 같잖은 말로 의사를 안심시키려 했다. 그것만 보아도 그가 친구의 상태를 얼마나 절망적으로 생각하고 있는지 알 수 있었다. 그는 아직도 바르샤바에서 진 빚을 갚지 않았고, 이로 인한 수치심 때문에 꽤나 괴로워하고 있었다. 그래서 괜히 긴장한 나머지 일부러 크게 웃고 우스갯소리를 하려 애쓰는 것이었다. 그가 말하는 재담과 이야기는 이제 안드레이 예피미치뿐만 아니라 그 자신에게도 끝없이 이어지는 괴로움이었다.

우체국장이 와 있는 동안 안드레이 예피미치는 대체로 얼굴을 벽 쪽으로 향한 채 소파에 누워서 이를 악물고 그의 이야기를 들었다. 그의 가슴속에는 더껑이 같은 것이 켜켜이 쌓여갔다. 그리고 친구가 다녀갈 때마다 그 더껑이는 점점 더 높이 쌓여서 목구멍까지 차오르는 것처럼 느껴졌다.

너절한 기분을 떨쳐버리기 위해 그는 서둘러 다른 생각을 했다. 자기 자신도, 호보토프도, 미하일 아베리야니치도 언젠가는 죽어서 자연 속에 아무런 흔적도 남기지 않고 사라져버릴 것이다. 상상해보라. 백만 년 후 우주에서 지구 옆으로 어떤 정령이 날아간다면, 그 정령은 단지 진흙과 헐벗은 바윗덩어리들만 보게 될 것이다. 모든 것이, 문화도, 도덕적 원칙도 사라져버리고 우엉 한 뿌리도 자라지 않게 되리라. 가게 주인에게 느끼는 수치심이며, 보잘것없는 호보토프며, 미하일 아베리야니치의 지겨운 우정 같은 것이 다 무슨 의미가 있겠는가. 이 모두가 다 무의미하고 하찮을 뿐이다.

하지만 그런 추론들도 이제는 도움이 되지 않았다. 백만 년 뒤의 지구를 떠올리기가 무섭게 헐벗은 바위 뒤에서 긴 가죽장화를 신은 호보토프가 나타나는가 하면, 미하일 아베리야니치가 억지스럽게 껄껄거리며 모습을 드러냈고, 심지어 창피해하며 속삭이는 소리까지 들려왔다. "바르샤바에서 진 빚은 말이죠, 돌려드릴게요, 며칠 내로…… 반드시."

16

어느 날 오후, 안드레이 예피미치가 소파에 누워 있는데 미하일 아베리야니치가 찾아왔다. 때마침 바로 같은 시간에 호보토프도 브롬화칼륨 병을 들고 나타났다. 안드레이 예피미치는 힘겹게 몸을 일으키고 두 팔로 지탱하며 소파에 앉았다.

"친구, 오늘은," 미하일 아베리야니치가 시작했다. "어제보다 혈색이 훨씬 더 좋습니다. 네, 훌륭해요! 정말 훌륭해요!"

"이젠 회복하실 때도 됐어요, 그럼요." 호보토프가 하품하며 말했다. "당신도 이 지루한 생활에 싫증이 나셨겠지요."

"다 좋아질 겁니다!" 미하일 아베리야니치가 유쾌하게 말했다. "우리 백 년은 더 살아야죠! 아무렴!"

"백 년은 좀 그래도 이십 년은 끄떡없어요." 호보토프가 거들었다. "괜찮아요, 괜찮아, 낙심하지 마시고…… 복잡하게 생각하실 것 없어요."

"우리가 아직 쌩쌩하다는 걸 보여줍시다!" 미하일 아베리야니치가 껄껄대며 친구의 무릎을 쳤다. "보여주자고요! 올여름에는 캅카스로 가서 말을 타고 돌아다니는 겁니다. 이랴! 이랴! 이랴! 그리고 캅카스에서 돌아오면, 결혼식장에서 잔치를 벌이는 거지." 미하일 아베리야니치는 능청스럽게 윙크를 했다…… "우리는 당신을 장가보낼 겁니다…… 장가보낼 거예요."

안드레이 예피미치는 갑자기 분노의 더껑이가 목구멍까지 치받는 것을 느꼈다. 그의 심장이 무섭게 고동쳤다.

"천박해!" 그렇게 말하고는 벌떡 일어나서 창문 쪽으로 갔다. "당신들이 지금 얼마나 천박한 소리를 하고 있는지 모르겠소?"

그는 부드럽고 예의바르게 말을 이어가려고 했지만, 그런 의지와 반대로 불끈 쥔 두 주먹을 머리 위로 치켜들었다.

"나를 내버려둬!" 그는 얼굴을 붉히고 온몸을 떨며 마치 다른 사람 같은 목소리로 소리질렀다. "꺼져! 둘 다 꺼져버려, 둘 다!"

미하일 아베리야니치와 호보토프는 처음에는 어리둥절한 얼굴로 일어나서 그를 바라보다가 나중에는 겁을 먹기 시작했다.

"둘 다 꺼져!" 안드레이 예피미치가 소리쳤다. "미련한 인간들! 멍청한 인간들아! 우정이고 약이고 다 필요 없어! 천박해! 더러워!"

호보토프와 미하일 아베리야니치는 망연자실하여 서로를 바라보다가 뒷걸음질로 물러서서 현관으로 나갔다. 안드레이 예피미치는 브롬화칼륨 병을 집어서 그들 뒤로 힘껏 내던졌다. 병은 문턱에 부딪혀 요란한 소리를 내며 깨졌다.

"지옥에나 가버려!" 그는 울먹이는 소리로 고함지르며 현관으로 뛰쳐나갔다. "지옥에나 가버려!"

손님들이 가버리고 나서도 안드레이 예피미치는 마치 열병 환자처럼 몸을 떨며 소파에 누워 한참 동안 되뇌었다.

"미련한 인간들! 멍청한 인간들!"

마음이 진정되고 나서 그에게 가장 먼저 떠오른 것은 불쌍한 미하일 아베리야니치가 지금 몹시 부끄러워하고 힘들어하리라는 생각이었다. 그것은 끔찍한 일이었다. 예전에는 결코 일어난 적이 없는 일이었다. 이성과 분별은 도대체 어디로 갔는가? 깨달음과 철학적 무관심은 어디로 갔는가?

의사는 자신에 대한 수치심과 분노로 밤새 잠을 이루지 못했다. 그리고 이튿날 아침 열시에 우체국으로 가서 미하일 아베리야니치에게 사과했다.

"지난 일에 대해서는 떠올리지 맙시다." 감동받은 미하일 아베리야니치는 그의 손을 꼭 쥐고 한숨을 쉬며 말했다. "옛일을 끄집어내면 눈이 먼다는 속담도 있잖습니까. 류바브킨!" 갑자기 그가 소리를 꽥 지르는 바람에 직원과 방문객들 모두가 소스라쳤다. "의자 가져와. 그리고 당신은 기다려!" 그는 창구 너머로 등기우편물을 내밀고 있던 시골 여인에게 소리쳤다. "내가 지금 바쁜 게 안 보이나? 옛날 일은 떠올리지 맙시다." 그는 다시 안드레이 예피미치를 향하며 다정히 말을 이었다. "앉으시지요, 친구."

그는 한동안 말없이 무릎을 쓰다듬다가 이윽고 입을 열었다.

"당신 때문에 기분 상한 건 전혀 없어요. 병은 어쩔 수 없는 것이니까요. 이해합니다. 당신의 발작은 저와 의사를 놀라게 했고, 그래서 우리는 당신에 대해 오랫동안 이야기를 나눴습니다. 친구, 어째서 당신은 자신의 병과 진지하게 맞서지 않는 겁니까? 어떻게 그럴 수가 있어요. 친구로서 터놓고 말씀드리는 걸 용서하세요." 미하일 아베리야니치가 속삭였다. "당신은 지금 대단히 열악한 환경에서 지내고 있어요. 비좁고, 불결하고, 간병인도 없고, 치료를 받을 돈도 없잖습니까…… 친구, 저와 의사가 충심으로 부탁드리는 겁니다. 우리 충고를 들어주세요. 입원하세요! 병원에는 건강한 식사와 보살핌과 치료가 있습니다. 우리끼리 하는 얘기지만 예브게니 표도리치가 좀 속된 구석이 있긴 하죠. 하지만 그래도 솜씨는 좋아요. 그러면 믿고 맡길 수 있습니다. 그가 당신을 책임지겠다고 저에게 약속했어요."

안드레이 예피미치는 우체국장의 진심 어린 걱정과 그의 볼에서 반짝이는 눈물에 감동했다.

"제발 믿지 마세요!" 그는 가슴에 손을 얹으며 속삭였다. "그 사람들 말을 믿지 마세요! 거짓말입니다! 저의 병이란 단지 이십 년 동안 이

도시에 살면서 현명한 인간을 딱 한 명 찾았는데, 그게 다름 아닌 정신 병자였다는 데 있는 겁니다. 저에게 병 같은 건 없어요. 저는 다만 출구 없는 고약한 미로에 빠져버린 것뿐이죠. 어차피 마찬가지예요. 저는 무슨 일이 벌어지든 준비가 되어 있습니다."

"입원하세요, 친구."

"저에겐 이러나저러나 마찬가지예요. 설령 나락에 떨어질지라도."

"친구, 약속하세요. 예브게니 표도리치의 말을 전적으로 따르겠다고요."

"약속하지요. 하지만 다시 한번 말씀드리는데, 저는 미로에 빠졌어요. 이제는 모든 것이, 친구들의 진심 어린 걱정마저도 저를 하나의 길로 이끌고 있군요. 제 죽음 말입니다. 저는 죽게 될 겁니다. 그래도 저에게 이걸 인정할 용기는 있네요."

"당신은 건강해질 겁니다."

"뭐하러 그런 말씀을 하시나요?" 안드레이 예피미치가 신경질적으로 말했다. "인생의 끝에 다다르면 누구나 지금의 저와 같은 일을 겪게 될 겁니다. 사람들이 당신에게 콩팥이 상했다거나 심장이 부었다고 말하면 당신은 치료를 받기 시작하겠죠. 혹은 당신이 정신병자라고 혹은 범죄자라고 말해요. 한마디로 사람들이 갑자기 당신에게 관심을 가지기 시작하는 거예요. 그러면 그건 당신이 출구 없는 미로에 갇혔다는 뜻입니다. 빠져나오려고 애를 쓰면 쓸수록 더 헤매게 될 뿐입니다. 그럴 땐 포기해야죠. 그 어떤 인간의 힘으로도 당신을 구할 수는 없는 겁니다. 저에겐 그렇게 보이네요."

그러는 사이에 창구 앞에는 방문객들이 모여들고 있었다. 안드레이 예피미치는 업무에 방해가 되지 않으려고 일어나서 인사를 했다. 미하일 아베리야니치는 다시 한번 그에게서 다짐을 받고 바깥문까지 배웅해주었다.

그날 저녁 무렵, 호보토프가 느닷없이 짧은 외투와 긴 가죽장화 차림으로 안드레이 예피미치를 찾아와 마치 어제 아무 일도 없었다는 듯한 말투로 이렇게 말했다.

"선생님께 일이 있어서 왔습니다. 선생님을 모시려고요. 저와 함께 입회 진찰을 하시지 않겠습니까?"

호보토프가 그냥 산책이나 하며 자신을 위로하려는 건지, 아니면 정말로 자신에게 일거리를 주려는 건지 궁금해하면서 안드레이 예피미치는 옷을 입고 그와 함께 밖으로 나섰다. 그는 어제의 잘못을 무마하고 화해할 기회가 생겼음에 기뻐했다. 그리고 어제의 일에 대해 한마디도 꺼내지 않고 그를 용서한 것처럼 보이는 호보토프에게 마음속으로 고마워했다. 이 교양 없는 인간에게서 그런 세심한 구석을 기대하기란 좀처럼 어려운 일이었다.

"환자는 어디 있나요?" 안드레이 예피미치가 물었다.

"제 병원에 있습니다. 벌써 오래전부터 선생님께 보여드리고 싶었습니다만…… 아주 흥미로운 케이스예요."

병원 마당으로 들어간 두 사람은 본관을 지나쳐 정신병자들이 수용된 별관 쪽으로 향했다. 그러는 동안 어쩐 일인지 두 사람은 아무 말도 하지 않았다. 별관으로 들어가자 니키타가 평소처럼 벌떡 일어나서 차려 자세를 취했다.

"여기 있는 환자 하나가 폐에 합병증이 생겼어요." 안드레이 예피미치와 함께 병실 안으로 들어가면서 호보토프가 낮은 목소리로 말했다.
"선생님은 잠시 여기서 기다리세요, 제가 곧 돌아올 테니까. 청진기를
가지러 금방 갔다 오겠습니다."

그러더니 그는 나가버렸다.

17

벌써 땅거미가 지고 있었다. 이반 드미트리치는 자기 침대에 엎드려
베개에 얼굴을 파묻고 있었고, 중풍 환자는 꿈쩍없이 앉아서 조용히 눈
물을 흘리며 입술을 우물거리고 있었다. 뚱뚱한 농부와 우편 분류계원
은 잠자고 있었다. 조용했다.

안드레이 예피미치는 이반 드미트리치의 침대에 앉아서 기다렸다.
삼십 분쯤 지난 뒤에 호보토프 대신 니키타가 환자복과 침대 시트와
슬리퍼를 한아름 들고 병실로 들어왔다.

"옷을 갈아입으시지요, 원장님." 니키타가 조용히 말했다. "원장님 침
대는 이쪽입니다." 그가 최근에 들여놓은 것이 분명한 빈 침대를 가리
키며 덧붙였다. "걱정하지 마세요, 하느님 은총으로 금방 나으실 겁니
다."

안드레이 예피미치는 모든 걸 알아차렸다. 그는 아무 말도 하지 않
고 니키타가 가리킨 침대로 옮겨가서 앉았다. 자기가 완전히 발가벗고
있는 동안 니키타가 서서 기다리는 것을 보고 있자니 창피한 마음이
들기 시작했다. 그리고 그는 환자복을 입었다. 내복 바지는 너무 짧았

고, 셔츠는 길었으며, 가운에서는 훈제 생선 냄새가 났다.

"나으실 거예요, 하느님 은총으로." 니키타가 되풀이해서 말했다.

그는 안드레이 예피미치의 옷 꾸러미를 거두어 병실을 나가더니 밖에서 문을 잠갔다.

'다 마찬가지야……' 안드레이 예피미치는 생각했다. 새 복장을 한 자신의 모습이 마치 죄수 같다고 느끼며 그는 창피스러운 표정으로 환자복을 여몄다. '다 마찬가지야…… 연미복이나 제복이나 이 환자복이나 다 마찬가지야……'

그런데 시계는 어떻게 되는 거지? 옆 주머니에 있던 수첩은? 담배는? 니키타는 옷을 어디로 가져간 거지? 이제 죽기 전까지 바지와 조끼를 입거나 가죽장화를 신을 일은 더이상 없겠군. 처음에는 이 모든 것이 왠지 낯설었고 심지어 불가사의해 보였다. 이제 안드레이 예피미치는 벨로바의 집과 6호실 사이에 그 어떤 차이도 없다는 것을, 이 세상 모든 것이 무의미하고 헛되다는 것을 확신하게 되었으며, 그러는 가운데 그의 손은 떨렸고 다리는 식어가고 있었다. 좀 있으면 이반 드미트리치가 깨어나서 환자복을 입은 그의 모습을 볼 거라고 생각하니 참담한 기분이 들었다. 그는 일어나서 병실 안을 걸어다니다가 다시 자리에 앉았다.

이렇게 삼십 분, 한 시간을 앉아 있으려니 지루하고 암담한 기분이 들었다. 과연 여기서 이 사람들처럼 하루를, 일주일을, 아니 몇 년을 살 수 있을까? 그는 앉아 있다가, 걸어다니다가, 다시 앉았다. 가서 창밖을 보거나, 아니면 또 이리저리 걸어다닐 수도 있겠지. 하지만 그다음엔? 여기서 이렇게 석상처럼 내내 앉아서 생각을 한다? 아니, 도저히 그럴 수는 없다.

안드레이 예피미치는 자리에 누웠다가 곧바로 다시 일어났다. 이마에 흐르는 식은땀을 소매로 닦고 보니 얼굴에서 온통 훈제 생선 냄새가 나는 것 같았다. 그는 또다시 방안을 거닐었다.

"뭔가 오해가 있는 거야……" 당혹스러운 얼굴로 양팔을 벌리며 그는 중얼거렸다. "설명을 해야 해, 이건 오해라고……"

그때 이반 드미트리치가 잠에서 깼다. 그는 침대에 앉아 주먹으로 뺨을 괴었다. 그리고 침을 뱉었다. 그러고 나서 멍하니 의사를 바라보았다. 처음에는 무슨 일인지 이해를 못한 모양이었다. 그러나 잠이 덜 깬 그의 얼굴은 곧 사악하고 경멸 어린 표정으로 바뀌었다.

"저런, 당신도 여기 들어왔군그래, 친구!" 그는 잠이 덜 깨서 목이 잠긴 음성으로 그렇게 말하며 한쪽 눈을 찡긋했다. "반갑구려. 그동안 남의 피를 빨더니, 이제는 자기가 빨리게 생겼네. 훌륭해!"

"이건 뭔가 오해가 있는 거요……" 안드레이 예피미치는 이반 드미트리치의 말에 놀라며 말했다. "뭔가 오해가 있어요……" 그는 어깨를 으쓱하며 되풀이했다.

이반 드미트리치는 다시 침을 뱉고 자리에 누웠다.

"망할 놈의 인생!" 그는 중얼거렸다. "정말 쓰라리고 분한 건 말이지, 도대체 이놈의 인생은 결말에 고통에 대한 보상이 주어지거나 오페라에서처럼 멋진 찬가로 마무리되는 것이 아니라, 죽음으로 끝난다는 거야. 인부들이 와서 죽은 자의 팔다리를 끌고 지하실에 가져다놓으면 끝이지. 으으으! 뭐 괜찮아…… 그 대신에 저세상에서는 축제가 우리를 기다리고 있으니까…… 나는 저세상에서 유령이 되어 이곳으로 내려올 거야. 그래서 이 개자식들을 놀라게 해줘야지. 무서워서 머리가 하얗게 세도록 만들어줄 테다."

밖에 나갔다 돌아온 모이세이카가 의사를 보더니 손을 내밀었다.

"한푼만 줍쇼!" 그가 말했다.

18

안드레이 예피미치는 창문으로 다가가 들판을 바라보았다. 날은 벌써 어두워졌고, 지평선 오른쪽에서 서늘한 진홍빛 달이 떠오르고 있었다. 병원 담장에서 멀리 떨어지지 않은, 100사젠*도 안 되는 곳에 돌로 벽을 두른 높다랗고 하얀 건물이 서 있었다. 그것은 감옥이었다.

'바로 이게 현실이야!' 이렇게 생각하자 안드레이 예피미치에게 공포가 엄습했다.

달도, 감옥도, 담장 위의 못들도, 그리고 멀리 보이는 골분骨粉 공장의 불빛도 무섭게 보였다. 뒤에서 한숨소리가 들렸다. 안드레이 예피미치가 뒤를 돌아보니 가슴에 반짝이는 별과 훈장들을 주렁주렁 달고 있는 남자가 미소 지으며 능청스럽게 윙크를 하고 있었다. 이 또한 무서웠다.

안드레이 예피미치는 달이나 감옥에 아무런 특별한 의미가 없다고 스스로를 달랬다. 그리고 정신이 건강한 사람들도 훈장을 달고 다니지

---

* 구러시아의 길이 단위. 1사젠은 약 2.13미터이므로 100사젠은 약 213미터다.

않는가. 그 모두가 세월이 흐르면 썩어서 흙으로 돌아가는 것이다. 그러나 갑자기 절망감이 그를 압도했다. 그는 두 손으로 쇠창살을 붙들고 있는 힘을 다해 흔들었다. 단단한 쇠창살은 꿈쩍도 하지 않았다.

두려움을 떨치기 위해 그는 이반 드미트리치의 침대로 가서 앉았다.

"내 영혼이 무너졌소, 친구." 그는 떨리는 손으로 이마의 식은땀을 닦으며 중얼거렸다. "영혼이 무너졌소."

"그럴 땐 철학을 논하면 되실 텐데." 이반 드미트리치는 코웃음치며 대꾸했다.

"하느님 맙소사, 하느님 맙소사…… 그래요, 그래…… 당신이 언젠가 말했지요. 러시아에는 철학이 없다. 그런데도 모두가, 심지어 조무래기들까지 철학을 한다고. 하지만 아무나 철학을 한다고 해서 그게 누구에게 해를 입히는 것은 아니잖습니까?" 안드레이 예피미치는 당장 울음을 터뜨리며 애원이라도 할 듯한 어조로 말했다. "친구여, 왜 그리 심술궂게 웃는 겁니까? 그 조무래기가 불만에 차 있다면 철학을 논할 수도 있는 것 아닙니까? 똑똑하고, 잘 교육받고, 긍지가 있고, 자유를 사랑하는 인간이, 신의 모습으로 창조된 인간이 어째서 이런 더럽고 바보 같은 도시의 의사가 되어 평생 약통이며 거머리며 겨자 반죽*과 씨름해야 하는 겁니까! 기만, 편견, 천박함들! 오, 맙소사!"

"바보 같은 소리를 하시는군. 의사가 싫으면 장관을 하셨으면 됐잖소."

"어디로도 벗어날 곳이 없어요. 우리는 나약합니다, 친구…… 저는

---

* 거머리, 겨자 따위는 당시에 흔히 사용되던 전근대적 치료 수단들이다. 특히 거머리는 이른바 나쁜 피를 뺀다는 이유로 환자의 몸에 붙이는 치료 수단이었다.

속세에 초연한 채 원기 왕성하게 세상의 이치를 탐구했어요. 하지만 삶이 저에게 그 거친 손길을 댄 순간 영혼이 무너져버렸습니다…… 탈진했어요…… 나약하고 시시한 인간들입니다, 우리는…… 당신도 마찬가지예요, 친구. 당신은 똑똑하고 고상합니다. 어머니의 젖과 함께 선한 열정들을 흡수했어요. 하지만 삶 속에 뛰어들기가 무섭게 지쳐버리고 병에 걸려버린 겁니다…… 나약해요, 나약해!"

저녁이 되면서 공포와 굴욕감 말고도 계속해서 무언가가 끈덕지게 안드레이 예피미치를 괴롭히고 있었다. 마침내 그는 자신이 맥주와 담배를 원하고 있다는 걸 깨달았다.

"저는 여기서 나갈 겁니다, 친구." 그가 말했다. "방에 등불을 가져와 달라고 말할 거요…… 이렇게는 도저히…… 도저히 못 견디겠어……"

안드레이 예피미치는 입구로 가서 문을 열었다. 그러자 곧바로 니키타가 벌떡 일어나서 그를 가로막았다.

"어디로 가십니까? 안 돼요, 안 돼!" 그가 말했다. "잘 시간이에요!"

"그냥, 잠깐만 마당에서 바람 좀 쐬고 오겠어!" 안드레이 예피미치는 당황하며 말했다.

"안 됩니다, 그건 금지되어 있습니다, 잘 아시잖습니까."

니키타는 문을 쾅 닫고 거기에 등을 기댔다.

"내가 여기서 나간다고 무슨 일이 생기는 건 아니잖아?" 안드레이 예피미치가 어깨를 으쓱하며 물었다. "이해할 수 없군! 니키타, 나는 나가야 해!" 그는 떨리는 소리로 말했다. "그래야 한다고!"

"소란 피우지 마세요, 이러면 좋지 않습니다!" 니키타가 꾸짖듯이 말했다.

"이런 젠장, 뭐하는 짓이야!" 갑자기 이반 드미트리치가 고함을 지르며 벌떡 일어났다. "저자는 무슨 권리로 우리를 못 나가게 하는 거야? 무슨 핑계로 우리를 여기 가둬놓는 거냐고? 재판 없이는 누구의 자유도 빼앗을 수 없다고 법에 분명히 적혀 있을 텐데! 이건 폭력이야! 횡포야!"

"그래 횡포지!" 이반 드미트리치의 외침에 고무된 안드레이 예피미치가 말했다. "나는 꼭 나가야 해! 너한테는 이럴 권리가 없어! 나를 내보내달라니까!"

"들리니, 이 멍청한 짐승아?" 이반 드미트리치가 소리지르며 주먹으로 문을 두드렸다. "열어, 안 열면 문을 부숴버리겠다! 이 백정 놈아!"

"열어!" 안드레이 예피미치는 온몸을 떨며 소리쳤다. "어서!"

"얼마든지 떠들어라!" 문 뒤에서 니키타가 대꾸했다. "더 떠들어보라고!"

"제발 가서 예브게니 표도리치라도 좀 불러줘! 내가 좀 뵙고 싶어한다고 전해주게나…… 잠깐이면 되니까!"

"어차피 내일 오실 거요."

"절대로 우리를 내보내주지 않을 거야!" 이반 드미트리치는 그사이에도 계속 소리를 높이고 있었다. "놈들은 우리를 여기서 썩게 만들 거야! 오, 하느님, 저승에는 정말 지옥이 없는 건가요? 저 나쁜 놈들이 용서받게 되나요? 도대체 정의는 어디 있어? 문 열어, 이 나쁜 놈아, 숨이 막힌단 말이다!" 목이 쉬도록 소리치던 그는 문으로 몸을 던졌다. "여기다 내 머리를 깨부수고 죽어버릴 테다! 이 살인자들아!"

니키타가 잽싸게 문을 열더니 팔과 무릎으로 안드레이 예피미치를 거칠게 밀어붙였다. 그리고 주먹으로 그의 얼굴을 있는 힘껏 내리쳤다. 안드레이 예피미치는 거대한 소금물의 파도가 그의 머리를 덮쳐서 침대 쪽으로 몰고 가는 듯한 기분을 느꼈다. 실제로도 입안에서 짠맛이 느껴지는 걸로 보아 이빨에서 피가 흐르는 모양이었다. 그는 마치 헤엄이라도 치듯 두 팔을 허우적거리며 누군가의 침대를 붙잡았다. 그 순간 니키타가 그의 등을 두 번 내리치는 것이 느껴졌다.

이반 드미트리치가 큰 소리로 비명을 질렀다. 필경 그도 맞고 있는 모양이었다.

그러고 나서 사방이 조용해졌다. 어슴푸레한 달빛이 쇠창살 사이로 비치며 마루에 그물 모양의 그림자를 드리웠다. 방안에는 공포가 감돌고 있었다. 안드레이 예피미치는 침대에 누워 숨을 죽인 채, 다시 이어질 구타를 공포 속에서 기다렸다. 마치 누가 그에게 낫을 찔러 박고 가슴과 창자 속을 이리저리 헤집어놓은 것 같은 느낌이었다. 그는 고통 때문에 베개를 씹으며 이를 악물었다. 그 혼돈 속에서도 문득 견디기 힘든 끔찍한 생각이 머릿속으로 선명하게 떠올랐다. 그것은 지금 달빛 속에서 마치 시커먼 망령들처럼 보이는 이 사람들이 바로 이와 똑같은 고통을 날이면 날마다 몇 년이고 겪었으리라는 생각이었다. 어떻게 그는 이십 년이 넘는 세월 동안 이런 것을 알지도, 알려고 하지도 않았을까? 그는 모르고 있었다. 그에게는 고통이라는 개념 자체가 없었던 것이다. 그러므로 그는 죄가 없다. 하지만 니키타처럼 완고하고 거친 안드레이 예피미치의 양심은 그를 머리부터 발끝까지 싸늘한 냉기로 감쌌다. 그는 박차고 일어나서 온 힘을 다해 소리치고 싶었다. 당장 뛰쳐나가서 니키타와 호보토프를, 관리부장과 조수를, 그리고 자기 자신을 죽여버리고 싶었다. 그러나 가슴으로부터는 한마디 소리도 빠져나오지 않았고 다리는 말을 듣지 않았다. 그는 숨을 헐떡이며 가슴에 덮인 환자복과 셔츠를 찢어발겼다. 그러다가 정신을 잃고 침대에 널브러졌다.

19

다음날 아침 그는 두통이 나고 이명이 울리고 온몸이 쑤셔댔다. 어제 자신이 드러낸 나약한 모습을 상기하는 것도 딱히 부끄럽지 않았다. 어제 그는 겁에 질려서 달빛조차 두려워했으며 평소에는 상상도 못했던 깊은 감정과 생각들을 입 밖에 낸 것이다. 이를테면 불만스러워하는 조무래기의 철학이니 뭐니 하는 것들이 바로 그러했다. 그러나 지금은 아무래도 상관없었다.

그는 먹지도 마시지도 않은 채 꼼짝 않고 말없이 누워 있었다.

'이러나저러나 마찬가지야.' 사람들이 그에게 질문하면 그는 그렇게 생각했다. '대답하지 않겠어…… 나에겐 이러나저러나 마찬가지야.'

오후에 미하일 아베리야니치가 차 4분의 1푼트*와 마멀레이드 한 푼트를 가지고 찾아왔다. 다류시카도 찾아와 한 시간이나 그의 침대 옆에서 막연한 애수가 깃든 표정을 하고 서 있었다. 호보토프 박사도 그를 방문했다. 그는 브롬화칼륨이 들어 있는 약병을 가져다주고, 니키타에

---

* 구러시아의 중량 단위. 0.41킬로그램에 해당한다.

게는 병실을 훈연소독하라고 지시했다.

저녁 무렵에 안드레이 예피미치는 뇌졸중 발작으로 사망했다. 처음에 그는 무시무시한 오한과 욕지기를 느꼈다. 어떤 역겨운 것이 마치 온몸을 손가락 마디마디까지 꿰뚫는 것 같았다. 그것은 배와 머리로 퍼져나갔고 눈과 귀에 밀려들었다. 눈앞에 있는 모든 것이 초록색으로 보였다. 안드레이 예피미치는 자신에게 끝이 다가왔음을 알아차리고, 이반 드미트리치와 미하일 아베리야니치, 그리고 수백만의 사람이 영생을 믿고 있다는 사실을 떠올렸다. 혹시 정말로 영생이 있다면? 그러나 그는 영생을 원하지 않았다. 단지 찰나의 순간 그것을 생각했을 뿐이었다. 어제 읽은 책에 나왔던 무척 아름답고 우아한 사슴 한 무리가 그의 곁을 스치며 달려갔다. 그러고 나서 시골 아낙네가 그에게 등기우편물을 든 손을 내밀었다…… 미하일 아베리야니치가 뭐라고 알 수 없는 말을 했다. 그러고 나서 모든 것이 사라졌고, 안드레이 예피미치는 영원히 잠들었다.

잡역부들이 와서 그의 팔다리를 들고 예배당으로 옮겨갔다. 거기서 그는 눈을 뜬 채로 탁자 위에 눕혀졌고, 밤에는 달빛이 그를 비추었다. 아침에 세르게이 세르게이치가 찾아와 십자가상 앞에서 경건하게 기도하고 옛 상관의 눈을 감겨주었다.

다음날 안드레이 예피미치는 매장되었다. 장례식에 온 사람은 미하일 아베리야니치와 다류시카뿐이었다.

(1892)

로트실트의 바이올린

그곳은 시골 마을보다도 못한 작은 도시였다. 주민들 대다수가 노인네들인데도 죽는 사람이 좀처럼 없어서 짜증이 날 정도였다. 병원에서도, 감옥에서도 관을 주문하는 일이 거의 없었다. 한마디로 말해서 사업 환경이 형편없었다. 만약 야코프 이바노프가 현청 소재 도시의 장의사였다면 시내에 번듯한 집도 가지면서 야코프 마트베이치 씨라고 불렸을 것이다. 그러나 이 작은 도시에서는 그를 그저 야코프라고 불렀으며, 동네에서는 무슨 이유에서인지 '브론자'*라는 별명으로 통했다. 여느 농부들처럼 가난한 그는 방이 한 개밖에 없는 작고 낡은 오두막에서 살았는데, 그 방에 그와 마르파, 그리고 페치카와 이인용 침대와 관

---

* 러시아어로 브론자(Бронза)는 '청동(靑銅)'이라는 뜻.

들과 작업대와 온갖 세간들이 자리잡고 있었다.

야코프가 만든 관들은 단단하고 훌륭했다. 농부들이나 상인들의 관은 자신의 키에 맞춰 만들었는데 한 번도 틀린 적이 없었다. 왜냐하면 그 어디에도, 심지어 감옥에도, 그보다 키나 몸집이 큰 사람은 없었기 때문이다. 게다가 그는 일흔 살이나 됐는데도 말이다. 귀족이나 여자들의 관은 쇠로 된 자를 가지고 제대로 치수를 재서 만들었다. 아이들의 관을 주문받을 때는 영 내키지 않는 기색으로 치수도 재지 않고 대충만들었으며, 공임을 받을 때면 항상 이렇게 말했다.

"솔직히 말해서, 이런 하찮은 일은 맡기가 싫소."

관 짜는 일 말고도 그는 바이올린 연주로 약간의 수입을 얻고 있다. 이 도시에서는 결혼식 날에 보통 양철공 모이세이 일리치 샤흐케스가 이끄는 유대인 악단이 연주를 했으며, 샤흐케스는 거기서 수입의 반 이상을 자기 몫으로 챙겨 갔다. 야코프는 바이올린 연주를 아주 잘했고 특히 러시아 노래에 능숙했기 때문에, 샤흐케스는 그를 가끔 자기 악단에 불러들이고 일당 50코페이카를 줬는데, 하객들로부터 받는 팁은 거기서 별도였다. 악단에서 연주할 때 브론자는 항상 땀을 뻘뻘 흘리면서 얼굴이 벌게지곤 했다. 날은 덥고, 마늘냄새로 숨이 막힐 것 같은데, 바이올린은 끽끽거리고, 오른쪽 귀에서는 콘트라베이스가 그르렁대고, 왼쪽 귀에서는 플루트가 울어댔다. 플루트를 연주하는 빨강 머리의 깡마른 유대인은 붉고 퍼런 핏줄들이 얼굴에 거미줄처럼 불거져 있는 남자로, 유명한 부자 로트실트와 같은 성을 갖고 있었다. 그런데 이 망할 유대인은 가장 경쾌한 곡도 처량하게 연주하는 재주가 있었다. 야코프는 이렇다 할 이유도 없이 점점 이 유대인들, 특히 로트실트에게 증오와 경멸을 품게 되었다. 그가 생트집을 잡고, 험한 말로 욕하다가, 한번은 심지어 때리려고 들자 로트실트는 마침내 화를 내더니, 사나운 얼굴로 그를 노려보며 이렇게 내뱉었다.

"내가 아저씨의 재능을 존경하지만 않았더라도, 진작에 저 창밖으로 아저씨를 집어던져버렸을 거요."

그러고 나서 로트실트는 눈물을 흘렸다. 이런 까닭에 브론자를 악단에 자주 부르지는 않았고, 유대인들 중 한 명이 모자라다거나 하는 특별한 경우에만 어쩔 수 없이 그를 불렀다.

야코프는 단 한 번도 기분좋은 상태인 적이 없었는데, 왜냐하면 그가 항상 엄청난 손해를 감수해야만 했기 때문이었다. 예컨대, 일요일과 축일에 일하는 것은 죄가 되고, 월요일은 흉한 날이라* 일을 못하고, 이런 식으로 쌓이다보면 일 년에 이백 일은 어쩔 수 없이 손을 놓고 놀아야 했던 것이다. 이 얼마나 큰 손해인가! 시내에서 누가 결혼식을 올리면서 악단을 쓰지 않는다든가, 아니면 샤흐케스가 야코프를 불러주지 않는다든가 하면 이 또한 손해였다. 일전에 경찰서장이 병을 얻어 이 년 동안 골골대고 있을 때, 야코프는 조바심을 내며 그가 죽을 날을 기다렸다. 하지만 서장은 현청 소재지로 병을 치료하러 가더니 갑자기 거기서 죽어버렸다. 이 역시 최소한 10루블의 손실이 될 터, 서장의 관은 무늬비단을 덧댄 고가의 물건으로 만들었을 것이기 때문이다. 손해에 대한 생각은 특히 한밤중에 그를 괴롭혔다. 그는 침대 곁에 바이올린을 놓아두었다가 머릿속으로 이런저런 잡생각이 기어들어올 때면 줄을

---

* 월요일은 운이 사납거나 불길하다는 민간의 미신.

퉁겼고, 바이올린이 어둠 속에서 소리를 내면 그제야 마음을 가라앉히곤 했다.

작년 5월 초엿샛날 마르파가 갑자기 탈이 났다. 할멈은 힘겹게 숨을 몰아쉬고 연신 물을 켜며 휘청거렸지만, 그 몸으로 아침에 페치카의 불을 피우고 물도 길러 다녔다. 그러더니 저녁이 되자 결국 몸져눕고 말았다. 야코프는 하루종일 바이올린을 켰다. 그리고 날이 완전히 어두워지자, 자기가 매일매일의 손해를 적어놓은 장부를 집어들고 심심풀이 삼아 한 해 동안의 결산을 내보기 시작했다. 손해액은 천 루블이 넘었다. 이 액수에 충격을 받은 그는 주판을 마루에 팽개치고 발을 굴렀다. 잠시 후 다시 주판을 집어들어 오랫동안 퉁겨본 뒤, 길고 깊은 한숨을 내쉬었다. 그의 얼굴은 벌겋게 달아올랐고 땀으로 범벅이 되었다. 자기가 날려버린 천 루블을 은행에 넣었더라면 일 년 이자가 최소한 40루블은 되었으리라는 사실을 생각했다. 그러니까 이 40루블도 손해액인 셈이다. 한마디로 말해서 어디를 둘러봐도 사방에 손해, 손해뿐이라는 얘기였다.

"야코프!" 마르파가 느닷없이 그를 불렀다. "나 죽어요!"

그는 아내를 돌아보았다. 고열로 장밋빛이 된 그녀의 얼굴은 평소와 달리 환하고 기쁨에 차 있었다. 항상 창백하고 소심하고 불행한 아내의 얼굴을 보는 데 익숙해져 있던 브론자는 당황했다. 그녀가 정말로 죽어가고 있는 것 같았다. 마침내 이 오두막과 관들과 야코프로부터 영원히 떠날 수 있게 되어 정말로 기뻐하는 것 같았…… 그녀는 천장을 바라보며 입술을 우물거렸다. 마치 자신의 구원자인 죽음을 보고 있는 듯, 행복한 표정으로 소곤거리고 있었다.

어느덧 새벽이 되어 창문 너머로 물드는 아침노을이 보였다. 할멈을 바라보던 야코프는 문득 자신이 평생 한 번도 그녀를 다정하게 대해주지 않았고, 한 번도 가엾게 여기지 않았다는 사실을 깨달았다. 스카프를 사다 줄 생각을 해본 적도 없었고, 결혼식장에서 케이크라도 한 조각 가져다줄 생각을 해본 적도 없었다. 그저 소리나 질러대고 손실에 대한 불평을 늘어놓으며 그녀에게 주먹을 흔들어댄 것이 전부였다. 그렇다고 그가 실제로 때린 적은 없었지만, 어쨌든 그녀를 윽박지른 건 사실이었고, 그때마다 그녀는 공포로 얼어붙어버리곤 했던 것이다. 야코프는 그녀가 차 마시는 것도 허락하지 않았다. 안 그래도 돈 들어갈 일이 많다는 이유로 그녀는 뜨거운 물만 마셔야 했다. 이제 그는 어째서 아내의 얼굴이 그처럼 낯설어 보이는지, 어째서 그렇게 기쁨에 차 있는지 깨달았고, 두려워지기 시작했다.

그는 아침이 되기를 기다렸다가 이웃에서 말을 빌려 마르파를 병원으로 데려갔다. 환자들이 많지 않았기에 기다리는 시간은 그리 길지 않았다. 한 세 시간쯤 기다렸던가? 오늘은 의사가 병이 나서 환자를 받지 못하고, 대신에 조수인 막심 니콜라이치 영감이 진찰해준다고 해서 그는 크게 안도했다. 조수 영감이 모주꾼에 싸움질을 일삼기는 해도 의사보다 용하다는 평판을 들었기 때문이었다.

"안녕하세요." 야코프는 할멈을 데리고 진찰실로 들어가며 인사했다. "별것 아닌 일로 성가시게 해서 죄송합니다, 막심 니콜라이치 선생님. 보시다시피 이 사람이 좀 아픈 것 같아서요. 뭐랄까, 제 인생의 반려자입지요. 외람된 표현입니다만……"

조수 영감은 하얀 눈썹을 찡그리고 구레나룻을 쓰다듬으며 할멈을 살펴보기 시작했다. 그녀는 등을 잔뜩 꾸부리고 간이의자에 앉아 있었다. 여윈 몸에 뾰족한 코, 그리고 입을 벌리고 있는 그녀의 옆모습은 마치 목마른 새처럼 보였다.

"음…… 그래요……" 조수 영감은 느릿느릿 말을 꺼내며 한숨을 쉬었다. "인플루엔자인 것도 같고, 열병인 것도 같고. 지금 도시에 티푸스가 돌고 있거든. 뭐, 어쩌겠어? 아무래도 나이가 있으니…… 연세가 어떻게 되시나?"

"내년이면 일흔 살입지요, 선생님."

"저런! 웬만큼 살았네. 이제 가실 때가 됐어요."

"저, 물론, 옳으신 말씀입니다, 선생님." 야코프는 예의바르게 미소를 지으며 말했다. "친절한 말씀에 진심으로 감사드립니다. 그래도 외람된 말씀입니다만, 하다못해 벌레들도 살고 싶어하는 법이죠."

"아무렴 그렇겠지!" 조수 영감은 마치 할멈이 죽고 사는 것은 자기에게 달려 있다는 듯한 어조로 말했다. "자, 이렇게 하자고. 가서 머리에 냉찜질을 해줘. 그리고 이 가루약을 하루에 두 번 먹게 하라고. 자 그럼, 잘 가시게, 본주르*."

야코프는 조수 영감의 표정으로 미루어, 상황이 나쁘고 이미 어떤 가루약도 도움이 되지 못하리라는 것을 알아차렸다. 이제 마르파가 얼마 못 가서 죽게 되리라는 사실은 확실해졌다. 오늘이냐 내일이냐의 차이였다. 그는 조수 영감의 팔을 슬쩍 건드리고 윙크하며 목소리를 낮추어 말했다.

＊ 무성의한 조수가 비아냥거리는 투로 프랑스어 인사말을 하는 상황이다.

"저기요, 선생님, 부항이라도 한번 떠주시죠."

"그럴 시간이 없어요, 이 사람아. 할머니 데리고 이제 집에 가라고. 잘 가."

"사정 좀 봐주세요." 야코프는 애원했다. "잘 아시잖습니까. 배탈이나 무슨 다른 속병이 난 거라면 가루약이나 물약으로 다스리겠죠. 그런데 지금 이 사람은 열이 나잖아요! 열병은 일단 나쁜 피를 뽑아줘야 하는 것 아닌가요, 선생님?"

조수 영감은 이미 다음 환자를 불렀고, 한 아낙네가 아이를 데리고 진찰실로 들어오고 있었다.

"나가, 나가라고……" 그는 인상을 찡그리며 야코프에게 말했다. "허튼소리 좀 그만하고."

"그러면 이 사람에게 거머리라도 좀 붙여주세요! 선생님을 위해서 평생 기도를 드리겠습니다요!"

조수 영감은 발끈하며 소리쳤다.

"한마디만 더 해봐라! 이 먹통 같으니라고……"

야코프도 화가 나서 얼굴이 새빨개졌다. 하지만 그는 아무 말도 하지 않은 채 마르파의 손을 잡고 진찰실을 나왔다. 수레에 올라타고 나서야 그는 성나고 아니꼬운 표정으로 병원을 돌아보며 말했다.

"명색이 병원인데 온통 사기꾼들뿐이야! 부자들에게는 부항을 떠주면서 가난한 사람에게는 거머리 한 마리도 아깝다 이거지. 에라, 이 못된 놈들!"

집에 돌아와서 오두막 안으로 들어온 마르파는 한 십 분 정도 페치카를 붙잡고 서 있었다. 만약 자리에 누우면 당장 야코프가 손해본 것들에 대해 얘기하면서, 그녀가 일도 하지 않고 종일 누워만 있다고 야단칠 것 같았기 때문이다. 그러나 야코프는 울적한 눈으로 그녀를 바라보며 다른 생각을 하고 있었다. 내일은 사도 요한 축일이고, 모레는 성 니콜라이 축일, 다음날은 일요일, 그다음날은 월요일, 즉 흉한 날이다. 총 나흘 동안 일할 수가 없다. 그리고 아마도 마르파는 그중 어느 한 날에 죽을 것이다. 그러니까 관은 오늘 만들어야 한다. 그는 쇠로 만든 자를 들고 할멈에게 다가가서 그녀의 치수를 쟀다. 그러고 나서 그녀는 자리에 누웠고, 그는 성호를 긋고 관을 만들기 시작했다.

작업이 끝나자 브론자는 안경을 쓰고 장부에 기록했다.

"마르파 이바노바의 관 — 2루블 40코페이카."

그리고 한숨을 쉬었다. 할멈은 그동안 내내 눈을 감은 채 말없이 누워 있었다. 그런데 저녁이 되어 날이 어두워졌을 때, 그녀가 갑자기 영감을 불렀다.

"기억나요, 야코프?" 그녀는 환한 얼굴로 영감을 보며 물었다. "오십 년 전에 하느님이 곱슬곱슬한 금발 아기를 우리에게 선물해준 거? 그때 우리는 강가에 앉아서 노래를 부르곤 했잖아…… 버드나무 아래서." 그리고 그녀는 쓴웃음을 지으며 덧붙였다. "그 계집아이가 죽었지."

야코프는 기억을 되살려보려 했지만, 아무리 애써도 아이니, 버드나무니 하는 것들은 생각나지 않았다.

"당신이 꿈을 꾸는 거야." 그가 말했다.

신부가 와서 성찬식과 도유식塗油式*을 치렀다. 그러고 나서 마르파는

---

* 병을 낫게 하고 악마를 쫓기 위해 병자나 죽어가는 이의 몸에 성유를 바르는 정교 의식.

알아듣지 못할 헛소리를 하다가 아침이 되자 숨을 거뒀다.

이웃 노파들이 고인의 몸을 씻기고 수의를 입힌 다음, 관 속에 눕혔다. 부제副祭에게 줄 돈을 아끼려고 야코프는 직접 시편詩篇을 읊었고, 무덤 자리는 그의 대부인 묘지기의 연줄로 거저 얻을 수 있었다. 농부 네 명이 묘지까지 운구해주었는데, 고인에 대한 공경심으로 한 일이라 돈을 받지는 않았다. 노파들과 거지들과 두 명의 유로지비*가 관 뒤를 따라갔고, 지나가던 사람들은 경건하게 성호를 그어주었다…… 모든 일이 반듯하고 품위 있게 그리고 저렴하게 치러졌으며, 누구도 마음 상한 사람이 없었기 때문에 야코프는 매우 만족했다. 그는 마르파에게 마지막으로 작별인사를 하면서, 한 손으로 관을 만지며 생각했다. '잘 만들었어!'

그러나 묘지에서 돌아오는 도중에 깊은 우수가 그를 사로잡았다. 어쩐지 몸이 좋지 않았다. 뜨겁고 거친 숨이 터져나오고, 다리가 후들거리고, 자꾸 목이 말랐다. 그리고 또다시 머릿속에서는 온갖 생각이 오갔다. 평생 한 번도 마르파를 가엾게 여기지 않았고 다정하게 대해주지 않았다는 생각이 다시금 들었다. 그들이 한집에서 살아온 세월이 오십 이 년이나 길고 길게 이어져왔지만, 어쩌다보니 그렇게 되어버린 것이다. 그 세월 동안 그는 한 번도 그녀에 대한 생각을 해보지 않았다. 그녀가 마치 고양이나 개이기라도 한 양, 그녀에게 관심을 기울여본 적이 없었다. 하지만 그녀는 매일 페치카를 지폈고, 음식을 만들었고, 빵을 구웠고, 물을 길으러 다녔고, 장작을 팼고, 한 침대에서 잠을 잤지 않았

---

* 성스러운 바보, 즉 백치이지만 독실한 종교적 심성을 지닌 자를 의미한다. 러시아정교에서는 유로지비가 신비한 예지력과 통찰력을 지녔다고 믿는 전통이 있다.

던가. 그가 결혼식에 일하러 갔다가 술에 취해서 돌아올 때면, 그녀는 언제나 경건하게 바이올린을 받아서 벽에 걸고 그의 잠자리를 봐주지 않았던가. 겁먹은 듯한 그러나 자상한 표정으로 그 모든 일을 말없이 해주지 않았던가.

맞은편에서 로트실트가 미소를 짓고, 인사하며 야코프 쪽으로 오고 있었다.

"아저씨를 찾고 있었어요!" 그가 말했다. "모이세이 일리치 씨가 안부 전하랍니다. 아저씨더러 당장 와달라고 하네요."

야코프는 그럴 기분이 아니었다. 그는 울고 싶었다.

"꺼져!" 그렇게 말하고는 가던 길을 계속 갔다.

"아니, 그러시면 안 돼죠!" 로트실트는 그 앞으로 뛰어오며 걱정스럽게 말했다. "모이세이 일리치 씨가 화내실 텐데요! 당장 오시라고 했어요!"

야코프는 이 유대인이 숨을 헐떡이며 눈을 끔벅거리는 것이 보기 싫었고, 그의 얼굴에 가득한 빨간 주근깨가 보기 싫었다. 시커먼 헝겊 조각들을 덧댄 그의 초록색 프록코트며, 그의 부서질 것 같은 가느다란 몸집을 보는 것도 역겨웠다.

"왜 날 귀찮게 하는 거냐? 이 마늘냄새나는 놈아!" 야코프는 소리쳤다. "저리 비켜!"

유대인도 화가 나서 소리를 질렀다.

"살살 좀 말하세요. 울타리 너머로 집어던지기 전에!"

"내 눈앞에서 당장 꺼져버려!" 그렇게 소리치며 야코프는 주먹을 불끈 쥐고 그에게 달려들었다. "이 옴 붙을 놈들 때문에 내가 여기서 살 수가 없다니까!"

두려움으로 얼어버린 로트실트는 땅바닥에 주저앉아 주먹질을 피하려는 듯 머리 위로 팔을 휘저었다. 그러다가 벌떡 일어나서 정신없이 도망치기 시작했다. 그가 팔을 휘저으며 껑충껑충 달려가는 동안, 그의 가늘고 긴 등짝이 떨리는 것이 보였다. 아이들은 이 광경에 신이 나서 그를 쫓아가며 소리쳤다. "유대인! 유대인!" 개들도 짖어대며 그의 뒤를 쫓아갔다. 누군가가 깔깔대고 웃으며 휘파람을 불자, 개들은 더 세차게 한목소리로 짖어댔다…… 그러던 중에 개 한 마리가 로트실트를 물어버린 모양이었다. 절망적인 고통의 비명소리가 들려왔다.

목초지를 배회하던 야코프는 도시의 끝자락까지 가게 되었다. 어디를 둘러봐도 매번 아이들이 소리치고 있었다. "브론자가 간다! 브론자가 간다!" 그리고 강가에 이르렀다. 여기서는 도요새가 쩍쩍거리며 날아다녔고, 오리가 꽥꽥 울어대고 있었다. 태양은 이글이글 불탔고, 물결은 너무도 눈부시게 반짝거리고 있어서 보고 있기가 힘들 정도였다. 강기슭을 따라 나 있는 오솔길을 걸어가던 야코프는 강가의 노천 욕장에서 포동포동하고 볼이 빨간 부인이 나오는 것을 보며 생각했다. '저런, 꼭 수달 같네!' 욕장에서 멀지 않은 곳에서는 아이들이 고깃조각을 미끼로 가재를 잡고 있었다. 아이들은 그를 보더니 그악스럽게 소리치기 시작했다. "브론자! 브론자!" 그곳에 거대하고 늙은 버드나무가 보였다. 몸통에 커다란 구멍이 나 있고, 가지 위에는 까마귀가 둥지를 틀고 있었다…… 문득 야코프의 기억 속에서 곱슬곱슬한 금발의 갓난아이와 마르파가 얘기했던 버드나무가 생생하게 떠올랐다. 그래, 바로 이게 그 버드나무군. 푸릇푸릇한, 조용하고 슬픈 나무였는데…… 어쩌다 이렇게 늙어버렸나, 가엾게도!

그는 버드나무 아래 앉아 기억을 떠올리기 시작했다. 지금은 소택지가 펼쳐져 있는 건너편 강기슭에 예전에는 광활한 자작나무숲이 자리 잡고 있었으며, 지평선 근처에 보이는 저 민둥산에는 오래고 오래된 소나무숲이 무성했었다. 그리고 강에는 바지선이 다니고 있었다. 그런데 지금은 사방이 온통 평평하고 밋밋해져버렸고, 건너편 강기슭에는 귀족 아가씨처럼 날씬한 어린 자작나무 한 그루가 서 있을 뿐이다. 강 위에는 오리와 거위들만 보일 뿐, 한때 이 위를 떠다니던 바지선들의 자취는 찾아볼 수 없다. 거위들의 수도 예전보다 적어진 것 같았다. 야코프는 눈을 감았다. 그의 상상 속에서 흰 거위들이 거대한 무리를 지으며 끊임없이 날아올랐다.

그는 도무지 이해할 수 없었다. 지난 사오십 년의 세월 동안 어떻게 이 강가에 한 번도 오지 않을 수 있었던가? 설령 와봤더라도 어째서 강에 대해 아무런 관심을 갖지 않았을까? 훌륭한 강이다. 여느 시시한 강들과는 다르다. 이 강에서 물고기를 잡아다가 상인들이나 관리들에게, 기차역의 식당 주인들에게 팔고, 그 돈을 은행에 저금할 수 있었을 것이다. 보트를 타고 지주 댁들을 찾아다니며 바이올린을 연주하면, 온갖 나리님들이 돈을 냈을 것이다. 바지선 사업을 재개할 수도 있었을 것이다. 관 만드는 일보다는 그게 나았겠지. 그리고 거위를 기를 수도 있었다. 그것들을 도축해서 겨울에 모스크바로 보내는 거지. 거위 털만 갖고도 일 년에 10루블은 챙길 수 있었을 것이다. 그런데 멍하니 손놓고 있는 동안 이 모든 기회를 놓쳐버린 것이다. 이런 손해가 어디 있을까! 오, 이런 손해가! 그 모든 일을 다 했다면…… 물고기도 잡고, 바이올린도 연주하고, 바지선도 띄우고, 거위도 길렀다면, 얼마나 큰돈을 벌었겠는가! 하지만 이런 생각을 꿈에도 해보지 못한 채, 아무런 이득도 없이, 아무런 낙도 없이 인생이 흘러가버린 것이다. 담배 한 모금만도 못하게 덧없이 평생을 낭비한 것이다. 앞에는 아무것도 남은 게 없고, 뒤를 돌아봐도 손해본 것 말고는 아무것도 없다. 손해가 너무나 엄청나서 소름이 끼칠 정도다. 인간은 왜 이런 상실과 손해 없이 살 수 없는 것일까? 자작나무며 소나무들을 뭣 때문에 다 베어버렸을까? 이 목초지는 어째서 일없이 놀리고 있는 것인가? 어째서 사람들은 항상 꼭 필요한 일을 하지 않고 그 반대되는 일을 하는 것일까? 어째서 야코프는 평생 욕을 하고, 으르렁대고, 주먹을 흔들어대며 자신의 아내를 함부로 대했는가? 좀전에는 뭣 때문에 그 유대인을 겁주고 능멸한 것일까? 아니, 도대체 왜 사람들은 서로의 삶을 망치는가? 그래서 바로 이런 손해들이 생기는 것 아닌가! 이 얼마나 끔찍한 손해인가! 증오와 악의가 없다면 사람들은 서로에게 엄청난 이익을 가져다줄 텐데 말이다.

저녁이 되고 밤이 깊었지만 그의 머릿속에서는 갓난아이와 버드나무의 모습이, 물고기와 도축된 거위들이 떠나가질 않았다. 목마른 새 같았던 마르파의 옆모습과 하얗게 질린 로트실트의 불쌍한 얼굴이 계속 어른거렸다. 그리고 사방에서 추악한 얼굴들이 그에게 덮쳐오며 손해본 것들에 대해 중얼거렸다. 그는 이쪽저쪽으로 몸을 뒤척이며 잠을 이루지 못하다가 다섯 번이나 침대에서 일어나 바이올린을 켰다.

야코프는 아침에 억지로 몸을 일으키고 병원에 갔다. 이번에도 막심 니콜라이치가 그를 진찰하더니 머리에 냉찜질을 하라고 이르며 가루약을 내주었다. 그의 표정과 어조로 미루어보건대 상황이 나쁘며 이미 그 어떤 가루약도 도움이 되지 않으리라는 것을 알 수 있었다. 집으로 돌아오는 길에 그는 죽음에는 오로지 이득만 있을 뿐이라는 생각을 했다. 먹거나 마시지 않아도 되고, 세금을 안 내도 되며, 사람들 기분을 상하게 하지 않아도 된다. 무덤에 누워서 일 년도 아니고 백 년, 천 년을 지낼 테니, 그걸 다 계산하면 엄청난 이득이 되지 않겠는가. 사람은 살아 있으면 손해고, 죽으면 이득이다. 물론 이런 생각이 일리가 없는 건 아니겠지만 그렇더라도 모욕적이고 뼈아픈 진리다. 이 세상의 이치란 왜 이리도 괴상한 것일까? 인간에게 단 한 번 주어진 삶이 이토록 아무 쓸모 없이 흘러가버리니 말이다.

죽는 것이 아쉽지는 않았다. 그러나 집에 와서 바이올린을 보는 순간, 그는 심장이 조여들면서 안타까운 마음이 들었다. 바이올린을 무덤 속으로 가져갈 수는 없는 노릇이니 이제 이 아이는 고아로 남아 결국 베어진 자작나무숲이나 소나무숲 같은 처지가 될 것이다. 이 세상 모든 것이 사라져버렸으며 또한 앞으로도 사라져버릴지니! 야코프는 바이올린을 가슴에 품고 오두막을 나와 문턱에 앉았다. 사라져버린 인생, 손해본 인생에 대해 생각하며 그는 바이올린을 켜기 시작했다. 자신이 무슨 곡을 연주하는지도 모르는 가운데, 가슴을 저미는 애달픈 음악이 흘러나왔다. 그의 양볼로 눈물이 흘러내렸다. 그의 생각이 깊어갈수록, 바이올린은 더욱더 슬프게 노래했다.

끼익하고 빗장 여는 소리가 들리더니 울타리 쪽문에 로트실트의 모습이 보였다. 그는 마당의 반 정도까지는 대담하게 걸어왔지만 야코프를 본 순간 멈춰 서더니 잔뜩 몸을 움츠렸다. 그리고 손으로 무슨 신호를 보냈는데, 그것은 마치 지금이 몇시인지 알려주려는 손짓 같아 보였다. 물론 겁에 질려 엉겁결에 나온 동작이었다.

"이리 와, 괜찮아." 야코프가 다정하게 말하며 자기 쪽으로 오라고 손짓했다. "이리 오라니까!"

로트실트는 의심과 공포가 섞인 눈으로 그를 바라보며 슬금슬금 다가오더니 그로부터 몇 발짝 떨어진 곳에 멈춰 섰다.

"아저씨, 제발 때리지는 마세요!" 엉거주춤하며 그가 말했다. "모이세이 일리치 씨가 다시 나를 보냈어요. 말씀하시길, 겁내지 말고 야코프에게 다시 가서 말해라. 그 사람 없이는 일을 할 수 없다고. 수요일에 결혼식이 있거든요…… 네! 샤포발로프 나리가 따님을 훌륭한 남자에게 시집보낸다고 합니다…… 아주아주 성대한 결혼식이 될 거예요!" 마지막 말을 덧붙이며 유대인은 한쪽 눈을 끔벅거렸다.

"못 가……" 야코프가 힘겹게 숨을 쉬며 말했다. "내가 병이 났거든, 친구."

그리고 야코프는 다시 연주를 시작했다. 바이올린 위로 눈물이 후득후득 떨어졌다. 로트실트는 두 팔을 십자 모양으로 가슴 위에 포갠 채 몸을 옆으로 돌리고 서서 주의깊게 연주를 들었다. 놀라고 당황했던 그의 표정은 점점 슬프고 괴로운 표정으로 바뀌어갔다. 그는 고통스러운 환희를 겪는 사람처럼 눈을 치뜨며 탄성을 내질렀다. "아아!……" 눈물이 그의 양볼을 따라 천천히 흘러내려 초록색 프록코트를 적셨다.

그리고 나서 야코프는 하루종일 누워서 우수에 잠겼다. 저녁에 신부가 찾아와 고해성사를 치르며 특별히 죄지은 기억이 없는지 그에게 물었다. 그는 희미해져가는 기억을 붙잡으며 다시금 마르파의 불행한 얼굴과 개에게 물린 유대인의 절망적인 비명을 떠올렸다. 그리고 간신히 들릴 정도의 소리로 말했다.

"로트실트에게 제 바이올린을 전해주세요."

"알겠소." 신부가 대답했다.

지금 시내에서는 사람들이 서로 묻곤 한다. "로트실트가 어디서 그런 좋은 바이올린을 얻은 거야? 산 거야, 아니면 훔친 거야? 혹시 저당 잡은 건가?" 로트실트는 오래전에 플루트를 제쳐두고 이제는 바이올린만 연주하고 있다. 그의 활 아래서는 그가 예전에 플루트로 연주할 때와 똑같은 처량한 소리가 여전히 흘러나온다. 그런데 야코프가 문턱에 앉아 들려준 곡을 그가 다시 연주해봤더니, 너무도 슬프고 애절한 가락이 흘러나와 청중들이 눈물을 흘렸고, 그 자신도 곡의 막바지에 가서 눈을 치뜨며 "아아!……" 하고 탄식할 정도였다. 이 새로운 곡이 얼마나 사람들 마음에 들었던지, 상인들이며 관리들이 너도나도 그를 불러들여 열 번이고 스무 번이고 연주를 시키곤 한다.

(1894)

대학생

처음엔 날씨가 맑고 고요했다. 티티새가 지저귀고 있었고 여기저기 이웃해 있는 늪들에서는 이름 모를 생물체가 마치 빈병에 바람을 불어 넣는 듯한 소리로 처량하게 울고 있었다. 멧도요 한 마리가 솟구치자 그놈을 노린 총성이 봄날의 공기 속에서 경쾌하게 울려퍼졌다. 그러나 숲이 어두워지자 동쪽으로부터 난데없이 차갑고 매서운 바람이 불어오더니 모든 소리가 멈춰버렸다. 물웅덩이 위로는 얼음가시가 덮였으며, 숲은 을씨년스럽고 적막하고 살풍경해졌다. 겨울냄새가 났다.

교회지기의 아들이며 신학대학생인 이반 벨리코폴스키는 사냥을 마치고 집으로 돌아오는 길 내내 강변 습지의 오솔길을 따라 걸어가고 있었다. 그의 손가락은 곱아들었고 얼굴은 바람을 맞아 빨개졌다. 갑작스럽게 닥친 이 추위가 사방에서 질서와 조화를 깨뜨리고 있기에 자연

조차도 겁을 먹은 것이며, 바로 그 때문에 저녁 땅거미가 평소보다 빨리 짙어진 것이라고 그는 생각했다. 주위는 황량했으며 어쩐 일인지 몹시 음산했다. 강가에 있는 '과부의 채소밭'에서 겨우 불빛 하나가 보일 뿐, 주변은 물론 4베르스타 저쪽에 마을이 자리잡은 곳까지도 차가운 저녁 안개 속에 푹 잠겨 있었다. 대학생은 자신이 집을 나설 때 맨발로 현관 바닥에 앉아 사모바르를 닦던 어머니와 페치카 위에 누워 기침하던 아버지를 떠올렸다. 수난주간의 금요일이라 집에서 음식을 만들지 않았기 때문에 속이 쓰릴 정도로 배가 고팠다. 그리고 지금 대학생은 추위로 몸을 움츠리며 생각했다. 류리크의 시대에도 이반 뇌제의 시대에도 표트르대제*의 시대에도 바로 이와 똑같은 바람이 불었으리라. 또한 그들의 시대에도 똑같은 궁핍과 기아, 똑같은 구멍 뚫린 초가지붕과 몽매함과 한恨이, 똑같은 황량함과 암흑과 억압의 느낌이 있었으리라. 이 모든 끔찍한 것들은 과거에도 있었고 지금도 있으며 앞으로도 있을 것이다. 그렇기 때문에 천년이 흐르더라도 삶은 더 나아지지 않으리라. 이런 생각을 하자 그는 집에 가기가 싫어졌다.

'과부의 채소밭'은 둘 다 과부인 모녀가 이 밭을 돌보고 있기 때문에 붙여진 이름이었다. 모닥불은 딱딱거리는 소리와 함께 활활 타오르면서 가을갈이를 마친 주변의 땅을 멀리까지 비추고 있었다. 키가 크고 몸집이 통통한 노파인 과부 바실리사는 남자용 반외투를 입고 모닥불 곁에 서서 생각에 잠긴 채 불꽃을 바라보고 있었다. 그녀의 딸 루케리

---

* 류리크(?~879)는 러시아의 건국시조로 불리는 왕. 이반 뇌제(1530~1584)는 이반 4세로 중앙집권체제 구축을 위해 힘썼고, 표트르대제(1672~1725)는 제정러시아의 첫번째 황제로 러시아 근대화에 기여했다.

야는 마맛자국이 있는 미련스러운 얼굴의 자그마한 여자였는데, 맨땅 위에 앉아 솥과 숟가락을 씻고 있었다. 보아하니 방금 저녁식사를 마친 듯했다. 남자들의 목소리가 들려왔다. 이 지역 일꾼들이 강가에서 말에게 물을 먹이는 소리였다.

"이거야 원, 겨울이 되돌아온 것 같네요." 모닥불 쪽으로 다가가며 대학생이 말했다. "안녕하십니까!"

바실리사는 흠칫 놀라는 기색이었지만 곧바로 그를 알아보고 상냥하게 미소를 지었다.

"저런, 못 알아봤어요." 그녀가 말했다. "부자 되시겠네요."*

그들은 잠시 이야기를 주고받았다. 바실리사는 세상 경험이 많은 여자로서 한때는 지주들의 집에서 젖먹이의 유모로, 나중에는 보모로 일한 적이 있었는데, 말투가 점잖았고 얼굴에서는 부드럽고 차분한 미소가 늘 떠나질 않았다. 그녀의 딸 루케리야는 남편에게 학대를 받았던 시골 아낙이었는데, 대학생을 보고 눈을 찡그렸을 뿐 아무 말도 하지 않았으며 마치 농아처럼 묘한 표정을 짓고 있었다.

"사도 베드로도 바로 이런 추운 밤에 모닥불 옆에서 이렇게 불을 쬐고 있었지요." 대학생이 불 쪽으로 손을 뻗으며 말했다. "그러니까, 그때도 추웠다는 얘기죠. 아, 할머니, 얼마나 끔찍한 밤이었습니까! 더할 수 없이 암담하고 긴 밤이었지요!"

그는 주변의 어둠을 둘러보고 세차게 머리를 흔든 다음 노파에게 물었다.

---

* 상대방을 못 알아보면 그 사람이 부자가 된다는 일종의 미신.

"혹시 어제 성목요일 미사*에 갔나요?"

"갔죠." 바실리사가 대답했다.

"기억하겠지만 최후의 만찬 때 베드로가 예수님에게 말했어요. '당신과 함께라면 내가 감옥과 죽음도 무릅쓰리오.' 그러자 주께서 그에게 이렇게 말했지요. '베드로여, 너에게 말하노니 오늘 수탉이 울기 전에 네가 나를 안다는 것을 세 번 부인할 것이다.' 만찬이 끝난 뒤 예수님은 정원에서 죽을 만큼 괴로워하며 기도했어요. 하지만 불쌍한 베드로는 정신적으로 지치고 나약해진 나머지 눈꺼풀이 무거워졌고 결국 졸음을 이기지 못한 채 잠들어버렸죠. 그러고 나서 알다시피 그날 밤 유다가 예수님에게 입을 맞추고 그분을 형리들에게 넘겨줬어요. 그들은 포박된 예수님을 제사장에게 데려가서 매질을 했습니다. 슬픔과 불안에 지치고 괴로워하며 잠을 설친 베드로는 지금 이 땅에서 뭔가 무시무시한 일이 일어나리라는 예감을 느끼며 그들의 뒤를 따라갔지요…… 충심을 다해 열정적으로 예수님을 사랑한 그였지만 지금은 멀리서 예수님이 매맞는 것을 보고만 있을 뿐이었어요……"

루케리야는 숟가락을 내려놓고 대학생에게 시선을 고정한 채 이야기에 열중했다.

"사람들이 제사장에게 찾아왔지요." 그는 말을 이어갔다. "그들은 예수님을 심문하기 시작했습니다. 그러는 동안 한편에서는 일꾼들이 마당 한가운데에 모닥불을 피워놓았어요, 날씨가 추웠거든요. 그리고 사람들은 불을 쬐었지요. 베드로도 그들 옆에 서서 불을 쬐고 있었어요,

---

* 12복음서 강독 행사가 이루어지는 주님만찬 성목요일 미사를 가리킨다.

지금의 나처럼. 한 여자가 베드로를 보고 말했습니다. '이 사람도 예수와 함께 있었는데', 다시 말해서 베드로 또한 심문장에 끌고 가야 한다는 얘기였죠. 모닥불 주위에 있던 일꾼들 모두가 의심으로 가득찬 험한 눈초리로 그를 바라보았을 겁니다. 베드로가 당황하며 이렇게 말했으니까요. '나는 그 사람을 모르오.' 잠시 뒤에 다시 어떤 사람이 베드로가 예수의 제자라는 걸 알아보고 말했어요. '너도 그들 중 하나잖아.' 하지만 베드로는 또 부인했습니다. 세번째로 누군가가 그에게 물었습니다. '오늘 정원에서 네가 예수와 함께 있는 걸 봤는데?' 베드로는 세번째로 부인했어요. 그리고 그뒤에 곧바로 수탉이 울었지요. 베드로는 저멀리 있는 예수님을 보고 만찬에서 예수님이 자기에게 했던 말을 떠올렸습니다…… 기억이 나면서 정신이 번쩍 든 베드로는 마당을 나와 서럽고 서럽게 울었어요. 복음서에는 이렇게 나오죠. '그리고 나와서 서럽게 울더라.' 눈앞에 선해요. 조용하고 조용한, 어둡고 어두운 정원, 그리고 정적 속에서 희미하게 들리는 흐느낌소리……"

대학생은 한숨을 쉬고 생각에 잠겼다. 바실리사가 미소를 거두지 않은 채로 갑자기 흐느끼기 시작했다. 굵은 눈물이 그녀의 볼을 타고 줄줄 흘러내렸다. 그녀는 자신의 눈물을 부끄러워하는 듯 소맷자락으로 불빛을 가리며 얼굴을 감추었다. 한편 루케리야는 꼼짝 않고 대학생을 바라보며 얼굴을 붉히고 있었다. 그녀의 표정은 마치 심한 고통을 억지로 참고 있는 사람처럼 무겁고 경직되어 있었다.

일꾼들이 강에서 돌아오고 있었다. 말을 타고 있는 그들 중 한 사람이 이내 가까이 다가오자 모닥불 빛이 그의 얼굴 위에 어른거렸다. 대학생은 두 과부에게 잘 자라고 말한 다음 가던 길을 나섰다. 다시 어둠

이 덮쳐왔고 손이 곱아들기 시작했다. 정말로 겨울이 되돌아온 듯 매서운 바람이 불었다. 모레가 부활절이라는 게 무색할 정도였다.

이제 대학생은 바실리사에 대해 생각하고 있었다. 그녀가 울음을 터뜨렸던 것은 그 무서운 밤에 베드로에게 일어났던 모든 일이 그녀와 어떻게든 상관이 있다는 뜻이리라……

그는 뒤를 돌아보았다. 외로운 모닥불만 어둠 속에서 오롯이 깜박이고 있었고 그 주변에는 이미 사람들이 보이지 않았다. 대학생은 다시 생각했다. 바실리사가 그렇게 울음을 터뜨리고 그녀의 딸이 그토록 심란해했던 것은 조금 전 자신이 이야기한 천구백여 년 전의 그 일이 현재의 두 여자와 분명히 관련이 있기 때문이다. 그 일은 어쩌면 이 황량한 시골 마을과도, 그리고 자기 자신을 포함한 모든 인간과도 관련이 있는 것이다. 노파가 울었던 것은 그의 이야기 솜씨가 감동적이라서가 아니라 그녀에게 베드로가 가깝게 느껴졌기 때문이며, 또한 그녀가 자신의 전 존재로 베드로의 영혼 속에서 일어난 일에 몰입했기 때문이리라.

갑자기 그의 영혼 속에서 환희가 물결쳤다. 숨을 고르기 위해 잠시 걸음을 멈춰야 할 정도였다. 그는 생각했다. 과거는 차례로 전개되는 사건들의 끊임없는 사슬을 통해 현재와 연결되는 것이다. 그는 방금 자신이 그 사슬의 양쪽 끝을 봤다는 느낌이 들었다. 한쪽 끝을 건드렸더니 다른 쪽 끝이 움직인 것이다.

나룻배로 강을 건넌 다음 산에 올라간 그는, 자신의 고향 마을과 차가운 자줏빛 노을이 좁다란 띠처럼 빛나고 있는 서편 하늘을 보며 생각했다. 그 옛날의 정원과 제사장의 마당에서 인류의 삶을 인도해준 진리와 미美가 오늘날까지 끊임없이 이어져오며 인류의 삶과 온 세상에 중요한 것들을 항상 형성해온 것이다. 젊음과 건강과 활력의 느낌 — 그는 이제 겨우 스물두 살이었다 — , 불가사의하고 신비스러운 행복에 대한 형언할 수 없이 달콤한 기대가 차츰차츰 그를 사로잡았다. 그에게 삶은 황홀하고 기적적이며 숭고한 의미로 가득찬 것처럼 여겨졌다.

(1894)

상자 속의 사나이

귀가 시간을 놓친 사냥꾼들이 미로노시츠코예 마을 끝자락에 있는 촌장 프로코피의 헛간에서 유숙하기 위해 자리를 잡았다. 일행은 단 두 사람, 수의사 이반 이바니치와 김나지움의 교사 부르킨이었다. 이반 이바니치는 '침샤-기말라이스키'*라는, 꽤나 이상한 이중의 성을 가지고 있었는데, 그 성은 본인에게 도무지 어울리지 않는지라 현에서는 모두들 그냥 이름과 부칭父稱으로 부르고 있었다. 도시 근교의 종마 사육장에서 살고 있는 그는 신선한 공기를 마시기 위해 지금 사냥을 나온 참이었다. 김나지움 교사인 부르킨으로 말할라치면 매년 P백작 댁에 찾아와 여름을 지내왔기 때문에 이 고장에서는 오래전부터 이미

---

* '기말라이'는 '히말라야'의 러시아식 발음이다.

토박이나 다름없었다.

　잠이 오지 않았다. 키가 크고 홀쭉한 몸집에 긴 콧수염을 한 노인 이반 이바니치는 문가에 앉아 파이프 담배를 피웠고, 그런 그를 달빛이 비추고 있었다. 부르킨은 헛간으로 들어가 건초 위에 앉아 있었는데 어두워서 그 모습은 보이지 않았다.

　이런저런 이야기를 나누던 가운데, 촌장의 아내 마브라에 관한 이야기가 나왔다. 마브라는 건강하고 분별 있는 여자지만 평생 단 한 번도 고향 마을을 벗어나지 않았기 때문에 도시를 본 적도, 철도를 본 적도 없었다. 그녀는 지난 십 년 동안 한결같이 자기 집 페치카 앞에 눌러앉아 지내다가 저녁이면 동네 마실을 다니는 일상을 지속해왔다.

　"그게 뭐가 놀랄 일이라고!" 부르킨이 말했다. "이 세상에는 천성이 고독해서 마치 소라게나 달팽이처럼 자기 껍질 속에만 들어가 있으려는 사람들이 적지 않거든요. 어쩌면 그것은 격세유전 현상, 그러니까 아직 사회적인 동물이 되지 못한 인류의 선조가 자신의 굴속에서 혼자 지내던 그 시절로 되돌아가는 현상일 수도 있고, 어쩌면 그저 인간 본성의 다양한 변종들 중 하나일 수도 있겠지요. 누가 알겠습니까? 저는 자연과학자가 아니라서 그런 질문에 대답할 수는 없어요. 다만 제가 하고 싶은 얘기는 마브라 같은 사람들이 그리 드물지 않다는 겁니다. 자, 멀리서 예를 찾을 것도 없어요. 두 달 전에 우리 시에서 벨리코프라고, 그리스어 교사인 제 동료가 죽었습니다. 선생도 물론 그 사람에 대해 들어봤을 겁니다. 화창한 날씨에도 항상 덧신을 신고 우산을 챙길 뿐 아니라 반드시 솜이 든 두꺼운 외투를 입고 나다니는 걸로 유명한 사람이었지요. 게다가 우산은 우산집에, 시계는 스웨이드 가죽 케이스

166

에 넣어 다니는데, 연필을 깎으려고 문방용 칼을 꺼낼 때 보면 그 또한 칼집에 들어 있는 겁니다. 그러고 보면 얼굴도 덮개로 씌운 것 같았네요. 왜냐하면 늘 옷깃을 잔뜩 세워서 그 안에 얼굴을 감추고 있었으니까 말입니다. 그 사람은 검은 안경을 끼고 누비 재킷을 입고 귀는 솜으로 틀어막고 다니면서, 마차에 탈 때면 마부에게 마차 지붕을 씌우도록 시켰습니다. 한마디로 말해서 이 사람은 자신을 껍질로 둘러싸고, 이를테면 자신을 고립시킬 상자를 만들어 외부의 영향으로부터 자신을 지키려는 집요하고도 억제할 수 없는 집착을 가지고 있었던 겁니다. 이 사람에게 현실이란 몸서리쳐지는 것이었고 두려운 것이었으며 끊임없는 긴장을 강요하는 것이었어요. 이 사람이 항상 과거를 찬양하거나 실재하지 않았던 일들을 칭송하는 것도 어쩌면 자신의 그 같은 소심증과 현실에 대한 혐오감을 정당화하기 위한 것이었는지도 모르겠습니다. 그가 가르치는 고전 그리스어도 그에게는 현실 세계로부터 몸을 숨기기 위한 수단이라는 점에서 덧신이나 우산과 본질적으로 다를 바 없었던 겁니다.

'오, 그리스어는 참으로 듣기 좋아, 너무 아름다워!' 그 사람은 행복한 얼굴로 이렇게 말하곤 했지요. 그리고 자기가 한 말을 증명이라도 하듯 눈을 가늘게 뜨고 손가락을 치켜들며 '안트로포스*!'라고 말하는 겁니다.

그리고 벨리코프는 자신의 생각 또한 상자 속에 숨겨놓으려 했습니다. 그에게 분명하게 이해되는 것은 오로지 뭔가를 금지하는 공지문이

---

* 그리스어로 '인간'을 뜻한다.

나 신문 기사들뿐이었지요. 만약 공지문에 학생들은 저녁 아홉시 이후 외출이 금지된다거나, 어떤 신문 기사에 육체적인 사랑이 금지된다고 적혀 있다면 그에게 그 의미는 명백하고도 확정적인 것이었습니다. 즉, '금지되었음 — 이상'이라는 뜻입니다. 그에게 허가나 허용은 항상 미심쩍고, 뭔가 빠져 있는, 아리송한 것이었어요. 우리 시에서 극단 창립이 허가됐을 때, 혹은 독서실이나 찻집이 허가됐을 때, 그 사람은 고개를 가로저으며 조용히 말했지요.

'하기야 뭐 그렇지, 다 좋아, 하지만 무슨 일이 생기지 말아야 할 텐데.'

모든 종류의 규칙 위반, 탈선, 일탈 행위는 그를 우울하게 만들었습니다. 하지만 그게 자기랑 무슨 상관이 있단 말인가요? 동료 교사 중 하나가 기도 시간에 늦었다거나, 혹은 학생들의 장난에 관한 소문을 들었다거나, 혹은 늦은 저녁에 장교와 함께 있는 여교사를 보았을 때면, 그는 몹시 걱정하면서 무슨 일이 생기지 말아야 할 텐데라고 말하곤 했습니다. 교직원 회의에서는 특유의 조심성과 의심증으로, 그리고 상자 인간만이 할 수 있는 온갖 망상을 동원해서 우리들을 괴롭혔지요. 가령 어떤 남학교인가 여학교인가에서 청소년들이 비행을 저질렀다는 둥, 어떤 반에서 아이들이 심하게 떠들었다는 둥, 아이고, 이 일이 윗선에 알려지면 안 되는데, 아이고, 무슨 일이 생기면 어떻게 하나, 이러면서 말입니다. 그러면서 2반의 페트로프를 퇴학시키면 참 좋을 텐데, 4반의 예고로프를 퇴학시키면 참 좋을 텐데, 이러고 있는 겁니다. 어쩌겠습니까? 그 사람이 한숨을 쉬고 끙끙거리면서 그 창백하고 조그만 얼굴, 그 족제비처럼 작은 얼굴에 걸린 검은 안경 너머로 쏘아보며 우리를 억박질러대면 결국 우린 항복하는 거지요. 페트로프와 예고로프의 품행점수를 감점하고, 감금 처벌을 내리고, 그러다 마침내 페트로프와 예고로프를 퇴학시키는 겁니다. 그 사람에게는 괴이한 습관이 있었는데, 그게 뭔고 하면 우리들의 집을 돌아다니는 거였어요. 한 선생의 집에 찾아와서 떡하니 자리를 잡고는 마치 뭔가를 염탐하듯 침묵을 지키고 있는 겁니다. 그렇게 한 시간이고 두 시간이고 말없이 앉아 있다가는 가버립니다. 자기 말로는 그걸 '동료와의 친목 도모'라고 부릅니다만, 우리들 집에 와서 앉아 있는 것이 본인에게도 거북하다는 건 빤히 보이는 일이었지요. 우리들 집을 방문한 건 단지 그 사람이 그걸 동료로서의 의무라고 생각했기 때문입니다. 우리 교사들은 그 사람을 두려워했어요. 심지어 교장 선생도 두려워했죠. 보세요, 우리 교사들은 지적이고 점잖은 사람들이에요. 투르게네프*와 셰드린**으로 교양을 쌓은 사람들이지요. 그런데 다름 아닌 이 인간이, 언제나 덧신을 신고 우산을 들고 다니는 이 인간이 장장 십오 년 동안 학교 전체를 자기 손아귀에 넣고 있었던 겁니다! 학교뿐이겠습니까? 이 도시 전체를 쥐락펴락했어요! 부녀자들은 그 사람이 알까봐 무서워서 토요일마다 열던 가정연극 공연도 그만두었습니다. 성직자들은 그 사람 앞에서 육식을 하거나 카드놀이를 하는 걸 삼갔지요. 벨리코프 같은 인간의 영향 때문에 지난 십 년, 십오 년 동안 우리 시에서는 모든 걸 두려워하게 되었습니다. 큰 소리로 말하거나, 편지를 보내거나, 친분을 다지거나, 책을 읽는 것도 두려웠고, 가난한 사람을 돕거나 문맹자에게 글을 가르치는 것도

---

* 러시아의 시인이자 소설가인 이반 투르게네프(1818~1883).
** 러시아의 소설가이자 풍자작가인 니콜라이 셰드린(1826~1889).

두려웠습니다……"

이반 이바니치는 뭔가를 말하려는 듯 헛기침을 했으나, 일단 파이프 담배에 불을 붙이고 잠깐 달을 쳐다보고 나서야 띄엄띄엄 말을 꺼냈다.

"네, 지적이고 점잖은 분들이죠, 투르게네프와 셰드린, 뭐 그 밖에도 버클*이니 뭐니 많이 읽지요. 그런 분들이 꼼짝 못하고 참아야 했단 말이군요…… 그것참, 그렇게 됐군요."

"저는 벨리코프와 같은 건물에 살았어요." 부르킨이 말을 이었다. "그것도 같은 층에서 문을 맞대고 살았습니다. 그러다보니 자주 마주쳤고, 그래서 그 사람이 집에서 어떻게 지냈는지 압니다. 집에서도 사정은 마찬가지였어요. 잠옷, 나이트캡, 덧창, 빗장, 온갖 종류의 금지와 제한들, 그리고 그 '무슨 일이 생기지 말아야 할 텐데!'까지. 사순절의 정진음식은 건강에 해롭지만, 그렇다고 육식을 해서도 안 된다, 왜냐하면 사람들이 벨리코프가 사순절 계율을 지키지 않는다고 흉을 볼 테니까. 그래서 그 사람은 버터에 조리한 농어를 먹습니다. 그런데 이건 정진음식도 아니고, 그렇다고 육식이라고 할 수도 없지요. 그 사람은 남들이 야릇한 생각을 할까 무서워서 여자 하녀를 두지 않고 아파나시라는 예순 정도 된 요리사 영감을 두고 있었습니다만, 항상 술에 취해서 정신이 오락가락하는 이 요리사 영감은 한때 당번병으로 근무했던 깜냥을 가지고 되는대로 음식을 만들었지요. 이 아파나시 영감은 허구한 날 팔짱을 끼고 문가에 서서 꺼질 듯한 한숨을 쉬며 항상 똑같은 소리를 중얼거리곤 했습니다.

---

* 헨리 버클(1821~1862). 영국의 역사가. 당대 러시아의 자유주의적 지식인들이 애독하던 작가였다.

'요즘엔 저런 놈들이 왜 그리 많아졌는지!'

벨리코프의 침실은 그야말로 상자처럼 작았고, 침대에는 캐노피가 드리워져 있었습니다. 잠자리에 들 때면 그 사람은 이불을 머리끝까지 뒤집어썼어요. 방은 무덥고 답답했으며, 닫힌 문은 바람이 들이쳐 덜컹거렸고, 벽난로에서는 윙윙거리는 소리가 울리는가 하면, 부엌에서는 한숨소리가 들려왔지요. 불길한 한숨소리가······

그 사람은 이불 밑에서 두려움에 떨었습니다. 무슨 일이 생기지 않을까, 아파나시가 자기를 찔러 죽이지 않을까, 도둑이 들지 않을까 두려웠던 겁니다. 그리고 밤새도록 뒤숭숭한 꿈만 꾸다가 아침이 되면 저와 함께 학교로 출근했습니다. 시무룩하고 창백한 얼굴로 말이죠. 지금 자기가 가고 있는, 사람들로 가득찬 학교가 그에게는 몸서리쳐지도록 끔찍했던 겁니다. 저와 나란히 걷고 있는 것 또한 천성이 고독한 그에게는 힘든 일임이 분명했어요.

'우리 교실은 너무 소란스러워요.' 그는 자신의 괴로운 기분에 대한 핑계라도 찾으려는 듯 그렇게 말하곤 했습니다. '세상에 그런 곳이 없을 거예요.'

그런데 상상이 가십니까? 이 그리스어 교사, 이 상자 속의 인간이 거의 결혼을 할 뻔했다는 것 말입니다."

이반 이바니치가 헛간 쪽을 흘낏 돌아보며 말했다.

"설마!"

"네, 정말 결혼할 뻔했다니까요, 참으로 신기한 일이긴 합니다만. 우리 학교에 새로운 역사·지리 교사가 부임했는데, 미하일 사비치 코발렌코라고, 우크라이나 사람이었지요. 혼자가 아니라 바렌카라는 누이와 함께 왔어요. 그는 젊고, 키가 크고, 까무잡잡한 피부에 우람한 팔뚝을 가진 남자였습니다. 얼굴만 보고도 베이스 음성이라는 걸 알아차릴 수 있을 정도였는데, 실제로 그 남자 목소리는 마치 나무통에서 나오는 것처럼 웅웅거렸어요…… 누이는 젊다고는 할 수 없었고, 한 서른쯤 됐을 겁니다만, 역시나 키가 크고 늘씬했으며, 짙은 눈썹에 볼이 빨간, 한마디로 말해서 복사꽃 같은 처녀였어요. 게다가 얼마나 활달하고 소란스러운지, 항상 소러시아* 노래를 부르면서 웃고 다녔지요. 별것 아닌 일에도 큰 소리로 '하, 하, 하!' 하며 웃음을 터뜨리곤 했습니다. 우리가 코발렌코 남매와 제대로 첫인사를 나눈 건 교장 선생 댁의 명명축일 때였던 걸로 기억합니다. 그저 의무적으로 명명축일에 참석한 엄격하고 고지식하고 따분한 교사들 사이에서 우리는 갑자기 새로운 아프로디테가 거품 속에서 탄생하는 모습을 보게 된 겁니다. 그녀는 양손을 허리에 짚고 돌아다니면서 깔깔대며 노래를 부르고 춤까지 췄어요…… 그녀는 감정을 가득 담아 〈바람이 부네〉를 불러재긴 뒤에, 로망스 한 곡을, 그리고 또 한 곡을 더 불렀지요. 그렇게 우리 모두를 매혹했습니다. 심지어 벨리코프까지 말입니다. 그는 이 아가씨 옆에 다가앉더니 부드러운 미소를 지으며 이렇게 말했습니다.

'소러시아어는 부드럽고 울림이 맑아서 고대 그리스어를 떠올리게 하네요.'

이 말에 우쭐해진 그녀는 그에게 열띤 어조로 힘주어 말하기 시작했지요. 가댜치스키군에 자기네 농장이 있는데, 그 농장에 엄마가 살고

---

* 우크라이나의 다른 이름.

있으며, 그곳 배가 그렇게 근사하고, 참외가 그렇게 근사하고, '카바크' 가 그렇게 근사하다! 우크라이나에서는 호박을 카바크*라 부르고, 선술 집은 쉰크**라고 부르며, 자기들은 빨간 야채와 초록 야채로 보르시*** 를 끓이는데, 그게 '너무너무 맛있어서 거의 환장할 정도다!' 이러면서 말이죠.

이런 대화를 열심히 듣고 있던 우리 모두에게 갑자기 똑같은 생각이 하나 떠올랐어요.

'이 두 사람을 결혼시키면 좋겠는데.' 교장 부인이 나지막이 말했습 니다.

어쩌다보니 우리 모두는 벨리코프가 총각이라는 사실을 문득 깨닫 게 된 건데, 그래놓고 보니까 그때까지 우리가 그 사실을 깨닫지 못하 고 있었다는 게 이상할 정도였습니다. 우리는 그의 생활에서 그토록 중 요한 항목을 완전히 간과하고 있었던 겁니다. 그는 과연 어떤 태도로 여성을 대할 것이며 본인의 이 중차대한 문제를 어떻게 처리할 것인 가? 예전에는 이런 질문이 우리 관심을 끌지 못했습니다. 어쩌면 우리 는 날씨가 좋건 나쁘건 덧신을 신고 다니며 캐노피를 드리운 침대에서 잠을 자는 이 남자가 사랑을 할 수 있다는 생각 자체를 받아들이지 못 했던 건지도 모릅니다.

'벨리코프 씨는 진작에 마흔이 넘었고, 그녀도 서른 살이니까……' 교장 부인은 자기 생각을 다시금 분명히 말했어요. '내가 보기에는 그

---

* 러시아어로 '선술집'이라는 뜻.
** 우크라이나어로 '선술집'이라는 뜻.
*** 뻑뻑하게 끓인 러시아식 양배추 수프로, 원래는 우크라이나로부터 전해졌다.

녀가 벨리코프에게 시집가도 괜찮을 것 같네요.'

　이런 촌 동네에서 심심하면 무슨 일인들 못하겠습니까! 그게 아무리 쓰잘데기없고 무의미한 일이라도 말입니다. 그러면서 정작 필요한 일은 하지도 않아요. 우리가 난데없이 이 벨리코프라는 사람을 결혼시켜야 할 까닭이 뭐죠? 애초에 결혼이라는 걸 상상하는 것조차 불가능했던 이 사람을? 교장 부인, 장학관 부인, 그리고 학교와 관련 있는 모든 부인네가 마치 갑자기 인생의 목적을 찾은 듯이 활기를 띠었을 뿐만 아니라 심지어 예뻐지기까지 합니다. 교장 부인이 극장 박스석에 자리 잡은 걸 본 적이 있는데, 그 좌석에서는 커다란 부채를 든 바렌카가 행복한 표정으로 환한 자태를 빛내고 있었고, 그녀 옆에 왜소한 벨리코프가 마치 집에서 집게로 끄집어내 온 듯 쭈그리고 앉아 있더군요. 제가 파티를 열면 부인네들은 당장 벨리코프와 바렌카를 불러오라고 성화였습니다. 한마디로 말해서, 기계가 돌아가기 시작한 거죠. 알고 보니 바렌카는 결혼에 반대할 뜻이 없는 모양이더군요. 남동생 집에 얹혀사는 게 그녀에게 그다지 즐겁지 않았던 것이, 둘이서 하루종일 욕을 퍼부으며 말다툼이나 하는 형편이었으니 말입니다. 가령 이런 식이죠. 건장한 체격에 수놓은 셔츠를 걸치고, 모자 밑으로 삐져나온 앞머리를 이마까지 늘어뜨린 꺽다리 코발렌코가 거리를 걸어갑니다. 한 손에는 책 꾸러미를 들고, 다른 한 손에는 군데군데 옹이가 박힌 굵은 지팡이를 들고서 말이죠. 코발렌코 뒤로는 누이가 역시 책을 들고 걸어갑니다.

　'미하일릭,* 너 이 책 안 읽었구나!' 누이가 큰 소리로 싸움을 겁니다.

---

* 미하일의 애칭.

'너 이 책을 전혀 안 읽은 게 분명해, 그렇잖아!'

'읽었다니까 그러네!' 코발렌코가 고함을 지르며 지팡이로 보도를 쿵쿵 내리찍습니다.

'오, 맙소사, 민치크!* 왜 그렇게 성을 내는 거니, 난 그저 원칙적인 얘기를 했을 뿐인데.'

'읽었다고 얘기했잖아!' 코발렌코는 더 큰 소리로 고함을 칩니다.

집에서도 두 사람은 손님이 있는 자리에서 아웅다웅했지요. 그런 생활이 아마도 지겨웠을 테니 자기만의 공간을 갖고 싶기도 했겠고, 사실 나이도 생각하지 않을 수 없었겠죠. 이제는 상대를 고를 시간도 없었고, 아무라도 나타나면, 설령 그게 그리스어 교사일지라도 시집을 가야 하는 거였습니다. 하기야 우리네 아가씨들 대다수는 상대가 누구든 상관없으니 시집만 가면 된다고 생각하지요. 어찌됐건, 바렌카는 우리의 벨리코프 씨에게 노골적으로 호감을 보이기 시작했습니다.

벨리코프는 어땠냐고요? 그는 우리에게 그랬던 것처럼 코발렌코네 집에 드나들었지요. 코발렌코네 집에 가서는 자리를 잡고 말없이 앉아 있는 겁니다. 그가 말없이 앉아 있는 동안, 바렌카는 그에게 〈바람이 부네〉를 노래해주거나, 그 까만 눈동자로 그를 물끄러미 바라보다가, 갑자기 웃음을 터뜨리곤 했어요.

'하, 하, 하!'

남녀 문제, 특히 결혼 문제에서는 주변 사람들의 역할이 크지요. 동료들이며 부인들이며 할 것 없이 모두가 벨리코프를 설득하기 시작했

---

* 미하일의 애칭.

습니다. 결혼을 해야 한다, 이제 그의 인생에서 결혼하는 것보다 더 큰
문제는 없다, 이러면서 말이죠. 우리 모두가 그를 축복했고, 혼인은 인
류지대사라는 등 온갖 시시껄렁한 얘기들을 진지한 얼굴로 해주었습
니다. 게다가 바렌카는 그런대로 예쁜 아가씨였고, 매력이 있었으며,
오등문관의 딸로서 농장을 소유하고 있었지요. 더욱이 중요한 것은 바
렌카가 벨리코프의 인생에서 처음으로 그를 진심으로 상냥하고 다정
하게 대해준 여자라는 사실이었습니다. 그의 머릿속은 빙빙 돌기 시작
했고, 마침내 그는 정말로 결혼을 해야겠다고 결심했습니다."

"그 사람에게서 덧신과 우산을 거두어버릴 순간이 왔군요." 이반 이
바니치가 말했다.

"맙소사, 근데 그건 결국 불가능한 일이었어요. 그는 자기 책상 위에
바렌카의 초상화를 올려놓았을 뿐 아니라, 노상 저를 찾아와서 바렌카
에 관한 이야기며, 결혼생활에 관한 이야기며, 혼인은 인류지대사니 하
는 이야기를 했고, 코발렌코네 집에도 자주 들렀습니다. 하지만 생활방
식은 조금도 변하지 않았어요. 오히려 정반대였습니다. 결혼하기로 결
정한 것이 그에게 병적인 영향을 끼쳤던지, 그는 여위고 창백해졌으며,
자신의 상자 속으로 더 깊숙이 달아난 것처럼 보였습니다.

'바르바라 사비시나가 맘에 듭니다.' 그는 희미하고 일그러진 미소
를 지으며 저에게 말했어요. '누구나 결혼을 해야 한다는 건 저도 알
아요…… 하지만 이 모든 게, 아시다시피, 너무 갑자기 벌어진 일이라
서…… 생각을 좀 해봐야겠네요.'

'생각할 게 뭐 있습니까?' 그에게 제가 말했죠. '결혼하세요, 그러면
다 됩니다.'

'아니에요, 결혼은 인륜지대사지요. 닥쳐올 책임과 의무를 우선 따져 봐야…… 나중에 무슨 일이 생길지 모르니까요. 요즘엔 이 일 때문에 너무 걱정이 돼서 밤새 잠을 잘 수가 없네요. 그리고 솔직히 말해서 겁이 납니다. 그 남매가 사고방식이 좀 색다르잖아요. 아시다시피, 세상을 보는 시각이 색다른데다 성격도 상당히 괄괄하지요. 결혼을 하면 나중에, 괜히, 무슨 곤란한 상황에 처할 수도 있잖습니까.'

그러면서 그는 청혼을 하지 않고 질질 끌기만 했는데, 이는 교장 부인을 비롯한 우리 부인네들 모두에게 참으로 짜증나는 일이었죠. 그는 장래의 책임과 의무를 저울질하면서, 그 와중에도 아마 자기 입장에서 그럴 필요가 있다고 생각했는지 거의 매일 바렌카와 산책했으며, 저에게도 찾아와 결혼생활에 관한 이야기를 나누곤 했습니다. 그러다가 마침내 그가 청혼함으로써, 사람들이 그저 심심하고 할 일이 없기 때문에 이루어지는 수천 건의 불필요하고 어리석은 결혼 중 하나가 이루어질 가능성도 다분히 있었지요. 갑자기 그 어마어마한 스캔들이 일어나지만 않았더라면 말입니다. 여기서 짚고 넘어갈 점은, 바렌카의 동생 코발렌코는 벨리코프를 알게 된 첫날부터 그를 몹시 미워했고 견디기 힘들어했다는 겁니다.

'도무지 이해를 못하겠어.' 그는 어깨를 으쓱하며 우리에게 말하곤 했지요. '그 밀고자 같은 인간을, 그 역겨운 낯짝을 당신들이 어떻게 참아내는지 이해를 못하겠수다. 아이고, 여러분, 어떻게 이런 생활을 견디십니까! 이 학교 공기는 숨이 막혀, 불결하다고요. 당신들이 교육자예요? 선생님 맞습니까? 당신들은 관료배예요. 여기는 학문의 전당이 아니라 무슨 경찰서 같습니다. 경찰 초소처럼 지린내가 풀풀 나요.

안 되겠어, 형제들, 난 당신들과 좀더 지내보다가 우리 농장으로 가버릴 겁니다. 거기서 가재나 잡으면서 우크라이나 촌놈들을 가르치겠어요. 난 갈 테니까, 당신들은 그 유다 놈과 여기 남아서 같이 망하든지 말든지.'

어떨 땐 눈물이 찔끔거릴 정도로 웃음을 터뜨리기도 했어요. 때로는 굵은 음성으로, 때로는 째지는 음성으로 그렇게 웃으면서 양팔을 벌리며 그가 저에게 묻곤 했습니다.

'그 사람 대체 뭐할라꼬 우리집에 앉아 있는 거지? 원하는 게 뭐꼬? 그저 앉아서 앞만 쳐다보고 있으니 말이야.'

그는 심지어 벨리코프에게 '흡혈 거미'라는 별명까지 지어주었어요. 뭐, 우리로서는 당연히 그 사람 누이 바렌카가 바로 이 '흡혈 거미'에게 시집가려 한다는 얘기를 그에게 하지 않았지요. 그런데 어느 날 교장 부인이 그에게 넌지시 언질을 줬어요. 벨리코프처럼 듬직하고 모든 이에게 존경받는 사람에게 누이를 시집보내면 좋지 않겠느냐고. 그랬더니 그는 인상을 구기며 이렇게 내씹더군요.

'나하고 상관없는 일이올시다. 누이가 독사한테 시집을 가건 말건, 나는 남의 일에 끼어들 생각 없수다.'

그다음에 무슨 일이 있었는지 들어보세요. 어떤 장난꾸러기 한 놈이 캐리커처를 그린 겁니다. 덧신을 신고, 바지를 걷어올리고, 우산을 쓴 벨리코프가 바렌카와 팔짱을 끼고 길을 걷고 있는 그림이었는데, 밑에는 '사랑에 빠진 안트로포스'라는 제목이 붙어 있었지요. 그런데 말이죠, 그 표정이 놀라울 정도로 잘 그려져 있는 겁니다. 이 화가가 그저 하룻밤만 공을 들인 게 아닌 것이, 남학교며 여학교의 모든 교사, 신

178

학교 교사, 관리, 한마디로 모든 사람이 그걸 한 장씩 받았더란 말이죠. 벨리코프도 받았어요. 그는 심한 타격을 입었지요.

우리가 함께 집을 나오던 길이었습니다. 마침 5월의 첫날, 일요일이었는데, 우리 교사들과 학생들 모두가 학교에 집합한 다음, 교외의 숲으로 걸어서 소풍 가기로 한 날이었어요. 나오면서 보니까 그의 얼굴이 초록빛으로 변해서 먹구름보다도 더 음울해 보이더라고요.

'나쁜 놈들, 악랄한 놈들 같으니라고!' 그렇게 말하는 그의 입술은 떨고 있었습니다.

저도 그 사람이 불쌍하게 여겨질 정도였지요. 그런데 상상이 가십니까. 길을 걷고 있는데 갑자기 자전거를 탄 코발렌코가 보이더니, 뒤이어 역시 자전거를 탄 바렌카가 지나가더란 말입니다. 그녀는 얼굴이 빨갛게 상기되고 기진맥진한 모습이었지만 즐겁고 행복해 보였습니다.

'우리는 먼저 가요!' 그녀가 외쳤지요. '날씨가 너무 좋네요. 너무 좋아서 돌아버릴 지경이야!'

그리고 두 사람의 모습은 사라졌지요. 벨리코프는 얼굴이 초록색에서 하얀색으로 변하면서 아예 마비된 것처럼 굳어버렸습니다. 그는 걸음을 멈추고 저를 쳐다봤어요……

'도대체 이게 무슨 일이죠?' 그가 물었어요. '아니, 어쩌면 제가 헛것이라도 본 건가요? 김나지움 교사와 여성이 자전거를 타다니, 이건 좀 부적절하지 않나요?'

'부적절할 게 뭐가 있나요?' 제가 말했지요. '건강을 위해서 자전거 좀 탄들.'

'아니 어떻게 그럴 수가 있습니까?' 제 무심한 태도에 깜짝 놀라며

그는 소리쳤어요. '지금 무슨 말씀을 하시는 겁니까?!'

그는 너무 놀라서 더이상 갈 생각을 못하고 집으로 돌아왔습니다.

다음날 그는 하루종일 신경질적으로 손을 비비며 몸을 떨었어요. 얼굴색으로 미루어보아 몸이 안 좋은 것 같았습니다. 그리고 수업도 마치지 않고 조퇴를 했는데, 그건 그의 생애에 처음 있는 일이었습니다. 식사도 하지 않았어요. 바깥은 완연한 여름 날씨였음에도 저녁이 가까워오자 그는 옷을 껴입더니 코발렌코네 집을 향해 어기적어기적 걸어갔습니다. 바렌카는 집에 없었기 때문에 남동생 혼자서 그를 맞았어요.

'부디 자리에 앉으시지요.' 코발렌코는 눈썹을 찌푸리며 차갑게 말했습니다. 그는 잠이 덜 깬 얼굴을 하고 있었는데, 점심을 먹고 방금까지 쉬고 있던 참이었으며 기분이 영 좋지 않은 상태였습니다.

벨리코프는 한 십 분쯤 말없이 앉아 있다가 입을 열었습니다.

'마음을 좀 달래볼까 해서 찾아왔습니다. 저는 무척, 무척 괴롭습니다. 어떤 비방꾼이 우리 두 사람과 가까운 한 분과 저를 우스운 꼴로 그려놨어요. 이 일과 제가 아무 상관이 없다는 걸 확실히 알려드리는 게 제 의무라고 생각합니다만…… 저는 그런 조롱을 받을 일을 한 적이 없고요, 오히려 항상 철저하게 반듯한 생활을 해왔습니다.'

코발렌코는 못마땅한 표정으로 말없이 앉아 있었습니다. 벨리코프는 잠시 기다렸다가 청승맞은 목소리로 조용히 말을 이어갔죠.

'한 가지 더 드릴 말씀이 있습니다만. 저는 오랫동안 교직에 있었고, 선생은 이제 막 교직생활을 시작하셨으니, 직장 선배로서 선생에게 주의 말씀을 드리는 것이 제 의무라고 생각합니다. 선생은 자전거를 타시는데 말입니다, 그런 취미는 청소년들을 교육하는 입장에서는 전혀 적

절치 않습니다.'

'왜죠?' 코발렌코는 저음으로 물었습니다.

'거기에 더 설명이 필요하겠습니까, 미하일 사비치 씨, 설마 이 문제를 이해하지 못하신다는 말씀이신지요? 만약에 교사가 자전거를 타고 다닌다면 학생들이 어떻게 생각하겠습니까? 학생들이 물구나무를 서서 돌아다니겠다고 할지도 몰라요! 일단 규정상 허용된 일이 아니라면 하지 말아야죠. 어제는 깜짝 놀랐습니다! 어제 선생 남매분을 보고서 눈앞이 캄캄했어요. 여성이나 어린 아가씨가 자전거를 타다니, 이건 끔찍한 일이에요!'

'도대체 원하는 게 뭡니까?'

'제가 바라는 건 단 한 가지, 선생에게 주의 말씀을 드리려는 것뿐입니다, 미하일 사비치 씨. 선생은 전도양양한 젊은이예요. 정말, 정말 조심하셔야죠. 그런데 너무 경솔해요, 아, 너무 경솔합니다! 수놓은 셔츠를 입고 다니질 않나, 항상 무슨 책꾸러미를 들고 거리를 돌아다니질 않나, 게다가 이제는 자전거까지 타고 다니질 않습니까. 선생과 선생 누이분이 자전거를 탄다는 사실을 교장 선생님이 아시고, 그러다 장학관에게까지 보고가 올라가고…… 그러면 좋을 게 뭐가 있어요?'

'내가 누이와 자전거를 타건 말건, 그게 남들과 무슨 상관이 있습니까!' 코발렌코가 시뻘겋게 달아오르며 말했습니다. '내 집안일에 참견하는 놈 따위는 아주 작살을 내버리겠소.'

벨리코프는 하얗게 질려서 일어났지요.

'선생이 제게 그런 말투로 얘기한다면 저는 더 할 얘기가 없네요.' 그는 말했어요. '그리고 제 앞에서는 제발 상관에 대해 그런 식으로 말하

지 말아주세요. 존경심을 가지고 윗분들을 대하셔야죠.'

'내가 상관에 대해 뭐 나쁜 말이라도 했습니까?' 코발렌코는 증오에 가득찬 시선으로 그를 바라보며 말했습니다. '제발, 나를 조용히 내버려두세요. 나는 감출 것 없는 사람입니다만, 당신 같은 분과는 얘기하고 싶지 않아요. 나는 밀고자를 싫어합니다.'

벨리코프는 어쩔 줄 모르고 갈팡질팡하다가 겁먹은 얼굴로 서둘러 외투를 입기 시작했습니다. 살면서 그가 이렇게 거친 대접을 받은 건 처음이었거든요.

'무슨 말씀을 하시건 선생 마음입니다만,' 그는 현관 계단 쪽으로 내려서며 말했어요. '선생께 한 가지만 경고해드려야겠군요. 어쩌면 누군가가 우리 대화를 들었을지 모르고, 이 대화가 와전되면 무슨 사달이 벌어질지 모를 일이니, 저는 교장 선생님께 대화 내용을 보고해야겠습니다…… 중요한 부분들을 말이죠. 저는 그럴 의무가 있어요.'

'보고를 한다고? 그럼 가서 보고해!'

코발렌코는 벨리코프의 옷깃을 잡아채서 밀쳐냈고, 벨리코프는 덧신을 신은 채 요란한 소리를 내면서 계단으로 굴러떨어졌어요. 계단은 높고 가팔랐지만 그는 밑에까지 별 탈 없이 굴러갔습니다. 몸을 일으킨 그는 코를 만져보았습니다. 안경은 무사한가? 그런데 그가 계단을 굴러가던 바로 그 순간에 마침 바렌카와 함께 두 명의 부인이 들어오고 있었어요. 여자들은 아래쪽에 서서 이 광경을 바라보고 있었지요. 벨리코프로서는 참으로 끔찍한 일이었습니다. 조롱거리가 되느니 차라리 목이 부러지거나 두 다리가 부러지는 편이 나았죠. 이제 온 도시가 이 사건을 알게 되고 교장과 장학관에게도 보고가 될 테니, 오, 무슨 일이

생기지 말아야 할 텐데! 새로운 캐리커처가 그려지고, 그러다 종국에
는 사직 명령이 떨어지게 될지도 모르는데……

그가 몸을 일으키자 바렌카가 그를 알아보았습니다. 그녀는 우스꽝
스러운 그의 얼굴과 구겨진 외투와 덧신을 보면서 처음에는 무슨 일인
지 영문을 모르다가, 이 사람이 실수로 혼자 넘어진 거라고 짐작했죠.
그러면서 참지 못하고 온 집안이 떠나갈 듯 웃음을 터뜨렸습니다.

'하, 하, 하!'

이 낭랑하게 울려퍼진 '하, 하, 하' 소리로 모든 일은 끝장이 나버렸
습니다. 청혼도, 지상에서의 벨리코프의 존재도. 이제 그는 바렌카가
하는 말이 들리지 않았으며, 아무것도 볼 수 없었습니다. 집으로 돌아
온 그는 무엇보다 먼저 책상 위에 있는 그녀의 초상화를 치워버렸습니
다. 그리고 자리에 누워 다시는 일어나지 않았습니다.

사흘 뒤에 아파나시가 저를 찾아오더니, 주인 나리에게 무슨 일이
생긴 것 같다면서 의사를 불러야 하지 않겠느냐고 묻더군요. 벨리코프
에게 가보았지요. 그는 이불을 뒤집어쓴 채 캐노피 아래 말없이 누워
있었습니다. 뭘 물어봐도 네, 아니요라고만 답할 뿐 아무 소리도 내지
않더군요. 벨리코프는 누워 있고, 그 옆에는 잔뜩 찌푸린 음울한 표정
의 아파나시가 깊은 한숨을 내쉬고 있었는데, 그에게서는 마치 선술집
처럼 보드카 냄새가 진동했습니다.

한 달 뒤에 벨리코프는 죽었습니다. 우리 모두, 그러니까 두 개의 김
나지움과 신학교가 함께 참여해서 그의 장례식을 치렀습니다. 관 속에
누워 있는 그의 표정은 온화하고 편안해 보였으며, 심지어 즐거워 보일
정도였습니다. 마치 더이상 밖으로 나올 일이 없는 상자 속에 마침내

자리를 잡게 되어 기쁘다는 듯이 말입니다. 네, 그는 자신의 이상을 성취한 겁니다! 그의 생애를 기리기라도 하듯 장례식 날은 비가 내리는 음산한 날씨였고, 우리 모두는 덧신을 신고 우산을 쓴 차림이었습니다. 바렌카도 장례식에 참석해서 관이 무덤 속으로 내려질 때에는 눈물을 흘렸어요. 우크라이나 여자들은 울거나 웃을 뿐, 그들에게 중간 단계의 기분은 존재하지 않는다는 걸 저는 알게 되었습니다.

솔직히 말해서, 벨리코프 같은 사람을 묻어버린다는 건 큰 기쁨이었습니다. 공동묘지에서 돌아온 우리 모두는 겸허하고 경건한 표정을 지으면서 그 기쁨을 감추려 했죠. 그것은 아주 오래전, 어린 시절에 경험했던 그 느낌, 요컨대 어른들이 외출한 틈을 타 마당에서 몇 시간씩 뛰어놀며 누렸던 완전한 자유의 느낌 같은 것이었습니다. 오, 자유, 자유! 그 자유에 대한 약간의 암시, 그저 약간의 희망만으로도 우리 영혼은 날개를 달게 되지요, 그렇지 않습니까?

우리는 여유로운 기분으로 공동묘지에서 돌아왔습니다. 하지만 일주일도 채 지나지 않아 우리의 생활은 예전처럼 흘러갔어요. 예나 다름없는 척박하고 짜증스럽고 무의미한 생활, 규정에 따라 금지되진 않았지만 그렇다고 완전히 허용된 것도 아닌 그런 생활 말입니다. 나아진 건 없었어요. 사실 말이지, 벨리코프를 묻어버리긴 했지만, 그처럼 상자 속에 들어 있는 사람들이 아직도 얼마나 많습니까. 그리고 앞으로도 얼마나 많이 나타날는지!"

"그것참, 그렇군요." 이반 이바니치가 그렇게 말하며 파이프 담배를 빨았다.

"앞으로도 얼마나 많이 나타날는지!" 부르킨은 재차 말했다.

김나지움 교사는 헛간 밖으로 나갔다. 그는 중키에 뚱뚱한 몸집이었고, 대머리에 시커먼 턱수염이 거의 허리까지 늘어져 있는 남자였다. 개 두 마리가 그를 따라 나갔다.

"저 달 좀 봐라, 달!" 그가 하늘을 올려다보며 말했다.

어느덧 자정이었다. 오른편으로 마을 전체가 내려다보였다. 한 5베르스타쯤 되는 긴 거리가 멀리까지 뻗어 있었다. 사방은 고요하고 깊은 잠 속에 잠겨 있었다. 어떤 움직임도 없고, 어떤 소리도 없어서, 이 자연 속에 그런 고요함이 존재할 수 있다는 게 믿어지지 않을 지경이었다. 달밤에 이처럼 오두막이며, 낟가리들이며, 잠든 버드나무들이 흩어져 있는 광활한 시골 마을을 보고 있노라면 우리 영혼은 차츰 고요해진다. 노동과 근심과 고통으로부터 벗어나 한밤의 그늘 아래로 숨어든 그 평온함 속에서 마을은 얌전하고 애잔하고 아름다워 보였다. 별들이 달래듯, 어루만지듯 마을을 내려다보고 있었으며, 이 지상에 더이상 악은 없고 만물이 행복한 듯 보였다. 마을 왼편 가장자리에서부터는 들판이 시작되고 있었다. 멀리 지평선까지 펼쳐져서 사방으로 달빛을 흠뻑 받고 있는 들판에도 아무런 움직임이나 소리가 없었다.

"그것참, 그렇군요." 이반 이바니치가 다시 말했다. "그런데 우리가 답답하고 비좁은 도시에 살면서 하잘것없는 서류를 작성하고 카드놀이를 하는 것, 이건 상자 속 삶이 아닐까요? 혹은 우리가 놈팡이들, 소송꾼들, 어리석고 게으른 여자들 틈에서 평생을 보내면서 온갖 헛소리를 말하고 듣는 것, 이건 상자 속 삶이 아닐까요? 당신이 괜찮다면 제가 굉장히 교훈적인 얘기를 하나 들려드리리다."

"아니요, 이젠 잘 시간이죠." 부르킨이 말했다. "내일 듣지요!"

두 사람은 헛간으로 들어가서 건초 더미 위에 몸을 눕혔다. 그리고 곧바로 두 사람이 담요를 덮고 잠에 빠지려던 순간, 갑자기 가벼운 발소리가 사박사박 하고 들렸다. 누군가가 헛간 근처를 돌아다니는 모양이었다. 발소리는 조금 멀어져서 멈추더니, 일 분쯤 뒤에 다시 들렸다. 사박, 사박…… 개들이 으르렁거리기 시작했다.

"마브라가 돌아다니는 거예요." 부르킨이 말했다.

발소리는 잦아들었다.

"우리는 남들이 거짓말하는 걸 보고 듣는 것도 모자라서," 반대편으로 자세를 바꿔 누우며 이반 이바니치가 말했다. "그런 거짓말을 참는다는 이유로 바보라고 놀림을 당하지요. 모욕과 멸시를 참으면서, 자신이 정직하고 자유로운 사람들 편이라는 걸 대놓고 주장하지도 못하고, 그러다가 자기 스스로 거짓말하며 미소를 흘립니다. 이 모든 게 빵 한 조각, 따뜻한 방 한 칸, 한푼 값어치도 없는 알량한 지위 때문이죠. 아니, 더이상 이렇게 살 수는 없어요!"

"네, 그런데 그건 주제가 좀 다른 이야기네요, 이반 이바니치 씨." 교사가 말했다. "이제 자죠."

십 분 뒤에 부르킨은 이미 잠이 들었다. 그러나 이반 이바니치는 이쪽저쪽으로 몸을 뒤척이며 한숨을 쉬다가 이내 일어나서 다시 밖으로 나가, 문간에 앉아서 파이프 담배에 불을 붙였다.

(1898)

구스베리

이른아침부터 하늘이 온통 비구름으로 뒤덮여 있었다. 우중충하고 흐린 날이 으레 그렇듯 주위는 고요하고 선선하고 쓸쓸했으며, 들판 위로 구름이 덮인 지 한참이라 비가 올 듯했으나 그러진 않았다. 수의사 이반 이바니치와 김나지움 교사 부르킨은 벌써 지쳐서 걷기도 힘들었지만 들판은 끝이 없어 보였다. 저멀리 앞쪽으로 미로노시츠코예 마을의 풍차방앗간이 가물가물 보였고, 오른쪽으로는 구릉들이 일렬로 펼쳐지다가 마을 너머로 자취를 감추고 있었다. 두 사람은 그것이 강기슭이며, 거기에 초원과 초록빛 버드나무들과 영지領地가 있음을 알고 있었다. 또한 구릉 중 한 곳에 올라서면 그 너머에도 다시 광활한 들판과 전신주, 그리고 멀리서 보면 꼭 송충이가 기어가는 듯한 기차가 보이고, 맑은 날씨에는 거기서 도시가 보인다는 사실을 두 사람은 알고 있었다. 고요한 날씨 속에서 온 세상이 얌전히 생각에 잠겨 있는 듯한 지금, 이반 이바니치와 부르킨은 이 들판에 대한 사랑으로 충만한 채, 이 나라가 얼마나 광대하고 아름다운가에 대해 생각하고 있었다.

"우리가 지난번 프로코피 촌장의 헛간에 갔을 때 말입니다만," 부르킨이 말했다. "당신이 무슨 이야기인가를 하시려고 했잖습니까?"

"네, 그때 하려던 건 제 친동생에 관한 이야기였지요."

이반 이바니치는 길게 한숨을 쉬고 담뱃불을 붙인 다음 이야기를 시작하려고 했는데, 그때 마침 비가 내리기 시작했다. 그러더니 오 분 뒤에는 심한 장대비가 쏟아졌고, 언제 비가 그칠지 짐작할 수 없는 상황이 되어버렸다. 이반 이바니치와 부르킨은 어찌할 바를 모르며 걸음을 멈추었다. 이미 흠뻑 젖어버린 개들이 꼬리를 다리 사이에 말아 넣고 서서 애처롭게 두 사람을 바라보고 있었다.

"어디든 가서 비를 피해야겠네요." 부르킨이 말했다. "알료힌네 집으로 가시죠. 여기서 가까우니까."

"갑시다."

그들은 옆으로 방향을 돌려 추수가 끝난 들판을 따라 곧장 가기도 하고 오른쪽으로 돌아가기도 하면서 길이 나올 때까지 걸었다. 얼마 지나지 않아 포플러나무들과 정원과 빨간 창고 지붕이 보였다. 그리고 강물이 반짝거리는 게 보이더니, 방앗간과 하얀 야외 욕장 너머로 넓은 강이 눈앞에 펼쳐졌다. 여기가 알료힌이 살고 있는 소피노 마을이었다.

물레방아가 빗소리를 압도하며 요란하게 돌아갔고, 그 바람에 제방 전체가 떨리는 듯했다. 그곳에는 비에 젖은 말들이 고개를 떨구고 달구지 옆에 서 있었고, 사람들은 마댓자루를 뒤집어쓴 채 돌아다니고 있었다. 주변은 습하고 지저분하고 스산했으며, 강물은 차갑게 적의를 품고 있는 것처럼 보였다. 이반 이바니치와 부르킨은 벌써부터 축축하고 불결하고 불쾌한 기분을 온몸으로 느끼고 있었고, 진창 때문에 걸음을 옮기기도 힘들었다. 제방을 지나 마침내 주인집 창고 쪽으로 올라가는 동안 두 사람은 마치 서로에게 화가 나기라도 한 듯 입을 다물고 있었다.

창고들 가운데 하나에서 풍구* 돌아가는 소리가 났고, 열려 있는 문밖으로 먼지가 쏟아져나오고 있었다. 그 문턱에 바로 알료힌이 서 있었다. 그는 마흔 살 안팎의 키 크고 뚱뚱한 사나이였는데, 긴 머리카락을 늘어뜨린 풍모가 지주라기보다는 오히려 교수나 화가처럼 보였다. 빤지 오래된 흰 셔츠에 노끈으로 만든 허리띠를 두른 이 사나이는 바지 대신 내복 바람이었고, 장화에는 진흙과 지푸라기가 잔뜩 달라붙어 있었다. 그의 코와 눈언저리는 먼지 때문에 시커메져 있었다. 이반 이바니치와 부르킨을 알아본 그는 무척 기뻐하는 기색이었다.

"어서 집으로 들어가시죠, 여러분." 그는 빙그레 웃으며 말했다. "저도 곧 가겠습니다."

그것은 커다란 이층집이었다. 알료힌은 아치형의 천장에 작은 창문들이 달린 방 두 개가 있는 아래층에서 지내고 있었는데, 거기는 한때 관리인이 살던 곳이었다. 가구들은 소박했고, 호밀빵이며 싸구려 보드카며 마구馬具 냄새가 났다. 내실이 있는 이층에 알료힌이 올라가는 일은 어쩌다 손님들이 찾아왔을 때뿐이었다. 집으로 들어가자 젊고 아름다운 하녀가 이반 이바니치와 부르킨을 맞아들였는데, 그녀가 너무 아

---

* 곡물에 섞인 쭉정이, 겨, 먼지 따위를 날려서 제거하는 데 쓰이는 농기구.

름다워서 두 사람은 한순간 멈칫하며 서로를 쳐다보았다.

"여러분을 만나게 돼서 얼마나 기쁜지 모르겠습니다." 두 사람 뒤를 따라 현관으로 들어오며 알료힌이 말했다. "정말 뜻밖이에요! 펠라게야," 그는 하녀를 향해 말했다. "손님들에게 갈아입을 옷 좀 드려요. 그래, 이참에 나도 옷 좀 갈아입어야지. 그런데 일단 목욕부터 하러 가야겠네요. 그러고 보니 지난봄 이후로 한 번도 씻질 않은 것 같아. 야외 욕장으로 가시지 않겠습니까, 여러분. 그동안 여기서는 옷을 준비해놓을 겁니다."

너무나 우아하고 부드러워 보이는 미인 펠라게야가 수건과 비누를 가져다주자 알료힌과 손님들은 야외 욕장으로 갔다.

"네, 정말 목욕한 지 오래됐네요." 알료힌이 옷을 벗으며 말했다. "보시다시피 욕장이 근사합니다. 아버님께서 지으셨지요. 그런데 도무지 씻을 시간이 없어요."

그는 계단에 앉아 긴 머리를 감고 목을 씻었다. 그러자 그 주위의 물빛이 갈색으로 바뀌었다.

"네, 그렇군요……" 이반 이바니치가 알료힌의 머리를 보며 의미심장하게 말했다.

"목욕한 지 정말 오래됐어요……" 알료힌이 당황하며 되풀이하더니, 다시 한번 머리를 헹궜다. 그러자 그 주변의 물이 마치 잉크처럼 군청색으로 변했다.

이반 이바니치가 밖으로 나갔다가 첨벙 소리와 함께 물속으로 뛰어들더니 한껏 팔을 저으며 빗속에서 헤엄쳤다. 주변으로 물결이 퍼지면서 하얀 백합들이 그 물결 위로 일렁거렸다. 그는 헤엄쳐서 강 한가운데까지 가더니 잠수를 했고, 잠시 뒤에는 다른 쪽에서 떠오르더니 더 멀리까지 헤엄쳐갔다. 그리고 밑바닥까지 닿아보겠다고 재차 잠수를 했다. "아, 좋다……" 그는 희희낙락하며 되뇌었다. "아, 좋다……" 물레방앗간까지 헤엄쳐간 그는 농부들과 무슨 얘기인가를 나누고 돌아오더니, 강 한가운데에 눕고는 내리는 비에 얼굴을 내맡겼다. 부르킨과 알료힌은 벌써 옷을 입고 나갈 준비를 마쳤지만, 그는 계속 헤엄치고 잠수를 했다.

"아, 좋다……" 그가 되뇌었다. "아, 정말 좋다."

"그만하시죠!" 부르킨이 그에게 외쳤다.

그들은 집안으로 돌아왔다. 이층의 넓은 응접실에 등불이 켜졌을 때는, 이미 부르킨과 이반 이바니치가 비단 가운 차림에 따스한 실내화를 신고 안락의자에 앉아 있었으며, 말끔해져서 머리를 빗어 넘긴 알료힌은 새 프록코트 차림으로 방안을 거닐고 있었는데, 그는 온기와 청결함과 새 옷의 깔깔한 감촉과 신발의 가뿐한 느낌을 만끽하고 있는 듯했다. 아름다운 펠라게야가 살포시 미소 띤 얼굴로 조용조용 카펫을 밟고 와서 차와 잼이 담긴 쟁반을 내려놓자, 그제야 비로소 이반 이바니치가 이야기를 풀어놓기 시작했다. 단지 부르킨과 알료힌뿐만 아니라, 금빛 액자 속에서 차분하고 엄격한 시선으로 그들을 째려보고 있는 나이든 숙녀들이며 젊은 숙녀들, 군인들 또한 그의 이야기를 듣고 있었다.

"저희 형제는 둘이에요." 그가 이야기를 시작했다. "저, 이반 이바니치, 그리고 다른 한 명은 니콜라이 이바니치인데, 저보다 두 살 어린 동생이죠. 저는 공부를 계속해서 수의사가 되었고 니콜라이는 열아홉 살 때부터 벌써 세무서에서 근무하기 시작했어요. 저희 아버지 침샤-기말라이스키는 강제 징집된 평민 소년병 출신이었는데, 나중에 장교로 진급해서 저희에게 세습 귀족의 신분과 작은 영지를 물려주셨습니다. 아버지가 돌아가시고 나서 영지는 빚 때문에 차압당하고 말았지만, 어찌됐건 저희는 시골에서 어린 시절을 마음껏 누렸지요. 저희는 농노 아이들과 다를 바 없이 낮이고 밤이고 들판과 숲을 돌아다니며 말도 돌보고, 나무껍질도 벗기고, 물고기도 잡고, 뭐 그런 비슷한 일들을 하며 지냈습니다. 아시겠지만, 살면서 한 번이라도 농어를 잡아봤거나, 맑고 선선한 가을날 마을 위로 떼 지어 이동하는 개똥지빠귀 무리를 본 사람이라면, 끝내 도시생활에 적응하지 못하고 죽을 때까지 전원의 자유를 갈망하기 마련입니다. 제 동생은 세무서 근무를 힘들어했어요. 세월은 흘러갔지만, 그는 여전히 똑같은 자리에 앉아 똑같은 서류들을 작성하며, 오로지 시골로 가고 싶다는 한 가지 생각만 하고 있었습니다. 동생의 향수병은 점점 자라나서 명확한 갈망으로, 강가나 호숫가 어디에 작은 영지를 사겠다는 꿈으로 자리잡게 되었지요.

동생은 착하고 온순했으며 저는 그런 동생을 사랑했지만, 자신의 영지에 은둔하며 평생을 보내겠다는 그 갈망에는 한 번도 공감한 적이 없습니다. 흔히 말하길, 인간에게는 단지 3아르신*의 땅만 있으면 된다고 하지요. 하지만 3아르신은 산 사람이 아니라 시체에게나 맞는 크기잖아요. 그리고 요즘에는 우리 인텔리겐치아들이 땅을 동경하며 농장을 가지려 하는 게 바람직한 태도라고도 말하지요. 그러나 사실 이 영지라는 것도 3아르신의 땅과 다를 바 없어요. 도시의 전쟁터로부터, 속

---

* 구러시아의 길이 단위로, 1아르신은 0.71미터에 해당한다.

세의 소음으로부터 벗어나 자기 영지에 숨는다는 것―그것은 진정한 삶이 아니라, 이기주의이고 나태함이며 덕행이 결여된 엉터리 수도생활 같은 것이죠. 인간에게 필요한 것은 3아르신의 땅도, 영지도 아니고 이 지구 전체, 자연 전체예요. 그 광활한 공간 속에서 인간은 자유로운 영혼의 모든 자질과 개성을 구현할 수 있는 겁니다.

제 동생 니콜라이는 자기 사무실에 앉아 꿈을 꾸었지요. 자기네 밭 채소로 끓인 양배추 수프를 먹는다거나, 그동안 그 맛있는 냄새가 온 마당에 퍼진다거나, 파릇한 풀밭 위에서 식사하고 햇빛 아래서 낮잠을 잔다거나, 대문 앞 벤치에 몇 시간이고 앉아서 들판과 숲을 바라본다거나 하는 꿈들 말입니다. 농업에 관한 책은 물론, 달력에 적혀 있는 잡다한 농업 상식들은 그의 기쁨이자 영혼의 성찬이었습니다. 그는 신문을 읽는 것도 좋아했지만, 그가 읽는 기사는 오로지 '개간지와 목초지 몇 데샤티나*를 매각함. 영지, 강, 과수원, 방앗간, 배수 가능한 연못 포함' 같은 광고문들뿐이었어요. 그의 머릿속에는 과수원 사이로 난 오솔길이며, 꽃이며, 과일이며, 새둥지며, 연못 속의 붕어 등등, 하여간 이런 온갖 것들이 그려지고 있었지요. 이 상상 속의 그림들은 그가 맞닥뜨린 광고문에 따라 그때그때 달라졌지만, 무슨 까닭인지 그것들 속에는 반드시 구스베리가 끼어 있었어요. 그는 구스베리가 없이는 그 어떤 영지도, 그 어떤 시적인 장소도 상상할 수 없었던 겁니다.

'시골생활은 제 나름의 안락함이 있거든.' 그는 종종 그렇게 말했죠. '발코니에 앉아 차를 마시고 있노라면, 연못에는 자기 집 오리들이 헤

---

* 구러시아의 토지 단위로, 1데샤티나는 10,900제곱미터에 해당한다.

엄치지, 냄새도 너무 좋지, 그리고…… 그리고 구스베리도 자라지.'

동생은 자기 영지의 설계도를 그렸는데, 거기에는 매번 똑같은 항목들, 즉 a) 주인집, b) 바깥채, c) 텃밭, d) 구스베리가 포함되었습니다. 그는 노랑이처럼 살았어요. 제대로 먹지도 마시지도 않고, 옷은 거지처럼 되는대로 입고 다니면서, 모은 돈을 전부 은행에 저금했지요. 지독히도 집착했습니다. 그런 동생을 보고 있기가 괴로워서 돈을 좀 주기도 하고 명절에는 이바지 물건들을 보내기도 했지만, 동생은 그마저도 저축을 하더군요. 사람이 한 가지 생각에 빠지면 어쩔 도리가 없는 겁니다.

세월이 흘러서 동생은 다른 현으로 전근을 가게 되었고, 나이는 어느덧 마흔을 넘겼습니다만, 여전히 신문의 광고문을 읽으며 돈을 모을 뿐이었습니다. 그러다가 동생이 결혼했다는 소식을 들었습니다. 오로지 구스베리가 있는 영지를 사겠다는 목적으로, 그는 나이가 많고 못생긴 과부와 결혼했어요. 단지 그 여자에게 돈푼이나 있다는 이유로 아무런 애정도 없는 결혼을 한 겁니다. 동생은 결혼하고 나서도 아내의 배를 곯릴 정도로 인색하게 구는 한편, 그녀의 돈은 자기 이름으로 은행에 집어넣었어요. 우체국장인 전남편과 살면서 고기파이며 과실주에 익숙해져 있던 그녀였지만, 두번째 남편 집에서는 흑빵조차도 마음껏 먹을 수 없었지요. 그런 생활 속에서 시들시들 말라가던 그녀는 삼년 뒤에 그만 이승을 하직하고 말았습니다. 물론 제 동생은 단 한 순간도 그녀가 자기 때문에 죽었다고는 생각하지 않았어요. 돈은 보드카처럼 사람을 괴물로 만듭니다. 우리 도시에 한 상인이 죽어가고 있었어요. 죽기 직전에 그 상인은 꿀 한 사발을 가져오라고 시키더니 자기 돈과 당첨된 복권들을 꿀과 함께 몽땅 먹어치웠답니다. 아무도 자기 돈에 손대지 못하게 하려고 말이에요. 언젠가 역에서 가축떼를 검진하던 중이었는데, 그때 어떤 가축 중개업자가 기관차에 깔려서 다리가 잘렸어요. 우리가 그를 대합실로 옮겨놓았는데, 피는 철철 흐르고, 하여간 끔찍한 광경이었지요. 그런데 그는 줄곧 다리를 찾아달라고 부탁하면서 애를 태우더군요. 잘린 다리에 신겨진 장화 속에 20루블이 들어 있었는데, 그걸 잃어버릴까봐 걱정했던 겁니다."

"이야기가 주제를 좀 벗어났네요." 부르킨이 말했다.

"부인이 죽은 뒤," 이반 이바니치는 잠깐 생각을 추스르더니 말을 이었다. "제 동생은 영지를 보러 다니기 시작했습니다. 물론 오 년을 보러 다닌다 한들 결국에는 놓치는 부분이 생기게 되고, 막상 사놓고 보면 원래 꿈꾸던 것과는 영 다른 물건이 걸리기 마련이죠. 동생 니콜라이는 중개인을 통해서, 주인집과 바깥채와 정원은 있지만 과수원도 구스베리도 오리 연못도 없는 112데샤티나의 영지를 담보를 끼고 구입했습니다. 영지에는 강이 있었으나 커피처럼 시커먼 색이었는데, 그건 영지 한쪽 편에 벽돌 공장이, 다른 한쪽 편에는 골분 공장이 있기 때문이었지요. 그러나 우리 니콜라이 이바니치 씨는 별로 애석해하지도 않았어요. 그는 구스베리 묘목 20주를 주문해서 그걸 심고, 지주 생활을 시작했습니다.

작년에 저는 동생을 보러 갔습니다. 어떻게 지내는지, 집은 어떤지 볼 생각이었지요. 동생은 편지에다가 자기 영지의 이름을 '춤바로클로프 황무지, 또는 기말라이스코예'라고 써놓았더군요. 정오가 좀 지나서 '기말라이스코예'에 도착했습니다. 더웠어요. 사방에 도랑이며, 담장이며, 울타리를 둘러치고 전나무들을 겹겹이 심어놔서 어떻게 그 집 마당으로 들어갈지, 말은 또 어디에 세워둘지 알 수가 없었습니다. 집에 다다르니까 꼭 돼지처럼 생겨먹은 뚱뚱하고 불그죽죽한 개 한 마리가 저를 맞더군요. 절 보고 짖으려는 눈치였지만 귀찮았던지 그만두더라고요. 부엌에서 역시 돼지처럼 생긴 식모가 맨발로 나와서 하는 말이, 주인 나리는 점심식사를 마치고 쉬고 계신다네요. 집에 들어가보니 동생은 무릎에 이불을 덮고 침대 위에 앉아 있었습니다. 부쩍 늙고 살이 쪄서 축 늘어진데다 볼이며 코며 입술이 툭 튀어나와 있는 모습이 꼭 이불 속에서 돼지가 꿀꿀거리고 있는 것 같습디다.

저희는 서로를 부둥켜안고 울었습니다. 한편으로는 기쁘기도 하고, 다른 한편으로는 한때 젊었던 저희가 이제 백발이 되어 죽을 날을 기다리게 된 것이 서글퍼서였지요. 동생은 옷을 챙겨 입고 저를 데리고 다니며 영지를 구경시켜주었습니다.

'그래, 여기서 지내기가 어때?' 제가 물었지요.

'살 만해, 덕분에 잘 지내고 있어.'

동생은 이제 예전의 소심한 말단 관리가 아니라 어엿한 지주이자 귀족이었어요. 그곳 생활에 뿌리를 내리고 길이 나서 이제는 제법 취향을 갖추었습디다. 배부르게 식사하고 사우나를 하며 살을 찌워가는 한편, 농민조합이며 이웃한 두 공장과 소송을 벌이기도 했고, 농민들이 그를 '나리 마님'으로 부르지 않으면 벌컥 화를 내기도 했지요. 본인의 영혼을 구제하는 일에도 귀족답게 공을 들이고 있었으며, 자선을 베풀 때면 요란하게 생색내는 걸 잊지 않았습니다. 어떤 자선이냐고요? 소다와 피마자유로 농부들의 온갖 병을 치료해준다든가, 자기 명명일에 마을 한가운데서 감사기도회를 연 뒤, 보드카 반 통을 내놓는 거죠. 으레 그렇게 하는 법이랍니다. 아, 그 망할 놈의 보드카 반 통! 오늘은 사유지를 무단침입했다면서 지방자치회 감독관에게 농부들을 끌고 갔던 뚱뚱한 지주가, 내일은 기념일이라면서 보드카 반 통을 내놓습니다. 그러면 농부들은 그걸 마시면서 만세를 부르고, 그러다 취하면 지주의 발밑에 엎드려 절을 하지요. 갑자기 생활수준이 향상돼서 배가 부르고 한가해지면, 러시아인의 마음속에서는 지극히 뻔뻔한 자만심이 생겨납니다. 예전에 관청에 근무했을 때는 자기 자신의 관점을 가지는 것조차 두려워했던 니콜라이 이바니치 씨가, 지금은 자나깨나 진리만을, 그것도 마치 장관님 같은 어조로 말씀하시게 된 거죠. 이를테면 '교육은 반드시 필요한 것이지만, 농민들에게는 아직 때가 이릅니다'라든지, '체형體刑은 대체로 해로운 것이지만, 어떤 경우에는 효과가 있을 뿐만 아니라 불가피하기도 합니다' 뭐 이런 식이에요.

'나는 농민들을 알기 때문에 어떻게 다뤄야 하는지 훤하거든.' 그가 말합디다. '농민들은 나를 좋아해. 내가 그저 손가락만 까딱해도 농민들은 내가 원하는 대로 전부 해준다니까.'

그리고 중요한 것이, 이런 얘기를 할 때마다 꼭 현자 같은 인자한 미소를 짓는다는 거예요. 그가 '우리 귀족들은'이라거나 '귀족인 나로서는' 운운하는 걸 한 스무 번은 들은 것 같습니다. 이 친구는 우리 할아버지가 농노였고 아버지는 병사였다는 걸 까맣게 잊은 게 분명했어요. 심지어 침샤-기말라이스키라는, 도무지 엉터리 같은 저희 성마저도, 지금의 그는 근사하고 기품 있으며 듣기 좋은 성처럼 여겼지요.

하지만 정작 문제는 그가 아니라 저 자신에게 있었습니다. 동생의 영지에 있던 몇 시간 동안 제 안에서 일어난 변화에 대해 얘기해드리죠. 저녁에 저희가 차를 마시고 있는데, 식모가 구스베리가 가득 담긴 접시를 식탁에 내놓더군요. 그건 밖에서 사온 것이 아니라 묘목을 심고 나서 처음으로 수확한 자기네 집 구스베리였지요. 니콜라이 이바니치 씨는 함박웃음을 짓더니, 일 분쯤 말없이 구스베리를 바라보며 눈물을 흘렸어요. 감동이 북받쳐 말이 나오지 않았던 거죠. 잠시 후 그는 구스베리 한 알을 입에 넣더니, 자기가 원하던 장난감을 마침내 얻게 된 아이처럼 감격스러운 표정으로 저를 바라보고 말했습니다.

'너무 맛있어!'

그리고 그는 허겁지겁 구스베리를 먹으며 연신 되풀이했습니다.

'아, 너무 맛있다! 형님도 좀 드시우!'

구스베리는 딱딱하고 시었지만, 푸시킨이 이런 말을 했죠. '우리를 북돋워주는 기만은 진실의 어둠보다 소중하다'라고요. 저는 한 명의 행복한 인간을 보았습니다. 자신의 염원을 확실히 실현한 인간, 인생의 목표를 성취하여 자신이 바라던 것을 얻고, 자신의 운명과 스스로에 대해 만족하는 인간을. 예전에도 저는 인간의 행복에 대해 생각할 때마다 무슨 까닭인지 묘한 슬픔을 느끼곤 했는데, 지금 이 행복한 인간을 눈앞에서 보고 있자니 거의 절망에 가까운 괴로운 심정이 저를 사로잡았습니다. 밤에는 더더욱 괴로웠어요. 동생 침실 옆방에 제 잠자리가 마련되었기 때문에, 저는 그가 자지 않고 몇 번이나 구스베리가 담긴 접시 쪽으로 가서 그걸 집어먹는 소리를 들을 수 있었습니다. 저는 떠올려봤어요. 실상 얼마나 많은 사람이 만족하고 행복해하며 살고 있는지! 이들의 세력은 참으로 압도적입니다! 우리들 삶을 한번 보세요. 강자들의 몰염치와 나태, 약자들의 무지몽매, 주변의 끔찍한 궁핍, 비좁은 환경, 타락, 폭음, 위선, 거짓…… 그런 와중에도 집안이나 거리는 조용하고 평온합니다. 이 도시에 사는 오만 명의 사람들 중 그 누구도 비명을 지르거나 큰 소리로 분노를 토하는 사람이 없지요. 시장에 가면 식료품을 사려고 돌아다니는 사람들이 보입니다. 그들은 낮에는 먹고, 밤에는 잠자고, 제각기 헛소리를 지껄이다가, 결혼을 하고, 나이를 먹고, 그러다가 죽은 이웃을 싣고 숙연한 얼굴로 묘지에 갑니다. 우리에게는 고통받는 이들이 보이거나 그 목소리가 들리지 않지요. 그런데 이 세상의 끔찍한 일들은 무대 뒤 어딘가에서 벌어지고 있거든요. 모두 조용하고 평온한 가운데서 오직 통계 숫자만이 소리 없는 항변을 합니다. 미쳐버린 인간은 몇 명이고, 보드카는 몇 통이나 소비됐고, 영양실조로 죽은 아이들은 몇 명이다 등등…… 그리고 사실 이런 질서는 필요합니다. 불행한 사람들이 군말 없이 자기 짐을 지고 살기 때문에 비로소 행복한 사람이 편안하게 사는 것인데, 만약 그들이 그렇게 침묵하지 않는다면 행복도 가능하지 않기 때문이지요. 이건 총체적인 최면 상태예요. 만족하고 행복한 이 모든 사람의 집밖에 누군가가 지키고 서서, 망치로 문을 두드리며 불행이 존재한다는 걸 깨우쳐줘야 합니다. 아무리 행복할지라도, 이르건 늦건 언젠가는 삶이 그에게 발톱을 드러내고 불행이 닥치리라는 것을, 질병과 가난과 상실이 찾아오리라는 것을, 지금 그가 남들의 불행을 보거나 듣지 않듯이 그때는 아무도 그의 불행을 보거나 듣지 않으리라는 것을 깨우쳐줘야 해요. 하지만 망치를 든 사람은 없고, 행복한 이들은 자기 식대로 살아갑니다. 사시나무가 바람에 흔들리듯 일상의 사소한 걱정거리가 이들을 조금 동요하게 만들겠지만 결국 세상은 별일 없이 잘 굴러가지요."

"그날 밤 저는, 저 역시 만족하며 살아가는 행복한 인간이라는 걸 알게 되었습니다." 이반 이바니치는 몸을 일으키며 말을 이었다. "저 또한 식사 때나 사냥을 할 때, 우리가 어떻게 살아야 하는지, 신앙생활은 어떻게 해야 하는지, 농민들은 어떻게 다스려야 하는지 설교하곤 했거든요. 저 또한 배움은 광명이며 교육은 반드시 필요하지만, 하층계급 사람들에게는 아직 글자를 가르치는 것만으로 충분하다고 말하곤 했거든요. 자유는 축복이며, 공기 없이 못 살 듯 자유가 없이는 살 수 없지만, 아직은 기다릴 때라는 말도 했지요. 네, 그렇게 말하던 저였지만, 지금은 묻습니다. 무엇 때문에 기다린단 말입니까?" 성난 표정으로 부르킨을 바라보며 이반 이바니치는 물었다. "무엇 때문에 기다리느냐고 묻고 있잖아요? 도대체 기다릴 이유가 뭐죠? 사람들은 말하지요. 단번에 모든 것을 이룰 수는 없고, 모든 이상은 삶 속에서 때가 될 때까지 단계적으로 실현된다고. 그런 말을 하는 사람은 대체 누구죠? 그게 옳다는 증명이라도 있습니까? 선생은 사물의 자연적 순리나 현상들의 법칙성을 거론할지도 모르겠어요. 하지만 제가, 살아서 생각하는 인간인 제가 웅덩이 앞에 서서, 어쩌면 그걸 훌쩍 뛰어넘거나 혹은 다리를 놓아서 건널 수 있는데도, 그 웅덩이 밑바닥이 저절로 솟아오르거나 진흙으로 메워지길 기다리는 것이 순리이고 법칙성일까요? 다시 한번 말하지만, 도대체 무엇 때문에 기다리는 거죠? 살 힘이 없는데도 기다리기만 하나요? 그런데 그 와중에도 사람들은 살아야 하고, 살길 원하지요!

저는 다음날 아침 일찍 동생 집을 떠났고, 그 이후로 도시에서 지내는 생활이 견디기 힘들어졌습니다. 정적과 평온이 저를 짓눌러요. 다른 집 창문을 들여다보는 게 두렵습니다. 왜냐하면 식탁에 둘러앉아 차를 마시는 행복한 가족의 모습을 보는 것이 이제 저에게는 더없이 괴로운 일이기 때문입니다. 저는 이제 늙어서 투쟁할 능력도 없고, 심지어 증오할 힘조차 없어요. 그저 마음속으로 통탄하고 전율하고 분노할 뿐입니다. 밤이면 온갖 생각이 떠오르는 탓에 머리가 아프고 잠이 오지 않습니다…… 아, 내가 젊은이라면!"

이반 이바니치는 흥분해서 방안을 이리저리 돌아다니며 되뇌었다.

"내가 젊은이라면!"

이반 이바니치는 갑자기 알료힌에게 다가가서 그의 양손을 번갈아 잡기 시작했다.

"파벨 콘스탄티니치 씨," 그는 간절한 목소리로 말했다. "일상에 안주하지 마세요, 스스로를 잠들게 하지 마세요! 당신은 아직 젊고, 힘이 있고, 용기가 있으니, 부지런히 선한 일을 하세요! 행복 같은 건 있지도 않고, 있어서도 안 됩니다. 만약 인생에 의미나 목적이 있다면, 그 의미와 목적은 결코 우리 행복 속에 있는 것이 아니라, 더 이성적이고 더 위대한 무엇인가에 있는 겁니다. 선한 일을 하세요!"

이반 이바니치는 간절히 애원하는 듯한 미소를 머금고 이 모든 얘기를 했는데, 마치 자기를 위해 그렇게 해달라고 개인적으로 부탁하는 것처럼 보였다.

그리고 세 사람 모두는 응접실 여기저기 놓여 있는 안락의자에 제각기 앉은 채 침묵을 지켰다. 이반 이바니치의 이야기는 부르킨도, 알료힌도 만족시키지 못했다. 황혼의 어스름 속에서 생기를 얻은 금빛 액자 속의 장군들과 숙녀들이 지켜보는 가운데, 구스베리를 먹은 불쌍한 관리에 대한 이야기를 듣고 있기란 지루했다. 왠지 그들은 멋진 사람들이나 여자들에 관한 이야기를 말하거나 듣고 싶었다. 갓을 씌운 샹들리에, 안락의자, 발밑의 카펫, 이 모든 것이 한목소리로 얘기하고 있었다. 저 액자 속에서 내려다보고 있는 바로 저 사람들이 한때 여기서 걸어다녔고 앉아 있었고 차를 마셨노라고. 바로 그 응접실에 세 사람이 앉아 있다는 사실, 그리고 바로 여기에서 지금 아름다운 펠라게야가 사박사박 걸어다니고 있다는 그 사실이야말로 다른 무엇보다도 더 훌륭한 이야기였다.

알료힌은 너무 졸렸다. 그는 영지를 돌보느라 새벽 세시에 일찌감치 일어나기 때문에 진작 눈이 감기고 있었지만, 손님들이 자기가 없는 동안 뭔가 흥미로운 이야기를 하나 않을까 걱정돼서 자리를 뜨지 못했다. 그는 이반 이바니치가 방금 한 이야기가 현명하고 올바른 이야기인지 굳이 따져볼 생각이 없었다. 그는 손님들이 곡물이니 건초니 타르 따위가 아니라 그의 생활과는 직접적인 관계가 없는 뭔가에 대해 이야기하고 있었기 때문에 그게 기뻤고, 그래서 그들이 계속 이야기하길 바랐다……

"그나저나 잘 시간이군요." 부르킨이 일어나며 말했다. "이제 그만 인사를 드렸으면 합니다만."

알료힌은 인사를 하고 아래층 자기 방으로 내려갔고, 손님들은 이층에 남았다. 두 사람은 장식무늬가 새겨진 오래된 목제 침대 두 개가 놓여 있고, 한쪽 구석에는 상아로 만든 십자가상이 걸려 있는 커다란 침실로 안내되었다. 아름다운 펠라게야가 자리를 봐준 넓고 시원한 침대에서는 깨끗한 새 시트의 향기가 기분좋게 감돌았다.

이반 이바니치는 말없이 옷을 벗고 자리에 들었다.

"하느님, 우리 죄인들을 용서하소서!" 그렇게 말하고는 이불을 머리 끝까지 뒤집어썼다.

책상 위에 놓인 그의 파이프에서 담뱃재 냄새가 심하게 풍겼다. 부르킨은 오래도록 잠을 이루지 못하면서, 어디서 이처럼 지독한 냄새가 나는지 궁금해했다.

밤새 빗줄기가 창문을 두드렸다.

(1898)

사랑에 관하여

다음날 아침식사로 아주 맛있는 파이와 가재 그리고 양고기 커틀릿이 차려졌다. 식사 도중에 요리사 니카노르가 이층으로 찾아와 손님들이 점심때 뭘 드시고 싶은지 물었다. 그는 중키에 얼굴이 통통하고 눈이 작은 남자였는데, 어찌나 말끔하게 면도를 했던지 수염을 한 올 한 올 뽑아낸 것처럼 얼굴이 맨들거렸다.

알료힌은 아름다운 펠라게야가 이 요리사에게 푹 빠져 있다고 말해주었다. 펠라게야는 그가 술꾼인데다 성품이 과격해서 결혼할 생각은 없지만, 그냥 같이 살기로 했다는 것이다. 그는 매우 독실한 신자였으므로 그냥 같이 사는 건 종교적 신념상 용납할 수 없었다. 그는 그런 식으로는 곤란하니 결혼해야 한다고 우기면서 그녀를 욕했고, 심지어 술이 취하면 손찌검까지 했다. 그가 술을 마시면 그녀는 이층에 숨어서 흐느껴 울었는데, 그럴 때면 알료힌과 하인은 만일의 경우에 대비하여 그녀를 보호해주기 위해 집을 비우지 않았다.

사랑에 관한 이야기가 시작되었다.

"사랑이 어떻게 생겨나는지," 알료힌이 말했다. "왜 펠라게야가 정신적으로나 외모로나 자기에게 맞는 사람이 아닌 니카노르 같은 화상(여기서는 모두가 그를 화상이라고 부르지요)을 사랑하게 됐는지, 사랑에서 개인의 행복이라는 문제가 중요한 만큼 이 모두가 알 수 없는 일입니다. 그래서 거기에다가 어떤 설명이든 멋대로 갖다붙일 수 있겠죠. 그러나 사랑에 대해 오늘날까지 언급된 유일무이한 진리는, 바로 그것이 '위대한 신비'라는 것뿐이며, 그 밖에 사랑에 대해 쓰이거나 말해진 모든 이야기는 어떤 결론이라기보다는 여전히 미해결로 남아 있는 문제들을 새삼스럽게 제기한 것에 지나지 않아요. 어떤 사례에는 쓸모가 있어 보이는 설명이 다른 수십 건의 사례에는 적용되지 않거든요. 그래서 제가 보기에 가장 좋은 건, 굳이 일반화하려 들지 말고 모든 사례를 따로따로 설명하는 겁니다. 의사들이 말하는 것처럼 각각의 사례들을 '개별화'하는 거죠."

"맞는 말이에요." 부르킨이 맞장구쳤다.

"우리 러시아의 교양 있는 사람들은 이 문제에 열정적으로 매달리고 있지만 여전히 해답을 찾지 못했지요. 남들은 대체로 사랑을 시적으로 미화하면서 장미나 나이팅게일 같은 걸로 치장합니다만, 우리 러시아인들은 자신의 사랑을 아까와 같은 운명적인 질문들로 치장하고, 그중에서도 가장 따분한 질문들을 선택합니다. 모스크바에서 제가 대학을 다니던 시절 저에게는 동거하는 여자친구가 있었는데, 이 사랑스러운 여인은 제 품에 안겨 있는 동안 제가 그녀에게 한 달에 얼마를 줄지, 혹은 요즘 소고기 한 푼트에 얼마나 하는지, 이런 생각들을 항상 하고 있었죠. 그처럼 우리는 사랑하는 동안에도 질문을 멈추지 않습니다. 이것이 순수한 사랑인지, 불순한 사랑인지, 현명한 사랑인지, 어리석은 사랑인지, 결말이 어떻게 될지 등등. 이게 좋은 건지 나쁜 건지 저는 모르겠습니다만, 꺼림칙하고, 불만스럽고, 혐오스럽다는 것 정도는 알지요."

암만해도 그는 뭔가 하고 싶은 이야기가 있는 듯했다. 외롭게 사는 사람들은 마음속에 항상 몹시 하고 싶은 이야기를 담고 있기 마련이다. 도시에 사는 독신남들은 단지 말을 할 목적으로 목욕탕이나 식당에 드나들면서 이따금 목욕탕 시중꾼이나 웨이터에게 매우 흥미로운 이야기를 들려주기도 하며, 시골 사람들은 보통 자기를 찾아온 손님들 앞에서 마음속에 담고 있던 이야기를 털어놓는다. 창밖에는 잿빛 하늘과 비에 젖은 나무들이 보였는데, 이런 날씨에는 꼼짝없이 집에 앉아 사람들과 이야기를 주고받는 것 말고는 딱히 할 일이 없었다.

"제가 소피노에 살면서 농장을 돌보게 된 지는 오래됐습니다." 알료힌은 이야기를 시작했다. "대학을 졸업하고 나서부터였죠. 저는 육체적인 일과는 상관없이 자랐고, 성향으로 봐서도 책상물림 쪽입니다만, 졸업하고 여기로 와보니 영지가 빚더미 위에 있더란 말이죠. 아버지께서 빚을 지게 된 게 어느 정도는 제 학비로 너무 많은 돈을 썼던 탓인지라 그 빚을 다 갚을 때까지는 여기 남아서 일하기로 결정했습니다. 제가 그렇게 결정하고 시작한 일이지만, 솔직히 말해서 싫은 마음이 없었던 건 아니에요. 이 지역 토양은 수확이 변변치 않아 손실을 보지 않으려면 농노를 부리거나 삯일꾼을 써야만 하는데, 어느 쪽이든 그게 그거였고, 아니면 아예 농부들처럼 가족과 함께 직접 들일을 하는 수밖에 없었죠. 중간은 없었습니다. 하지만 그 당시에 저는 그런 세세한 면까지 알지 못했어요. 저는 땅 한 조각도 놀리지 않고, 이웃 마을의 농부들과 그 아낙들까지 불러와 다그치면서, 미친듯이 일을 벌여나갔습니다. 저 자신이 밭을 갈고 씨를 뿌리고 풀을 베면서 오만상을 찡그리고 넌더리를 냈는데, 그건 배고픔 때문에 할 수 없이 채소밭에 들어가 오이를 먹는 시골 고양이와 같은 꼴이었지요. 몸은 아팠고, 걸어가면서 졸기 일쑤였습니다. 처음에 저는 이런 노동의 일상이 저의 문화적인 습관과 쉽게 조화될 수 있으며, 이를 위해서는 일정한 외적 규율을 지키는 것만으로도 충분할 거라고 생각했어요. 저는 여기 이층의 내실에 자리잡고서, 아침과 점심 식사 뒤에는 리큐어를 탄 커피를 내오라고 일러두었고, 잠자리에서는 밤마다 『유럽통보』*를 읽었습니다. 그런데 어느 날 우리 교회의 이반 신부님이 오시더니 앉은자리에서 제 리큐어들을 모조리 마셔버렸네요. 그리고 『유럽통보』도 신부님의 딸들 손에 들어가고 말았습니다. 여름, 특히 풀 베는 철에는 침대까지 가기도 귀찮아 헛간에 있는 썰매 위에서 자거나 산지기 오두막 같은 데서 곯아떨어졌습니다. 이런 형편에 독서는 무슨 독서입니까? 저는 차츰차츰 아래층으로 옮겨가게 되었고, 하인들의 부엌에서 함께 식사하기 시작했죠. 예전에 누리던 사치 가운데서 유일하게 남은 건 이 하인들뿐인데, 선친께서 거느리던 식구들이라 차마 내치기가 괴로웠습니다.

---

* 1866~1918년 간행된 자유주의적 경향의 시사문예 월간지. 주로 정치, 역사와 관련된 주제를 다루었으며, 투르게네프, 곤차로프 등을 비롯한 당대의 유명한 지식인들이 이 잡지에 기고했다.

처음 몇 년 동안 저는 이곳 명예 치안판사로 선출되었습니다. 이따금 회의나 재판에 참석하기 위해 도시에 갈 때가 있었는데, 그것이 저에게는 기분전환이 되었지요. 이런 곳에서, 특히나 겨울에 두문불출하며 두세 달쯤 지내다보면, 결국 검은 프록코트가 그리워지기 시작하지요. 지방 재판소에는 프록코트며, 관복이며, 연미복들, 다시 말해서 법관들과 교양 있는 사람들이 있습니다. 말하자면, 얘기가 통하는 사람들인 거죠. 썰매 위에서 잠을 자고 하인들 부엌에서 식사하다가, 깨끗한 속옷으로 갈아입고, 가슴에 시곗줄을 달고, 가벼운 구두를 신고, 안락의자에 앉는다. 이런 사치가 없지요!

도시 사람들은 저를 환대해주었고 저도 그들과 기꺼이 친분을 나누었습니다. 그런 친분 관계 가운데서도 가장 돈독한, 아니 솔직히 말하자면, 저로서는 가장 즐거운 사람이 지방 재판소의 부소장인 루가노비치 씨였습니다. 두 분 모두 그 사람을 아시겠지만, 참 좋은 분이죠. 그때가 마침 저 유명한 방화 사건이 일어난 직후였는데, 심리가 이틀 동안 계속된 터라 모두 지쳐 있었어요. 그런데 루가노비치 씨가 저를 보더니 말하더군요.

'어때요? 우리집에 와서 저녁을 드시지 않으시렵니까?'

그건 뜻밖이었어요. 왜냐하면 저는 루가노비치 씨와 공적인 관계였을 뿐 그렇게 친하지 않았던데다 그 집에 한 번도 가본 적이 없었기 때문이죠. 저는 숙소에 들러 부리나케 옷을 갈아입고 식사하러 갔습니다. 바로 그렇게 해서 루가노비치 씨의 부인, 안나 알렉세예브나를 알게 된 거예요. 그때만 해도 그녀는 갓 스물두 살의 젊디젊은 여인이었고, 첫째 아이가 태어난 지 반년이 지난 시점이었죠. 옛날 일이라서 지금은 그녀에게 정확히 어떤 특별한 매력이 있었는지, 그녀의 무엇이 그토록 제 마음에 들었는지 설명하기가 쉽지 않습니다만, 그날 그 식탁에 앉아 있던 저에게만큼은 모든 것이 의심의 여지 없이 분명했습니다. 저는 그동안 제가 한 번도 본 적 없는 젊고, 아름답고, 착하고, 지적이고, 매혹적인 여자를 만난 겁니다. 곧바로 저는 그녀에게서 가깝고도 낯익은 존재를 느꼈어요. 그 얼굴과 다정하고 총명한 눈을 언젠가 어린 시절 어머니 서랍장 안에 있던 앨범 속에서 이미 본 듯한 느낌이었습니다.

방화 사건과 관련해서는 유대인 네 명을 공범으로 지목하고 유죄를 선고했지만, 제가 보기에는 전혀 근거가 없었습니다. 식사시간에는 마음이 매우 무겁고 언짢았어요. 제가 무슨 말을 했는지 이제 기억도 나지 않습니다만, 안나 알렉세예브나가 계속 고개를 저으며 남편에게 이런 얘기를 했던 건 생각납니다.

'드미트리, 어떻게 그럴 수가 있죠?'

루가노비치 씨는 천생 호인이지요. 하지만 그는 사람이 일단 법정에 섰다면 이미 죄가 있는 것이며, 판결에 대해 적법한 절차에 따라 서면으로 이의를 제기할 수는 있지만, 식사 때나 사석에서 그런 이야기를 하면 안 된다는 신념을 철저하게 지키는 고지식한 사람들 중 하나였습니다.

'우리가 방화를 한 건 아니잖아.' 그가 부드럽게 말했어요. '우리가 재판을 받는 것도 아니고, 감옥에 가는 것도 아니잖아.'

그러고 나서 부부는 합세하여 제가 더 많이 먹고 마실 수 있게끔 배려해주었습니다. 가령 두 사람이 함께 커피를 끓인다든가, 첫마디만 듣고도 서로의 생각을 이해한다든가 하는 몇 가지 사소한 점들만 보더라도, 저는 그들이 행복하고 사이좋게 살고 있으며 손님을 반기고 있다는 것을 알 수 있었죠. 식사가 끝나자 부부는 나란히 앉아 듀엣으로 피아노를 쳤고, 그러다 날이 어두워져서 저는 숙소로 돌아왔습니다. 그때가 이른봄이었어요. 그뒤로 저는 여름 내내 소피노에서 두문불출하며 일하느라 도시에 대해 생각할 겨를이 없었습니다만, 그런 나날들 속에서도 날씬한 금발 여인에 대한 기억은 머릿속에서 떠나지 않았어요. 제가 그녀에 대해 일부러 생각했다기보다, 마치 그녀의 옅은 그림자가 제 마음 위에 드리워져 있는 것 같았습니다.

늦가을에 시내에서 자선 공연이 열렸습니다. 현지사 박스석으로 들어가서 보니(막간에 그리로 초대를 받았어요) 현지사 부인 옆에 안나 알렉세예브나가 앉아 있었는데, 저는 또다시 그녀의 아름다운 자태와 사랑스럽고 다정한 눈길에서 거역할 수 없는 강렬한 인상을 받았고, 다시금 예전과 같은 친근감을 느꼈습니다.

우리는 나란히 앉아 있다가, 나중에 홀을 거닐었습니다.

'좀 여위셨네요.' 그녀가 말했습니다. '어디 아프셨나요?'

'네. 어깨에 신경통이 있어서 비가 오는 날에는 잠을 잘 못 잡니다.'

'기운이 없어 보여요. 봄에 식사하러 오셨을 때는 젊고 활기차 보이셨는데. 그때는 생기가 넘쳐서 말씀도 많이 하시고, 참 재미있으셨죠. 솔직히 말하면, 선생님에게 살짝 마음이 끌릴 정도였어요. 여름 동안 왠지 선생님 생각이 자주 나곤 했는데, 오늘은 극장에 오면서 선생님을 보게 될 것 같더라고요.'

그리고 그녀는 웃음을 터뜨렸어요.

'그런데 오늘은 기운이 없어 보이네요.' 그녀가 되풀이했지요. '그래

서 나이도 들어 보이시고요.'

　다음날 저는 루가노비치 씨 댁에서 아침을 먹었습니다. 아침식사를 마치고 부부는 월동 준비를 하기 위해 다차*로 갔는데, 저도 거기에 따라갔습니다. 그리고 부부와 함께 시내로 돌아와 밤중에 같이 차를 마셨지요. 벽난로가 타고 있고, 젊은 엄마는 계속 들락거리면서 딸아이가 잠들었는지 살피고 오는 조용하고 단란한 밤이었습니다. 그뒤로 저는 시내에 올 때마다 곧장 루가노비치 씨 댁에 들르곤 했습니다. 부부도, 저도 서로에게 익숙해지면서 편한 사이가 되었죠. 저는 하인의 안내도 받지 않고 마치 식구처럼 허물없이 그 집을 드나들었습니다.

　'누구야?' 안쪽에 있는 방에서 길게 끌며 들려오는 목소리가 저에게는 참으로 아름답게 느껴졌어요.

　'파벨 콘스탄티니치 씨입니다.' 하녀나 유모가 대답합니다.

　안나 알렉세예브나는 걱정스러운 얼굴로 저를 맞으러 나와서 매번 똑같은 질문을 합니다.

　'왜 그렇게 오랫동안 안 오셨어요? 무슨 일이라도 있었나요?'

　그녀의 눈부신 시선, 저에게 내미는 우아한 손, 그녀의 실내복, 머리 모양, 목소리, 발걸음, 이 모든 것이 매번 제 삶에서 새롭고 특별하고 의미심장한 인상을 불러일으켰어요. 우리는 오래도록 이야기를 나누기도 하고, 각자 자기 생각에 빠져 한참 동안 침묵하기도 했으며, 그러다가 그녀가 저를 위해 피아노를 쳐주기도 했습니다. 만약 집에 아무도 없으면 그냥 눌러앉아 기다리면서, 유모와 이야기를 나누기도 하고,

---

* 여름 별장.

아이와 놀아주기도 하고, 서재의 장의자에 누워 신문을 읽기도 했으며, 안나 알렉세예브나가 돌아오면 현관에서 그녀를 맞고 그녀가 사온 물건들을 건네받았어요. 왜 그랬는지는 모르겠지만, 저는 매번 사랑을 담은 손길로, 마치 어린아이처럼 의기양양하게 그 물건들을 안으로 옮겨 들였습니다.

'여자가 하는 일 없이 한가해지면 돼지새끼를 사들인다'는 속담이 있습니다. 루가노비치 부부도 하는 일 없이 한가했기 때문에 저와 친해지게 된 것이죠. 제가 오랫동안 시내에 오지 않으면, 그건 아프거나 무슨 일이 생겼다는 뜻이기 때문에 그들 부부는 몹시 걱정했습니다. 그들은 고등교육을 받았으며 외국어도 할 줄 아는 제가 학문에 종사하거나 문필 활동을 하지 않고 시골에 살면서, 쳇바퀴 속의 다람쥐처럼 뛰어다니며 고된 일을 하고 있는 걸, 그러고도 항상 무일푼인 걸 안타깝게 여겼습니다. 그들은 제가 괴로워한다고 생각했으며, 제가 말하거나 웃거나 음식을 먹으면 그건 단지 저의 괴로움을 숨기기 위한 것이라고 넘겨짚었습니다. 심지어 제가 기분이 좋아서 즐거워할 때조차도 저는 그들의 살피는 듯한 시선을 느끼곤 했습니다. 제가 이 부부에게서 특히 감동을 받았던 것은, 빚 독촉을 받는다거나, 급히 납부해야 할 돈이 모자란다거나 해서 제가 정말로 힘들었던 때였습니다. 그때 부부끼리 창가에서 귓속말을 나누더니 남편이 저에게 다가와 심각한 얼굴로 이렇게 말하는 겁니다.

'파벨 콘스탄티니치 씨, 저와 제 아내가 부탁드립니다만, 만약 지금 돈이 급하시다면 사양 마시고 저희에게서 빌려가세요.'

민망한지 그 사람 귀가 빨개지더군요. 그뒤로도 종종 그런 식으로 부부가 창가에서 귓속말을 나눈 후, 귀가 빨개진 루가노비치 씨가 다가와서 이렇게 말하곤 했습니다.

'저희가 드리는 이 선물을 꼭 받아주시길 저와 제 아내가 부탁드립니다.'

그러면서 그는 커프스단추며 담뱃갑이며 램프 같은 걸 선물했고, 저는 그에 대한 답례로 시골에서 버터며 꽃이며 사냥한 새 같은 걸 보냈지요. 말이 나온 김에 하는 얘기지만, 두 사람 모두 상당한 재력가였습니다. 초창기에 저는 자주 돈을 빌리러 다녔고, 가능하다면 누구든 가리지 않고 돈을 빌렸습니다만, 그 어떤 어려움이 있더라도 루가노비치 씨 댁에서는 돈을 빌리지 않으려 했습니다. 여기에 대해서는 굳이 설명할 필요가 없겠지요!

저는 불행했습니다. 저는 집에서나, 들에서나, 헛간에서나 늘 그녀 생각만 하면서, 그 젊고 아름답고 총명한 여인이 노인이나 다름없는 (당시에 남편은 마흔이 넘었지요) 따분한 남자에게 시집을 가서 아이를 낳게 된 비밀을 이해하려고 애썼습니다. 한편, 시시한 처세 상식으로 사리를 판단하는 이 따분하고 순박한 호인, 무도회나 파티에서 마치 팔려고 내다놓은 짐승처럼 공손하고 무심한 표정으로 유력자들의 곁을 지키는 무용하고 무기력한 남자, 그러면서도 자신이 행복을 누릴 권리가 있으며 저 젊고 아름다운 여성에게서 아이를 가질 권리가 있다고 믿는 이 남자의 비밀을 이해하려고 애썼습니다. 저는 그녀가 어째서 제가 아닌 그 남자를 먼저 만난 건지, 도대체 왜 우리 삶에 이런 끔찍한 실수가 벌어져야만 했는지 이해하려고 무진 애를 썼습니다.

저는 시내에 올 때마다 매번 그녀의 눈빛을 통해 그녀가 저를 기다렸다는 걸 알았습니다. 그녀 스스로도 고백하기를, 아침부터 벌써 어떤 묘한 기분을 느끼면서 제가 오리라고 예감했다는 것이었어요. 우리는 오랫동안 이야기를 나누기도 하고 침묵하기도 했습니다만, 끝내 자신의 사랑을 상대방에게 고백하지 않고 수줍게 숨기며 애를 태웠습니다. 혹시라도 우리의 비밀을 우리 자신에게 드러내게 될까봐 두려웠습니다. 저의 사랑은 부드럽고 깊었지만, 그래도 곰곰이 생각해봤어요. 만약 우리가 힘에 부쳐 사랑에 굴복한다면 그 사랑이 어떤 결과를 초래할지 스스로에게 물어보았지요. 저의 고요하고 슬픈 사랑이 그녀의 남편과 아이들 그리고 저를 그토록 아껴주고 믿어주던 이 집 전체의 행복한 생활을 갑자기 갈기갈기 찢어놓는다는 건 있을 수 없는 일처럼 보였습니다. 이게 과연 떳떳한 일일까? 그녀가 나에게로 온다고 치자. 그래서 어쩌겠단 말인가? 내가 그녀를 어디로 데려갈 수 있겠는가? 만약 내가 멋지고 흥미진진한 삶을 살고 있었다면, 예컨대 조국의 해방을 위해서 싸우는 영웅이었거나 혹은 유명한 학자나 배우나 화가였다면 얘기가 달라졌을지도 모른다. 하지만 실상은 한 평범하고 일상적인 생활에서, 그와 다를 바 없거나 오히려 그보다 더 따분한 또다른 일상 생활로 그녀를 데려가는 것일 수도 있다. 그리고 우리의 행복은 얼마나 유지될 수 있을까? 내가 병이 나거나 죽을 경우, 혹은 그저 서로에 대한 애정이 식어버릴 경우에 그녀는 어떻게 할 것인가?

그녀도 필경 비슷한 생각을 했을 겁니다. 그녀는 남편과 아이들, 남편을 친자식처럼 사랑했던 자기 어머니에 대해 생각했겠지요. 만약 그녀가 자신의 감정에 항복한다면 거짓말을 하거나 사실을 털어놓아야 할 텐데, 그녀의 처지에서는 양쪽 모두 끔찍하고 민망한 일이었죠. 이런 질문들이 그녀를 괴롭혔어요. 자신의 사랑이 이 남자에게 행복을 가져다줄까? 그러잖아도 온갖 불행으로 가득한 고달픈 인생인데 자기로 인해 더 힘들어지지 않을까? 그녀는 자신이 저에게 충분히 젊은 상대도 아니고, 새로운 인생을 시작할 만큼 근면하거나 정력적이지도 않다고 여기는 것 같았습니다. 그녀는 종종 제가 좋은 주부이자 조력자 역할을 할 수 있는 현명하고 참한 아가씨와 결혼해야 한다고 남편에게 말하곤 했습니다. 그러고 나서 곧바로 덧붙이기를, 이 도시에서 그런 아가씨를 찾기는 힘들 거라고 했습니다.

그러는 가운데 몇 해가 지나갔습니다. 안나 알렉세예브나에게는 벌써 두 명의 아이가 있었지요. 제가 루가노비치 씨 댁을 방문하면, 하인들은 반갑게 미소를 지었고, 아이들은 파벨 콘스탄티니치 삼촌이 왔다고 외치며 제 목에 매달렸습니다. 모두가 그렇게 기뻐했어요. 제 마음속에서 무슨 일이 벌어지고 있는지도 모르면서, 저 또한 기뻐하고 있다고들 생각했죠. 모두가 저를 고상한 존재로 보았습니다. 제가 그 집에 있을 때면 어른 아이 할 것 없이 고상한 존재가 집안을 돌아다니고 있다고 느꼈고, 그것은 저를 대하는 그들의 태도에 어떤 특별한 매력을 불어넣었어요. 마치 제 존재로 인해 그들의 삶이 더 순수하고 더 아름다워진 것 같았죠. 저와 안나 알렉세예브나는 함께 극장에 다녔는데, 매번 걸어서 갔습니다. 이웃한 의자에 어깨를 맞대고 앉아 그녀의 손에서 오페라글라스를 건네받을 때면, 그녀가 가깝게 느껴지고, 내 사람이라고 느껴지고, 서로가 서로에게 없어서는 안 될 짝이라고 느껴졌습니다. 하지만 어떤 이상한 오해 때문에, 매번 극장을 나서기만 하면 마치 남남처럼 인사를 나누고 헤어졌어요. 시내에서는 우리에 관해 이미 별

별 소문이 다 돌고 있었지만, 그런 소문들 가운데 단 한 마디도 사실과 부합하는 것은 없었습니다.

최근 몇 년간 안나 알렉세예브나는 친정어머니나 여동생에게 가는 일이 잦아졌습니다. 그녀는 종종 우울한 상태에 빠지면서, 문득문득 자기 삶이 불만스럽다거나 망가졌다거나 하는 자각을 하기 시작했는데, 그럴 때면 남편도 아이들도 보기가 귀찮아졌지요. 그녀는 이미 신경쇠약으로 치료를 받고 있었습니다.

우리 사이에는 침묵만이 감돌았고, 그녀는 남들 앞에서 저에 대해 이상한 짜증을 부리기 일쑤였어요. 제가 하는 말은 무슨 말이든 반박했고, 누군가와 논쟁을 할라치면 그녀는 제 상대방 편을 들었습니다. 어쩌다 제가 물건을 떨어뜨리기라도 하면 그녀는 차갑게 말했습니다.

'잘하시는군요.'

만약 제가 그녀와 극장에 가는데 깜빡 잊고 오페라글라스를 가져오지 않으면, 그녀는 이렇게 말했죠.

'잊어버리실 줄 알았다니까.'

다행인지 불행인지 모르겠습니다만, 우리들 삶에서 이르든 늦든 끝을 보지 않는 일이란 없습니다. 이별의 순간이 찾아왔지요. 루가노비치 씨가 서부 지역에 있는 어떤 현의 재판소장으로 임명된 것입니다. 그들은 가구와 말과 다차를 처분해야 했습니다. 다차에 갔다가 돌아오는 길에 마지막으로 정원과 녹색 지붕을 보기 위해 고개를 돌리면서, 우리는 모두 애잔한 감상에 잠겼습니다. 그리고 저는 작별해야 할 것이 단지 다차만이 아니라는 것을 알았지요. 의사가 요양지로 추천한 크림 지방으로 8월 말에 안나 알렉세예브나를 떠나보내기로 결정이 났고, 얼마

뒤에는 루가노비치 씨가 아이들과 함께 자신의 임지인 서부 지역으로 가기로 했습니다.

우리는 많은 사람과 함께 안나 알렉세예브나를 배웅했습니다. 그녀는 벌써 남편과 아이들에게 작별인사를 했고, 기차의 출발을 알리는 세번째 벨이 막 울리기 직전이었어요. 저는 객실로 뛰어들어가서 그녀가 잊어버리고 갈 뻔한 바구니를 선반 위에 올려놓았습니다. 그리고 우리는 작별을 해야 했지요. 객실 안에서 시선이 마주친 순간 우리는 둘다 자제력을 잃고 말았어요. 제가 그녀를 끌어안자, 그녀는 제 가슴에 얼굴을 묻으며 하염없이 눈물을 흘렸습니다. 저는 그녀의 얼굴에, 어깨에, 눈물로 젖은 팔에 입을 맞추며 — 아, 우리는 얼마나 불행했던가요! — 사랑을 고백했어요. 심장이 타들어가는 고통을 느끼며 저는 깨달았습니다. 우리의 사랑을 방해했던 모든 것이 얼마나 무의미하고 하잘것없고 기만적이었는지를요. 사랑을 할 때는 행복이나 불행, 상식적인 의미에서의 죄악이니 선행이니 하는 것보다 더 높고 더 중요한 것에서 출발하여 그 사랑을 판단해야 한다는 것을, 혹은 아예 판단 자체를 할 필요가 없다는 것을 저는 깨달았습니다.

저는 마지막으로 그녀와 입을 맞추고 손을 잡았습니다. 그리고 우리는 영원히 헤어졌지요. 기차는 이미 출발한 상태였어요. 저는 비어 있는 옆 칸으로 가서 첫번째 역에 닿을 때까지 거기 앉아 울었습니다. 그리고 소피노의 집으로 걸어서 갔지요……"

알료힌이 이야기하는 동안 비가 그치고 해가 얼굴을 내밀었다. 부르킨과 이반 이바니치는 발코니로 나갔다. 정원과 강의 멋진 풍경이 펼쳐졌고, 강물은 햇빛을 받아 거울처럼 빛나고 있었다. 두 사람은 풍경에

취하면서도, 한편으로는 그토록 순수한 마음으로 이야기를 들려준 이 남자, 선량하고 총명한 눈빛의 이 남자가, 인생을 보다 즐겁게 만들어 줄 다른 일이나 학문에 종사하지 않고, 정말로 쳇바퀴 속의 다람쥐처럼 여기 이 광활한 영지를 돌아다니고 있다는 사실에 안타까워했다. 그리고 그들은 알료힌이 그녀의 얼굴과 어깨에 입을 맞추며 작별인사를 할 때, 그 젊은 부인이 얼마나 슬픈 표정을 지었을지 생각했다. 두 사람 모두 시내에서 그녀와 마주친 적이 있었고, 심지어 그녀와 친분이 있었던 부르킨은 내심 그녀가 아름답다고 생각했던 것이다.

(1898)

귀염둥이

전직 팔등문관 플레먀니코프의 딸 올렌카는 생각에 잠긴 채 현관 계단에 앉아 있었다. 날씨는 무덥고 파리들이 성가시게 달라붙었지만 곧 저녁이 될 거라고 생각하니 너무 즐거웠다. 동쪽에서 검은 비구름이 밀려오면서 간간이 습한 공기도 그쪽으로부터 실려왔다.

마당 한가운데에는 극단의 단장이자 놀이공원 '티볼리'의 소유주인 쿠킨이 하늘을 바라보며 서 있었다. 그는 이 집 마당에 접해 있는 별채에 사는 남자였다.

"또야!" 그는 절망하며 말했다. "또 비가 오겠네! 매일 비야, 매일 비, 예약이라도 해놨냐! 아예 내 모가지를 졸라라! 난 망했어! 날마다 손해 보는 게 얼만데!"

그는 두 팔을 내젓더니 올렌카를 보며 계속 말했다.

"우리 사는 꼴이 이 모양입니다, 올가 세묘노브나. 울고 싶을 지경이에요! 별별 고생을 다하면서 힘들게 일하고, 밤에 잠도 못 자면서 어떻게든 잘해보려고 온갖 궁리를 다해요. 하지만 그게 다 무슨 소용입니까? 한쪽에서는 무식하고 촌스러운 관객이 속을 썩입니다. 최고의 배우들을 모셔서 기가 막힌 오페레타며 환상극을 보여줘봐야 관객이 알아주나? 촌놈들이 뭔들 알아먹는 게 있어야지? 그저 어릿광대밖에 모르니! 천한 광대놀음이나 좋아하고! 게다가 이 날씨를 좀 보세요. 거의 매일 저녁 비가 와요. 5월 10일부터 시작해서 5월, 6월 내내 이 모양이니 정말 지긋지긋합니다! 관객이 오지 않는데 극장 임대료를 어떻게 냅니까? 배우들에겐 뭘 주죠?"

다음날 저녁 무렵에도 비구름이 또 밀려오자, 쿠킨은 미친듯이 껄껄대며 말했다.

"어쩌라고? 그래 맘대로 해라! 공원이 다 물에 잠기고 나도 거기 빠져 죽게 퍼부어라! 이승에서고 저승에서고 잘 살긴 글러먹었으니까! 배우들더러 날 고소하라고 해라! 고소가 다 뭐냐? 시베리아로 유형을 보내라지! 아예 날 교수대로 보내! 하, 하, 하!"

그리고 그다음날도 또……

말없이 심각하게 쿠킨의 말을 듣고 있던 올렌카의 눈에서 눈물이 쏟아지곤 했다. 그리고 마침내 쿠킨의 불행은 그녀의 마음을 울렸고, 그녀는 그를 사랑하게 되었다. 그는 키가 작았고 여위었으며 누런 얼굴에 관자놀이 쪽을 뒤로 빗어 넘긴 머리 모양을 하고 있었다. 그가 가느다란 테너 조로 말할 때면 항상 입 모양이 일그러졌다. 쿠킨의 얼굴에는 늘 절망이 서려 있었지만, 어쨌든 그는 올렌카에게 진실하고 깊은 감정을 불러일으켰다. 그녀는 누군가를 끊임없이 사랑해왔으며 사랑 없이는 살 수가 없는 여자였다. 예전에는 아버지를 사랑했는데, 그는 지금 병에 걸려서 어두침침한 방에 놓인 안락의자에 앉아 간신히 숨을 쉬고 있었다. 브란스크에서 이따금, 이 년에 한 번 정도 오시는 자기 숙모를 사랑한 적도 있었다. 그보다 더 전에 중학교에 다닐 때는 프랑스어 선생님을 사랑했다. 올렌카는 조용하고 선량하고 정이 많았으며, 온화하고 부드러운 눈매를 지닌 건강한 아가씨였다. 그녀의 통통한 장밋빛 뺨과 까만 점이 난 하얗고 보드라운 목, 뭔가 즐거운 말을 들었을 때 얼굴에 어리던 착하고 순박한 미소를 바라볼 때면, 남자들은 '그래, 좋구나……' 하고 생각하며 덩달아 미소를 지었다. 손님으로 온 부인들은 대화를 나누다가 기분이 너무 좋은 나머지 갑자기 그녀의 팔을 잡고는 어쩔 줄 모르며 이렇게 말하곤 했다.

"귀염둥이!"

그녀가 태어나면서부터 살고 있는 집은 유산으로 물려받은 것인데, 도시 변두리의 '집시마을'에 자리잡고 있었으며 놀이공원 티볼리에서 멀지 않았다. 매일 저녁부터 늦은 밤까지 공원에서 음악을 연주하는 소리와 폭죽 터지는 소리가 들려왔다. 그녀에게 그것은 마치 쿠킨이 운명에 울부짖으며 자신의 주적인 무심한 관객들에게 공격을 퍼붓는 소리처럼 들렸다. 그녀의 심장은 달콤하게 조여들었고 도무지 잠이 오지 않았다. 아침 무렵에 그가 집으로 돌아올 때면 그녀는 자기 침실 창문을 톡톡 두드리고 커튼 사이로 얼굴과 한쪽 어깨만 빼꼼히 내보이면서 그에게 정겹게 미소 지었다……

쿠킨이 청혼했고, 두 사람은 결혼식을 올렸다. 그는 그녀의 목과 통통하고 건강한 어깨를 찬찬히 훑어보고는, 손뼉을 치며 말했다.

"귀염둥이!"

그는 행복했다. 하지만 결혼식이 열리던 날, 낮에도 밤에도 비가 왔기 때문에 그의 얼굴에서는 절망스러운 표정이 가시질 않았다.

결혼 후 그들은 잘 살았다. 그녀는 그의 매표소를 지켰고, 놀이공원의 살림을 관리했으며, 지출을 기록하고, 급료를 지급했다. 그녀의 장밋빛 뺨과 사랑스럽고 순박하고 마치 광륜 같은 미소가 매표소의 창문에서, 무대 뒤에서, 매점에서 반짝였다. 그녀는 이제 지인들에게 이 세상에서 가장 훌륭한 것, 가장 중요하고 필요한 것은 바로 극장이라고, 진정한 즐거움을 얻을 수 있는 곳은 극장밖에 없으며 교양 있고 인간다운 사람이 될 수 있는 곳도 극장밖에 없다고 말했다.

"하지만 관객들이 이걸 이해하기나 하겠어요?" 그녀는 말했다. "그저 어릿광대밖에 모르니! 어제는 우리 극장에서 〈파우스트 속편〉을 상연했는데, 박스석들이 거의 텅텅 비어 있었다니까요. 나랑 바니치카*랑 저속한 광대놀음이라도 하면, 틀림없이 극장이 꽉꽉 찰 거예요. 내일은 내가 바니치카랑 〈지옥의 오르페우스〉를 올릴 거니까 보러들 오세요."

그녀는 쿠킨이 극장이나 배우들에 대해 말한 것을 그대로 옮겨 말했다. 쿠킨이 그랬던 것처럼 그녀는 관객이 예술에 대해 무관심하고 무식하다고 경멸했으며, 리허설에 참견하고, 배우들의 연기를 교정하고, 연주자들의 행실을 감독했다. 지방신문에 극장에 대한 악평이 실리면 눈물을 흘리며 편집국에 찾아가 따지곤 했다.

---

* 이반(이반 페트로비치 쿠킨)의 애칭.

배우들은 그녀를 사랑했고 그녀를 '바니치카랑'이라든가 '귀염둥이'라고 불렀다. 그녀는 그들을 불쌍히 여겨서 돈을 약간씩 빌려주기도 했다. 어쩌다 배우들이 돈을 떼어먹더라도 그녀는 조용히 울 뿐 남편에게는 푸념하지 않았다.

겨울에도 그들은 잘 살았다. 겨우내 시립극장을 임차해서 우크라이나 극단이나 마술사나 이 지방의 아마추어 극단에 단기로 빌려주었다. 올렌카는 살이 쪘고 만족감으로 환히 빛났지만, 쿠킨은 홀쭉해지고 얼굴이 누렇게 떴으며 겨우내 벌이가 나쁘지 않았음에도 엄청난 손해를 봤다며 불평했다. 그가 밤마다 기침해서 그녀는 그에게 산딸기즙과 보리수 꽃즙을 먹여주었으며, 오드콜로뉴로 문질러주고, 자신의 부드러운 숄을 그에게 둘러주었다.

"어쩌면 이렇게 잘났을까!" 그의 머릿결을 쓰다듬으면서 그녀는 정녕 진심으로 말했다. "어쩌면 이렇게 귀여울까!"

쿠킨은 사순절에 극단을 모으러 모스크바에 갔다. 그녀는 남편 없이는 잠을 잘 수 없었기 때문에 밤새 창가에 앉아 별들을 바라보았다. 닭장에 수탉이 없으면 밤새 잠을 안 자고 안절부절못하는 암탉들과 자기 처지가 비교되었다. 쿠킨은 모스크바의 일정이 지체되어 부활절에야 돌아가겠다고 편지를 했다. 편지에는 티볼리에 관한 지시 사항들도 적혀 있었다. 그런데 부활절을 앞둔 월요일 저녁 늦게 갑자기 대문에서 불길한 노크 소리가 들려왔다. 누군가가 마당의 쪽문을 나무통 치듯 두드리고 있었다. 쿵! 쿵! 쿵! 잠이 덜 깬 식모가 맨발로 물이 고인 마당을 찰랑찰랑 디디면서 문을 열러 달려나갔다.

"제발 문 좀 여시오!" 누군가가 문밖에서 둔중한 베이스 톤으로 말했다. "전보 왔어요!"

올렌카는 전에도 남편에게서 전보를 받았지만 이때만큼은 왠지 정신이 아득해졌다. 떨리는 손으로 전보를 뜯어 읽어보니 내용은 다음과 같았다.

'이반 페트로비치 오늘 급사 푸선 지시를 기다림 화요일 자장례'

전보에는 '푸선'이며 '자장례' 같은 알 수 없는 말들이 적혀 있었고,* 오페레타 극단 감독의 서명이 있었다.

"여보!" 올렌카는 통곡했다. "사랑스러운 나의 바니치카, 여보! 내가 어쩌다 당신을 만났을까! 내가 어쩌다 당신을 알고 사랑에 빠졌을까! 당신의 불쌍한 올렌카를 누구에게 버리고 가시려는 거예요? 불쌍하고 가련한 나를……"

화요일에 모스크바의 바간코보에서 쿠킨의 장례를 치렀다. 수요일에 집으로 돌아온 올렌카는 자기 방으로 들어가자마자 침대에 쓰러져 거리와 이웃집에서 다 들릴 만큼 대성통곡했다.

"가여워라!" 이웃들이 성호를 그으며 말했다. "성모님, 귀염둥이 올가 세묘노브나가 저러다 죽겠네!"

석 달이 지난 어느 날, 예배를 마친 올렌카가 깊은 슬픔에 잠긴 채 돌아오고 있었다. 어쩌다보니 역시 교회에 다녀오던 바실리 안드레이치 푸스토발로프가 그녀와 함께 길을 가게 되었다. 그녀의 이웃인 그는 상

---

* '푸선' '자장례'는 각각 '우선' '장례'에 해당하는 러시아 철자의 오기를 한국어로 표현한 것이다. (아마도 급하게 전보를 보내면서) 전신수가 오타를 낸 것을 시사하며, 동시에 올렌카가 처한 불행을 희화화하는 작가의 의도를 담고 있다. 여기서 '장례(похороны)'를 오기한 '자장례(хохороны)'는 러시아어로 발음할 때 마치 웃음소리처럼 들린다.

인 바바카예프의 목재 창고를 관리하는 남자였다. 밀짚모자를 쓰고 금 줄이 달린 흰 조끼를 입은 그는 장사꾼이라기보다는 지주에 가까운 모 습이었다.

"모든 일에는 저마다의 도리가 있습니다, 올가 세묘노브나." 그가 연 민이 담긴 목소리로 차분하게 말했다. "만약에 가까운 사람 누군가가 죽는다면, 그건 말입니다, 그건 신께서 역사하시는 일입니다. 이런 일 이 생기면 우리는 자신을 추스르고 순종하며 참아내야 합니다."

올렌카를 마당의 쪽문까지 데려다준 그는 인사하고서 자기 길을 갔 다. 이 일이 있은 후, 올렌카에게는 온종일 그의 차분한 목소리가 들렸 으며, 눈을 감자마자 그의 짙은 턱수염이 보이곤 했다. 그는 무척이나 그녀 마음에 들었다. 그리고 아마도 그녀 역시 그에게 강한 인상을 남 긴 것 같았다. 왜냐하면 얼마 지나지 않아 그녀와 별로 친하지도 않은 한 중년의 부인이 커피를 마시러 왔는데, 탁자에 앉기가 무섭게 다짜고 짜 푸스토발로프에 대한 이야기를 꺼냈기 때문이다. 얘기인즉슨 그가 선량하고 듬직한 사람이며 그에게 기꺼이 시집가려는 아가씨들이 줄 을 섰다는 것이었다. 사흘 뒤에는 푸스토발로프가 직접 찾아왔다. 그는 오래도 아니고 십 분쯤, 거의 말도 안 하면서 앉아 있다가 갔을 뿐이었 다. 하지만 올렌카는 그를 사랑하게 되었다. 너무 사랑해서 밤새 잠을 못 이루고 열병이 난 것처럼 달아오를 정도였다. 아침이 오자 중년의 부인에게 전갈을 보냈다. 당장 혼담이 오갔고, 이어서 결혼식이 거행되 었다.

푸스토발로프와 올렌카는 결혼해서 잘 살았다. 그는 보통 점심때까 지 목재 창고를 지키다가 오후에는 일을 보러 나갔다. 그러면 올렌카가 그를 대신해서 저녁때까지 사무실에 앉아 영수증을 쓰고 물건을 내주었다.

"지금 목재 가격이 매년 20퍼센트씩 오르고 있어요." 그녀는 물건을 사러 온 사람들이나 지인들에게 그렇게 말하곤 했다. "전에는 우리가 이 지방 목재만 취급했는데, 지금은 바시치카*가 매년 모길렙스크현에 있는 숲까지 갔다 와야 하거든요. 그런데 세금이 얼마나 센지!" 그녀가 괴롭다는 듯이 양볼을 손으로 감싸며 말했다. "세금이 정말!"

그녀는 자신이 아주 오래전부터 목재 거래를 해온 것처럼 느껴졌고, 인생에서 가장 중요하고도 필요한 것은 바로 목재라고 생각하게 되었다. '들보'니 '통나무'니 '쪽매널' '널판' '잡목' '산자널' '받침목' '죽데기' 같은 단어들은 그녀에게 뭔가 친근하면서도 감동적인 느낌을 불러일으켰다. 밤마다 그녀는 꿈속에서 산처럼 쌓인 판자와 쪽매널들을 보았으며, 시외의 먼 곳 어딘가로 나무를 운반하는 짐마차 행렬이 끝없이 길게 이어져 있는 것을 보기도 했다. 그녀는 꿈에 12아르신 5베르쇼크**는 됨직한 통나무들의 부대가 일어선 채로 목재 창고에서 전쟁을 벌이는 것을 보았다. 통나무와 들보와 죽데기들이 마른 나무 특유의 울림을 내며 서로 부딪치는 것도 보았는데, 이들은 쓰러지기도 하고 다시 일어나기도 하다가 서로서로에게 포개져 쌓였다. 올렌카는 꿈속에서 비명을 지르곤 했고, 그러면 푸스토발로프가 그녀에게 부드럽게 말했다.

"올렌카, 여보, 무슨 일이야? 성호를 그어요!"

남편이 무슨 생각을 하면, 그게 바로 그녀의 생각이었다. 그가 방이

---

* 바실리(바실리 안드레이치 푸스토발로프)의 애칭.
** 1아르신은 71.12센티미터이며, 1베르쇼크는 16분의 1아르신이다.

덥다거나 요즘에 장사가 시원치 않다고 생각하면 그녀도 그렇게 생각했다. 그녀의 남편은 어떤 오락거리도 좋아하지 않았기 때문에 휴일에도 집에 있었고, 이것은 그녀도 마찬가지였다.

"당신은 항상 집이 아니면 사무실에 있네요." 지인들이 말했다. "극장에 가보는 건 어때요, 귀염둥이. 아니면 서커스라든가."

"바시치카랑 나는 극장에 다닐 시간이 없어요." 그녀가 차분하게 대답했다. "우리는 노동하는 사람들이라 쓸데없는 일에 눈을 돌릴 수 없거든요. 극장이 다 무슨 소용이죠?"

토요일마다 푸스토발로프와 그녀는 저녁 예배에 갔고, 휴일에는 새벽 예배에 갔다. 감동받은 얼굴로 나란히 교회에서 돌아올 때면, 두 사람에게서 좋은 향기가 났으며, 그녀의 비단 치마가 기분좋게 사각거렸다. 집에 오면 버터 빵이며 여러 종류의 잼과 함께 차를 마셨고, 다음으로는 피로크*를 먹었다. 매일 정오가 되면 마당은 물론 대문 너머 길거리까지 보르시며 구운 양고기며 오리고기 냄새가 맛나게 풍겼다. 정진 주간에는 생선냄새가 났는데, 그 대문 앞을 지나칠 때면 먹고 싶단 생각이 들지 않을 수가 없었다. 사무실에는 항상 사모바르가 끓고 있어서 물건을 사러 온 사람들은 도넛과 차를 대접받았다. 부부는 일주일에 한번씩 목욕탕에 갔다가 나란히 얼굴이 빨개져서 돌아왔다.

"우린 별일 없이 잘 지내요." 올렌카는 지인들에게 이렇게 말하곤 했다. "신의 은총이죠. 바라옵건대 세상 사람들이 바시치카랑 나처럼 살 수 있게 해주소서."

---

* 밀가루 반죽 속에 고기, 생선, 야채 등 다양한 재료를 넣고 구워낸 러시아의 전통요리.

푸스토발로프가 목재 일로 모길렙스크현에 갈 때면 그녀는 남편을 몹시 그리워했고 매일 밤 우느라 잠을 이루지 못했다. 이따금 저녁에 별채에 세 들어 사는 젊은 군 수의사 스미르닌이 그녀를 방문했다. 그는 이런저런 이야기를 해주거나 그녀와 카드놀이를 했는데, 이것이 그녀에게 위안이 되었다. 특히 그의 가정사를 듣는 것이 재미있었다. 그는 결혼해서 아들이 있었는데 아내가 바람을 피워서 갈라섰으며, 지금은 옛날 아내를 미워하지만, 그녀에게 매달 아들 양육비로 40루블을 보내고 있다는 것이었다. 올렌카는 이런 얘기를 들으면서 탄식했고 고개를 저었다. 그리고 스미르닌을 가여워했다.

"그래도 신께서 당신을 구원하실 거예요." 그녀는 그와 헤어지면서 그렇게 말하곤 했으며, 양초를 들고 계단까지 그를 배웅했다. "적적한 시간을 같이 보내주셔서 감사해요. 바라옵건대 성모님께서 당신의 건강을 돌봐주시길……"

그녀는 남편을 본받아 항상 이렇게 차분하고 사려 깊게 말했다. 수의사는 이미 아래층 문밖으로 사라졌지만 그녀는 그의 이름을 부르며 말하곤 했다.

"저기 말이죠, 블라디미르 플라토니치, 부인과 화해하시는 게 좋겠어요. 아들을 위해서라도 부인을 용서하시는 게 어때요!…… 어린애라도 알 건 다 안다니까요."

푸스토발로프가 돌아오자, 그녀는 수의사와 그의 불행한 가정사에 대해 그에게 소곤소곤 들려주었다. 둘은 탄식하고 고개를 저으면서 아버지를 그리워하고 있을 아이에 대해 이야기했다. 그러다가 생각이 묘하게 이어지면서 둘은 성상 앞에 서서 머리를 조아리며 그들에게 아이를 보내주십사 기도드렸다.

푸스토발로프 내외는 그렇게 사랑과 화합 속에서 조용하고 평화롭게 육 년을 살았다. 그런데 어느 겨울날 바실리 안드레이치가 창고에서 뜨거운 차를 마시고는 털모자 없이 목재를 출고하러 나갔다가 감기에 걸려 앓아눕게 되었다. 최고의 의사들이 그를 치료했지만 병세는 악화되었고, 결국 그는 네 달을 앓다가 죽어버렸다. 그리하여 올렌카는 또다시 과부가 되었다.

"대체 누구에게 저를 버리고 가시려는 거예요, 여보?" 그녀는 남편의 장례를 치르고 통곡했다. "가련한 내 팔자야, 이제 당신 없이 어떻게 살라고요? 선량하신 분네들, 사고무친한 이 고아를 가엾게 여겨주세요……"

그녀는 상장喪章을 단 검은 옷을 입었고 모자나 장갑과는 영원히 인연을 끊었으며, 교회나 남편의 묘지에 갈 때를 빼고는 바깥출입을 하지 않고 수녀처럼 집에만 틀어박혔다. 그리고 딱 육 개월 뒤에 그녀는 상장을 떼어냈고 창의 덧문을 열어두기 시작했다. 이제는 아침에 그녀가 식모와 함께 찬거리를 사러 장에 가는 것을 간간이 볼 수 있었다. 하지만 지금 그녀가 자기 집에서 어떻게 지내고 있는지, 그 집에서 무슨 일이 벌어지고 있는지에 대해서 사람들은 그저 추측만 할 수 있을 뿐이었다. 사람들의 이런저런 상상을 부추기는 일들은 예를 들어, 그녀가 자기 집 정원에서 수의사와 함께 차를 마셨으며 그가 그녀에게 신문을 소리 내어 읽어주는 것을 보았다든가, 우체국에서 어떤 안면 있는 부인과 마주쳤을 때 그녀가 다음과 같은 얘기를 했다든가 하는 것들이었다.

"우리 시에는 제대로 된 수의과 감독 체계가 없어요. 그렇기 때문에 병이 자꾸 생겨나는 거예요. 얘기를 들어보면 사람들이 우유 때문에 병에 걸리기도 한다면서요. 말이나 암소에게서 감염이 되기도 하고요. 가축의 건강은 본래 사람의 건강을 돌보듯 해야 하는 거예요.”

그녀는 수의사의 생각을 그대로 말하고 있었고 모든 문제에서 그 사람과 똑같은 의견이었다. 사랑하는 상대가 없이는 한 해도 살 수 없는 그녀가 이제 자기 집 별채에서 새로운 행복을 찾아낸 것이 분명했다. 다른 사람이라면 이런 일로 손가락질당할지 몰라도 올렌카라면 누구도 나쁘게 생각하지 않았다. 그녀의 삶에서 벌어지는 일이라면 무엇이든 이해할 만한 것이었다. 그녀와 수의사는 자신들의 관계에서 일어난 변화에 대해 누구에게도 말하지 않고 숨기려 애썼지만 그 노력은 성공적이지 못했는데, 왜냐하면 올렌카의 집에서 비밀이란 있을 수 없었기 때문이다. 수의사에게 같은 부대에서 일하는 동료들이 손님으로 오면, 그녀는 그들에게 차를 내오고 저녁을 차려주면서 구제역이며 가축 결핵이며, 시市의 도축 체계 등에 대해 말하기 시작했고, 심히 당황한 수의사는 손님들이 떠난 뒤에 그녀의 팔을 잡고 짜증을 내곤 했다.

“당신이 모르는 일에 대해서는 얘기하지 말아달라고 부탁했잖아요! 우리 수의사들끼리 얘기할 때는 제발 좀 끼어들지 말라고요. 이거야 원, 지긋지긋해서 정말!”

그러면 그녀는 깜짝 놀라서 그를 바라보며 불안한 얼굴로 물어보곤 했다.

“발로디치카,* 그러면 나더러 무슨 얘기를 하라고요?!”

---

* 블라디미르(블라디미르 플라토니치 스미르닌)의 애칭.

그러면서 그녀는 눈물을 글썽이며 그를 껴안았고, 화내지 말아달라고 애원했다. 그러고 나면 둘은 다시 행복해졌다.

그러나 이 행복은 오래가지 않았다. 수의사가 부대와 함께 떠났기 때문이다. 그것도 영원히. 부대는 아주 먼 곳, 시베리아와 다를 바 없는 어딘가로 옮겨갔다. 그리고 올렌카는 다시 혼자 남았다.

이제 그녀는 완전히 혼자였다. 아버지는 이미 오래전에 돌아가셨고, 그가 앉았던 안락의자는 먼지투성이가 되어 다리가 하나 부러진 채로 다락방에서 굴러다녔다. 그녀는 여위고 볼품없어졌으며, 거리에서 마주치는 사람들은 이미 그녀를 예전처럼 바라보지도 않았고 미소를 짓지도 않았다. 최고의 날들은 지나가서 과거 속에 남겨진 것이 분명했으며, 이제 새로운 삶이 시작되고 있었지만 그것은 생각하지 않는 편이 차라리 더 나은 미지의 삶이었다. 저녁마다 올렌카가 현관 계단에 앉아 있으면 티볼리에서 음악이 울리고 폭죽 터지는 소리가 들렸지만 그것은 더이상 어떤 생각도 불러일으키지 않았다. 그녀는 아무런 생각도 아무런 의욕도 없이 텅 빈 앞마당을 멍하니 바라보았다. 그러다가 밤이 오면 자러 갔고, 꿈속에서도 텅 빈 앞마당을 보았다. 먹고 마시긴 했지만 마지못해 하는 일이었다.

무엇보다도 나쁜 것은 이제 그녀에게 어떤 의견도 없다는 점이었다. 그녀는 자기 주변의 사물들을 보았고 주변에서 일어나는 모든 일을 이해했지만, 어떤 것에 관해서도 의견을 정하지 못했으며 뭐라고 말해야 할지도 몰랐다. 아무런 의견도 없다니 얼마나 끔찍한가! 예를 들어 물병이 하나 놓여 있는 것을, 혹은 비가 오는 것을, 혹은 농부가 짐마차를 타고 가는 것을 보고 있다고 해보자. 하지만 이 물병이, 비가, 농부가 왜 존재하며 거기에 어떤 의미가 있는지 말할 수 없고, 심지어 천 루블을 준다고 해도 그에 대해 입도 벙긋할 수 없게 된 것이다. 쿠킨이 있었을 때나 푸스토발로프가 있었을 때 그리고 나중에 수의사가 있었을 때, 올렌카는 모든 것을 설명할 수 있었고 어떤 것에 대해서도 자기 의견을 말할 수 있었다. 지금은 그녀의 생각과 심장 속에 텅 빈 마당과 다름없는 공허가 자리를 잡고 있었다. 마치 쑥을 씹어 삼킨 것처럼 아리고 썼다.

도시는 차츰차츰 사방으로 확장되었다. 집시마을은 이제 거리 이름이 되었다. 놀이공원 티볼리와 목재 창고들이 있던 자리에는 주택가가 들어섰으며 여기저기 골목들이 생겨났다. 시간은 어찌나 빨리 흐르는지! 올렌카의 집은 거무죽죽하게 퇴색했고, 지붕은 녹슬었으며, 헛간이 기울고, 온 마당에는 잡초와 쐐기풀이 무성했다. 올렌카도 나이가 들고 볼품없어졌다. 그녀는 여름이면 현관 계단에 앉아 있었다. 그녀의 영혼은 예전처럼 텅 비고 권태에 찌들어 쑥냄새를 풍기고 있었다. 겨울에는 창가에 앉아 눈을 바라보았다. 봄바람이 산들 불기 시작하고 사원의 종소리가 바람결에 실려올 때면 문득 지난날의 추억들이 밀려들면서 심장이 감미롭게 조여들고 눈물이 펑펑 쏟아지곤 했다. 하지만 그런 건 한순간에 지나지 않았다. 그 자리엔 다시 공허가 들어섰다. 왜 사는지 알 수 없었다. 검은 고양이 브리스카가 몸을 비벼대며 부드럽게 그르렁거렸지만 고양이의 애교도 올렌카의 마음을 움직이지는 못했다. 필요한 건 이런 게 아니었다. 그녀에게 필요한 것은 그녀의 전 존재를, 영혼과 이성을 통째로 사로잡고 그녀에게 생각과 삶의 방향을 제시해줄 그런 사랑, 늙어가는 피를 덥혀줄 그런 사랑이었다. 그녀는 검은 고양이

브리스카를 옷자락에서 떨쳐내며 짜증 섞인 목소리로 말하곤 했다.

"저리 가, 저리…… 귀찮게시리!"

그렇게 하루하루가 가고 해가 바뀌어갔다. 아무런 기쁨도 아무런 의견도 없었다. 식모 마브라가 뭐든 얘기하면 그냥 그렇게 하도록 내버려두었다.

7월의 어느 더운 날 저녁 무렵, 사람들이 가축떼를 몰고 거리를 지나가는 바람에 마당이 먼지구름으로 가득차 있는데, 갑자기 누군가가 마당의 쪽문을 두드렸다. 올렌카는 손수 문을 열러 나갔다가 눈앞의 광경을 보고 정신이 아득해졌다. 문 너머에는 머리가 하얗게 센 수의사 스미르닌이 사복 차림으로 서 있었던 것이다. 온갖 추억이 갑자기 밀려들면서 그녀는 걷잡을 수 없이 눈물을 터뜨렸고 아무 말 없이 그의 가슴에 얼굴을 묻었다. 너무 심하게 흥분한 탓에 둘이서 어떻게 집으로 들어왔는지, 어떻게 앉고 차를 마셨는지도 모를 지경이었다.

"내 사랑!" 그녀가 기쁨에 떨며 더듬거렸다. "블라디미르 플라토니치! 대체 어디 있다 온 거예요?"

"여기에 아주 눌러살 생각이에요." 그가 말했다. "전역했어요. 제 운을 시험해보려고 이렇게 왔습니다. 정착해서 살아보려고요. 아들도 이제는 김나지움에 보낼 나이고 해서요. 다 컸죠. 저, 아시는지 모르겠지만, 아내와는 화해했습니다."

"그럼 부인은 어디에 계세요?" 올렌카가 물었다.

"아들이랑 호텔에 있습니다. 저는 이렇게 집을 구하러 다니는 중이고요."

"아이고, 하느님, 그럼 우리집으로 오셔야죠! 우리집이 어때서요? 오,

하느님, 물론 당신께는 아무것도 받지 않을게요." 올렌카는 흥분해서 다시 울음을 터뜨렸다. "여기 사세요, 저는 별채면 충분해요. 하느님, 이렇게 기쁠 수가!"

다음날 당장 지붕을 칠하고 벽에도 회칠을 새로 했다. 올렌카는 양손을 허리에 짚고 마당을 돌아다니며 지시를 내렸다. 그녀의 얼굴에는 예전처럼 미소가 빛나기 시작했으며, 완전히 원기를 되찾아 혈색도 좋아졌다. 마치 긴 잠에서 깨어난 사람 같았다. 수의사의 아내가 도착했는데, 그녀는 짧은 머리에 까탈스러운 표정을 한 깡마르고 못생긴 여자였다. 그녀와 함께 온 사샤라는 소년은 (벌써 열 살이나 먹었지만) 나이에 맞지 않게 키가 작고 뚱뚱했으며 짙푸른 눈동자에다 양볼에는 보조개가 있었다. 소년은 마당에 발을 들여놓자마자 고양이 뒤를 쫓아갔다. 곧이어 소년의 명랑하고 기쁨에 찬 웃음소리가 울렸다.

"아주머니, 얘 아주머니 고양이예요?" 그가 올렌카에게 물었다. "고양이가 새끼를 낳으면, 꼭 저희 집에 한 마리만 주세요. 엄마가 쥐를 굉장히 무서워하거든요."

올렌카는 소년과 이야기를 나누고 차를 내주었다. 가슴속에서 그녀의 심장이 갑자기 온기를 띠며 감미롭게 조여들었다. 이 소년이 마치 친자식인 것만 같았다. 저녁에 아이가 식당에 앉아 복습을 할 때면 그녀는 감탄하며 애틋하게 지켜보다가 속삭였다.

"우리 재롱둥이, 이쁜 것…… 우리 아기, 어쩌면 이리 똑똑하고 어쩌면 이리도 뽀얄까."

"사방이 물로 둘러싸인 육지를," 아이가 읽었다. "섬이라고 한다."

"사방이 물로 둘러싸인 육지를 섬이라고 한다……" 그녀가 따라 했다. 그것은 오랜 세월 동안 아무런 생각도 안 하며 침묵 속에서 지내던 그녀가 확신에 차서 입 밖에 꺼낸 첫번째 생각이었다.

그리하여 이제 자기 생각을 갖게 된 그녀는, 사샤의 부모와 저녁을 먹는 자리에서 요즘 김나지움에 다니는 아이들이 공부하느라 힘들다고, 그래도 고전교육이 실업교육보다 낫다고 말하곤 했다. 왜냐하면 김나지움을 마친 뒤에는 어디로든 진출할 수 있는 길이 열리기 때문이다. 원한다면 의사가 될 수도 있고, 원한다면 기술자가 될 수도 있다.

사샤가 김나지움에 다니기 시작했다. 소년의 어머니는 하르키우에 있는 자매를 보러 가서는 돌아오지 않았다. 소년의 아버지는 매일 어딘가로 가축떼를 진찰하러 갔는데 사흘이나 집에 들어오지 않는 경우도 있었다. 올렌카가 보기에 사샤는 완전히 팽개쳐진 아이였다. 소년은 집에서 내놓은 식구였고 굶주림으로 죽어가는 것처럼 보였다. 그녀는 소년을 자기가 살고 있는 별채로 데려와 작은방에서 살도록 했다.

그렇게 사샤가 별채에서 살게 된 지 반년이 흘렀다. 매일 아침 올렌카는 그의 방에 들어간다. 아이는 볼에 손을 괴고 숨소리도 없이 곤히 자고 있다. 가여워서 차마 깨울 수가 없다.

"사센카," 그녀가 안타깝게 부른다. "애야, 일어나려무나! 학교 갈 시간이야."

아이는 일어나서 옷을 입고 기도를 드린 다음 앉아서 차를 마신다. 차를 석 잔 마시고 커다란 도넛을 두 개, 버터 바른 바게트를 반 개 먹는다. 잠이 덜 깬 아이는 여전히 비몽사몽이다.

"사센카야, 너 우화를 다 못 외웠잖니." 마치 먼길을 떠나보내는 듯한 시선으로 아이를 바라보면서 올렌카가 말한다. "네가 걱정이구나. 열심히 공부해라, 얘야…… 선생님 말씀 잘 듣고.”

“좀 그만하세요. 제발!” 사샤가 말한다.

그러고 나서 아이는 학교 쪽으로 길을 나선다. 작은 키에 어울리지 않는 커다란 학생모를 쓰고 등에는 책가방을 멨다. 올렌카가 소리 없이 아이 뒤를 쫓는다.

“사센카― 아!” 그녀가 큰 소리로 부른다.

아이가 뒤돌아보면 그녀는 아이의 손에 대추야자나 캐러멜을 쥐여 준다. 학교 앞길에 들어섰는데도 여전히 키가 크고 뚱뚱한 여자가 자기 뒤를 따라오고 있어서 아이는 창피하다. 아이가 돌아보며 말한다.

“아주머니, 집에 가세요, 이제 혼자 갈게요.”

그녀는 멈춰 서서 아이가 교문 안쪽으로 사라질 때까지 눈도 깜빡이지 않고 뒷모습을 바라본다. 오, 그녀가 어찌나 그애를 사랑하는지! 그녀는 여태껏 어떤 상대에게도 이처럼 깊은 애착을 느껴본 적이 없었다. 그녀의 영혼이 지금처럼 헌신적으로, 사심 없이, 기쁘게 굴복했던 적은 없었다. 그녀의 마음속에서 모성애가 점점 더 뜨겁게 타오르고 있었다. 남의 식구인 이 소년을 위해, 그의 볼에 팬 보조개를 위해, 학생모를 위해 그녀는 자신의 전 생애를 바칠 수 있을 것 같았다. 그것도 기쁨에 차서 감동의 눈물을 흘리며 그럴 수 있을 것 같았다. 왜냐고? 그 이유를 누가 알겠는가?

학교까지 사샤를 배웅하고 나서 그녀는 집으로 조용히 돌아온다. 만족스럽고 평온한 모습으로, 애정이 충만한 모습으로. 지난 반년 사이에 한결 젊어진 그녀의 얼굴은 미소 속에서 반짝인다. 길에서 마주치는 사람들은 그녀의 얼굴을 보고 기분이 좋아져 이렇게 말을 건다.

"안녕하세요, 귀염둥이 올가 세묘노브나! 어떻게 지내세요, 귀염둥이 씨?"

"요즘 김나지움 학생들 공부가 어려워졌어요." 그녀는 시장 사람들에게 이야기한다. "어제는 1학년짜리한테 우화를 외워 오라고 숙제를 내줬다니까요. 말이 되나요? 그것도 라틴어로 말이에요. 그게 숙제라니…… 어린애한테 그런 걸 하라뇨?"

그리고 그녀는 선생님과 수업과 교과서에 대해 사샤가 말한 그대로 말하기 시작한다.

두시에는 함께 점심을 먹고 저녁에는 함께 숙제하며 진땀을 흘린다. 그녀는 아이를 침대에 눕히면서 오랫동안 성호를 그어주고, 기도문을 속삭인다. 그러고는 잠자리에 누워 미지의 먼 미래의 일에 대해 공상한다. 사샤가 학업을 마치고 의사나 기술자가 되면 큰 집과 말과 사륜마차를 갖게 되겠지. 결혼해서 아이들을 낳겠지…… 그녀는 잠에 빠져들면서도 내내 그 생각들을 한다. 감은 두 눈에서 눈물이 나와 볼을 타고 흘러내린다. 그러면 검은 고양이가 그녀 옆에 엎드려 그르렁거린다.

"그르렁……그르렁……그르렁……"

갑자기 마당 쪽문을 세게 두드리는 소리가 들린다. 잠에서 깬 올렌카는 두려움에 숨도 못 쉴 지경이다. 심장이 쿵쾅거린다. 잠시 후 다시 문을 두드리는 소리가 들린다.

'하르키우에서 전보가 온 거야.' 그런 생각이 들자 온몸이 떨리기 시작한다. '애엄마가 사샤를 하르키우로 부르는 거야…… 오, 하느님!'

그녀는 절망에 빠진다. 머리와 팔다리가 차가워진다. 세상에서 자기보다 불행한 사람은 없는 것 같다. 하지만 몇 분이 흐르고, 말소리가 들린다. 수의사가 클럽에서 집으로 돌아온 것이다.

'정말 다행이야.' 그녀는 생각한다.

조여들었던 심장이 조금씩 풀어지면서 다시 편안해진다. 그녀는 누워서 사샤에 대해 생각한다. 옆방에서 곤히 잠든 사샤는 이따금 잠꼬대를 한다.

"너, 정말! 저리 가! 때리지 마!"

(1899)

강아지를 데리고 다니는 여인

1

해변에 새로운 인물이 나타났다는 얘기가 돌았다. 강아지를 데리고 다니는 여인이라고 했다. 얄타에서 이미 두 주일을 보낸 터라 이곳에 심드렁해진 드미트리 드미트로비치 구로프 또한 새로운 인물들에게 관심을 가지기 시작한 참이었다. 베르네 식당의 정자에 앉아 있던 구로프는 크지 않은 키에 베레모를 쓴 젊은 금발 여인이 해변길을 걸어가는 모습을 보았다. 여인의 뒤로는 하얀 스피츠 한 마리가 따라가고 있었다.

그뒤에도 구로프는 시립공원이나 광장에서 하루에도 몇 번씩 그 여인과 마주쳤다. 여인은 항상 똑같은 베레모를 쓴 채로 하얀 스피츠를 데리고 혼자 산책하고 있었다. 이 여인이 누군지 아무도 몰랐기에 사람들은 그냥 '강아지를 데리고 다니는 여인'이라고 불렀다.

'이 여자가 남편이나 지인 없이 여기 와 있는 거라면 알고 지내서 나쁠 건 없겠지.' 구로프는 그렇게 생각했다.

구로프는 마흔 살이 채 안 됐는데도 벌써 열두 살 난 딸과 김나지움에 다니는 두 아들을 두고 있었다. 집안에서는 대학 2학년일 때 일찌감치 그를 결혼시켰는데, 그 부인이 지금은 구로프보다 스무 살은 더 나이들어 보였다. 부인은 큰 키에 짙은 눈썹을 가진 깐깐하고 거만하고 근엄한, 그리고 그녀 자신의 표현에 따르면 사색적인 여자였다. 그녀는 상당한 독서가로서 편지에 글을 쓸 때 'ъ' 부호를 쓰지 않았으며 남편을 부를 때는 드미트리가 아니라 디미트리라고 불렀다.* 하지만 구로프는 내심 그녀를 어리석고 앞뒤가 꽉 막힌 매력 없는 여자라 여기고 경원하면서 바깥으로 나돌았다. 구로프가 바람을 피우기 시작한 지는 벌써 오래되었으며 그것도 자주 피웠는데, 아마도 그래서 그런지 여자들에 대해 항상 멸시하는 태도를 내비치곤 했다. 그가 있는 자리에서 사람들이 여자 얘기를 할 때면 그는 여자들을 이렇게 표현했다.

"저급한 종족이야!"

자기로서는 충분히 쓰라린 경험을 거친 만큼 여자들을 그렇게 멋대로 불러도 된다고 생각했지만, 그래 봐야 구로프는 이 '저급한 종족' 없이는 단 이틀도 살 수가 없었다. 남자들만의 모임에서 구로프는 따분해하고 거북해했으며 대화도 거의 나누지 않고 뚱해 있었지만, 여자들과

---

* 러시아어에서 단어 끝음절이 경자음으로 끝나는 것을 표시해주던 부호 'ъ'는 19세기 말부터 점점 쓰이지 않게 되었다. 구로프의 아내가 'ъ'를 쓰지 않았다는 것은 그녀가 새로운 정서법을 따르는 신식 여성으로 보이고 싶어한다는 의미다. 반면에 디미트리는 드미트리라는 이름의 옛날식 발음이다.

있을 때는 자유로운 기분을 느끼며 이들과 무슨 이야기를 나누어야 할지 그리고 어떻게 처신해야 할지를 알았고, 심지어 말없이 가만히 있어도 편안하다고 느낄 정도였다. 그의 외모며 성격, 그의 천성 전체에는 사람의 마음을 끄는 미묘한 뭔가가 있어서 그것이 여자들을 그에게 이끌고 불러들였다. 구로프 스스로도 그것을 알고 있었으며, 또한 어떤 알 수 없는 힘이 그 자신을 여자들에게로 이끌곤 했다.

여러 번의 쓰라린 체험을 통해 그는 오래전에 이미 알고 있었다. 점잖은 사람들, 특히 쉽사리 흥분하지 않는 우유부단한 모스크바 사람들 사이에서 이루어지는 모든 만남은, 처음에는 생활에 즐거운 활기를 불어넣어주는 달콤하고 가벼운 모험으로 시작되지만, 이내 지극히 복잡한 골칫거리로 자라날 수밖에 없으며, 그러다 결국에는 곤혹스러운 상황으로 귀결된다는 것이다. 그러나 새로이 흥미로운 여성과 만날 때마다 과거의 경험은 어쩐 일인지 기억으로부터 미끄러져 나가버리고, 다시 살고픈 욕망이 솟아나면서 모든 것이 단순하고 재미있게 여겨지는 것이었다.

그러던 어느 날 저녁 무렵 구로프가 공원에서 식사하고 있는데, 베레모를 쓴 그 여인이 차분한 걸음으로 다가오더니 옆 테이블에 앉았다. 표정과 걸음걸이, 옷차림이며 머리 모양은 그녀가 상류계급 출신이며, 결혼한 몸이라는 것을 말해주고 있었다. 또한 얄타가 처음이고 혼자 왔으며, 여기서 지루해하고 있다는 것까지도…… 이 지방의 문란한 풍속에 관한 이야기들 속에는 허황된 내용이 많았는데, 구로프는 그런 이야기들을 경멸했으며 또한 그런 이야기들 대부분은 할 수만 있다면 기꺼이 부정을 저지를 인간들이 지어낸 것임을 알고 있었다. 하지만 여인이 그에게서 불과 세 발짝 떨어진 옆 테이블에 앉자, 손쉬운 유혹이니 낭만적인 산행이니 하는 이야기들이 떠올랐다. 그러면서 한순간 스쳐지나가는 관계라든가, 이름도 성도 모르는 미지의 여인과의 로맨스에 대한 짜릿한 상상이 별안간 그를 사로잡았다.

그는 스피츠에게 자기 쪽으로 오라고 다정하게 손짓하고는, 강아지가 다가오자 손가락으로 으르는 시늉을 했다. 스피츠가 으르렁거리기 시작하자 구로프는 다시 을렀다.

여인은 그를 바라보더니 곧바로 눈을 내리깔았다.

"물지 않아요." 이렇게 말하고 나서 그녀는 얼굴을 붉혔다.

"뼈를 줘도 되겠습니까?" 그녀가 긍정의 뜻으로 고개를 끄덕이자, 그가 상냥하게 물었다. "얄타에 오신 지 오래되셨습니까?"

"닷새 됐어요."

"저는 여기서 벌써 두 주째 시간을 보내고 있습니다."

둘은 잠시 말이 없었다.

"시간은 빨리 가는데 여긴 참 무료하네요!" 그녀는 그에게 눈길을 주지 않은 채로 말했다.

"너 나 할 것 없이 여기가 무료하다고들 하지요. 벨료프나 지즈드라* 같은 곳에 살면서도 무료함이라곤 모르는 채로 잘 지내던 사람이 여기만 오면 이렇게 말합니다. '아, 지루해! 아, 이 먼지!' 누가 들으면 그라나다에서 살다 온 줄 알겠다니까요."

그녀가 웃음을 터뜨렸다. 이후 그들은 서로 모르는 사람들처럼 말없

---

* 러시아 중부의 툴라현과 칼루시스크현에 있는 지방 소도시들.

이 식사를 계속했다. 하지만 식사를 마치고 함께 식당을 나온 뒤에는 어디를 가든 또 무슨 이야기를 하든 상관없는, 자유롭고 여유로운 사람들의 장난스럽고 가벼운 대화가 시작되었다. 그들은 산책하면서 기묘한 빛으로 반짝이는 바다에 대해 이야기했다. 부드럽고 따뜻한 라일락 색깔의 물 위로 달빛이 황금색 띠를 드리우고 있었다. 그들은 뜨거운 낮시간이 지난 후에도 여전히 후텁지근한 날씨에 대해 이야기했다. 구로프는 자신이 모스크바 사람이고, 문학을 전공했지만 은행에서 일한다고 이야기했다. 또 한때는 사설 오페라단에서 가수로 자리를 잡을까 하는 생각도 했지만 그만두었고, 모스크바에 집이 두 채 있다고도 했다…… 그녀로부터 그가 알아낸 것은, 그녀가 페테르부르크에서 자랐는데, 이 년 전 S시로 시집가서 살게 되었고, 얄타에는 한 달 정도 머물 계획이라는 것, 그리고 역시 이곳에서 휴가를 보내고 싶어하는 남편이 그녀의 뒤를 따라올지도 모른다는 것이었다. 그녀는 남편이 어디에서 일하는지를 도무지 제대로 설명할 수 없었는데, 아마도 현청이나 현의 지방자치회일 거라고 했고, 이런 자신을 본인도 우스워했다. 구로프는 그녀의 이름이 안나 세르게예브나라는 것도 알아냈다.

나중에 구로프는 자기 방에서 그녀에 대해 생각하며, 그녀가 내일 자신과 마주치게 되리라고 예상했다. 틀림없이 그럴 것이다. 자리에 누우면서 그는, 그녀가 바로 얼마 전까지만 해도 현재의 자신의 딸과 마찬가지로 학생이었다는 사실을 떠올렸으며, 또한 처음 보는 자신과 대화하고 웃으면서도 여전히 무척 겁을 내고 어색해했던 것을 상기했다. 그녀는 누군가가 자기 뒤를 따라와서 자기를 바라보며, 나중에는 그녀도 어차피 알아차리게 될 오직 한 가지 은밀한 목적을 이루기 위해 말을 거는 이런 상황에 난생처음 홀로 놓이게 된 것이 분명했다. 구로프는 그녀의 가늘고 연약한 목과 아름다운 회색 눈동자를 떠올렸다.

'어쨌든 그녀에게는 애틋한 무언가가 있어.' 이렇게 생각하고 그는 잠들었다.

2

서로 알게 된 지 한 주가 흘렀다. 휴일이었다. 방안은 무더웠으며, 거리에는 먼지바람이 회오리쳤고, 벗겨진 모자가 굴러다녔다. 온종일 목이 말랐다. 구로프는 몇 차례나 식당에 들러 안나 세르게예브나에게 시럽을 탄 물이며 아이스크림을 권했다. 더위로부터 숨을 곳이 없었다.

저녁에 바람이 좀 잦아들자, 그들은 방파제로 나가 기선이 들어오는 것을 구경했다. 부두는 산책객들로 붐볐고, 꽃다발을 들고 누군가를 마중나온 사람들이 모여 있었다. 여기서 화려한 얄타 사람들의 특징 두 가지가 확연하게 눈에 들어왔는데, 그것은 중년 부인들이 젊은 여자처럼 옷을 입고 있다는 점과, 장군들이 많다는 점이었다.

바다에 파도가 심해서 기선이 늦게 들어왔는데, 그때는 이미 해가 진 뒤였다. 배는 부두에 닿기까지 한참 동안 우왕좌왕했다. 안나 세르게예브나는 아는 사람이라도 찾으려는 듯 오페라글라스로 승객들과 기선을 살펴봤다. 구로프 쪽으로 몸을 돌렸을 때 그녀의 눈은 빛나고 있었다. 그녀는 말을 많이 했고 단속적으로 질문을 쏟아냈으며, 자신이 무엇에 대해 물었는지는 곧 잊어버렸다. 그러다가 군중 속에서 오페라글라스를 잃어버렸다.

화려한 복장의 군중은 흩어졌고, 더이상 아무도 보이지 않게 되었다. 바람이 완전히 잦아들었다. 구로프와 안나 세르게예브나는 마치 기선에서 더 내릴 사람이 없는지 기다리는 것처럼 서 있었다. 안나 세르게예브나는 구로프 쪽에는 눈길을 주지 않은 채 말없이 꽃향기를 맡고 있었다.

"저녁이 되니 날씨가 좀 좋아졌네요." 구로프가 말했다. "우리 이제 어디로 갈까요? 마차를 타고 어디로든 가볼까요?"

그녀는 아무런 대답도 하지 않았다.

그때 그가 그녀를 뚫어지게 바라보다가 갑자기 그녀를 안고 입을 맞췄다. 촉촉한 꽃향기가 그를 감쌌다. 이내 그가 흠칫하며 주위를 둘러보았다. 누가 본 건 아닐까?

"당신 숙소로 갑시다⋯⋯" 그가 낮은 소리로 말했다.

그리고 둘은 서둘러 자리를 떴다.

그녀의 방은 무더웠고, 그녀가 일본 상점에서 산 향수 냄새가 났다. 구로프는 그녀를 바라보면서 생각했다. '살다보니 이런 만남도 있군!' 그는 과거의 여자들에 대한 기억을 간직하고 있었다. 한편에는, 비록 아주 짧은 기간이었지만 자신을 행복하게 해준 그에게 감사하며 사랑을 즐기던, 대범하고 온화한 여자들이 있었다. 그런가 하면 그의 아내처럼 진심 없는 사랑을 하면서 지나치게 말이 많고, 가식적이며, 히스테리를 부리고, 그들이 나눈 건 사랑도 열정도 아닌 그보다 더 중요한 어떤 것이라는 듯한 표정을 짓는 여자들도 있었다. 또한 무척 아름답고 냉담한 두세 명의 여자 얼굴에서 갑자기 어떤 야수 같은 표정, 인생이 자신에게 줄 수 있는 것보다 더 많은 것을 얻어내고야 말겠다는 집착이 어른거렸던 것을 그는 기억한다. 그들은 더이상 한창때의 청춘이 아니었으며, 변덕스럽고 무분별하고 거만하고 어리석은 여자들이었다. 그 여자들에 대한 구로프의 마음이 식었을 때 그들의 미모는 그에게 증오를 불러일으켰으며 그들의 속옷에 달린 레이스는 마치 생선 비늘처럼 보였다.

하지만 지금 여기에 있는 것은 미숙한 청춘의 망설임과 서투름, 어색한 감정이었다. 그녀는 마치 누군가가 갑자기 문을 두드리기라도 한듯 당황한 모습이었다. 안나 세르게예브나, 이 '강아지를 데리고 다니는 여인'은 자신에게 일어난 일을 마치 타락한 여인이라도 된 것처럼 뭔가 엄중하게, 대단히 심각한 태도로 받아들이고 있는 것이다. 그에게는 그렇게 보였다. 그리고 그것은 낯설고 엉뚱한 광경이었다. 그녀의 자태는 기력을 잃고 시들어버렸으며, 얼굴 양옆으로 긴 머리채가 슬프게 늘어져 있었다. 그녀는 꼭 옛날 그림 속의 죄지은 여인*처럼 침울한 자세로 생각에 잠겨 있었다.

"나빠요." 그녀가 말했다. "이제 당신은 세상에서 저를 가장 존중하지 않는 남자가 됐어요."

객실의 탁자 위에는 수박이 놓여 있었다. 구로프는 그것을 한 조각 잘라서 천천히 먹기 시작했다. 침묵 속에서 적어도 삼십 분이 흘렀다.

안나 세르게예브나는 구로프의 심금을 건드렸다. 그녀에게는 정숙하고 소박한, 세상의 때가 묻지 않은 여자의 순수함이 깃들어 있었

---

* 막달라 마리아를 묘사한 그림을 가리킨다. 르네상스시대부터 수많은 화가가 그린 주제였기 때문에 그 이미지가 대중들에게 널리 알려져 있었다.

다. 탁자 위에서 쓸쓸히 타고 있는 촛불 하나가 그녀의 얼굴을 희미하게 비추고 있었지만, 그녀가 무척 괴로워한다는 것은 분명히 알 수 있었다.

"내가 당신을 존중하지 않을 이유가 어디 있겠어?" 구로프가 물었다. "자기가 무슨 말을 하는지 스스로도 모르는군."

"하느님 절 용서하세요!" 그녀가 눈물을 가득 머금고 말했다. "이건 끔찍한 일이에요."

"마치 변명이라도 하려는 것 같군."

"제가 어떻게 변명할 수 있나요? 저는 미천하고 부정한 여자예요. 저는 저 자신을 경멸하기에 변명할 생각도 없어요. 저는 남편을 속인 게 아니라 자신을 속인 거예요. 게다가 지금뿐만이 아니라 이미 오래전부터 속이고 있었던 거예요. 남편은 정직하고 선량한 사람인지는 몰라도, 그래 봐야 하인인걸! 저는 그이가 거기서 뭘 하는지, 어떻게 근무하는지는 모르지만 그 사람이 하인이라는 사실만은 알아요. 그이와 결혼했을 때, 저는 스무 살이었어요. 저는 호기심에 목말라 있었고 뭔가 더 나은 것을 원했죠. 스스로에게 말했어요. '다른 삶이 있을 거야'라고. 살고 싶었으니까! 제대로 살고 싶었으니까…… 호기심이 저를 불태웠어요…… 당신은 이걸 이해하지 못하시겠지만, 신께 맹세컨대 저는 더이상 저 자신을 통제할 수 없었어요. 제 안에서 무슨 일이 일어나버렸고, 더이상은 스스로를 붙들어 맬 수 없었어요. 그래서 남편에게 몸이 아프다고 말해버리고 여기로 온 거예요…… 그리고 여기서 마치 열에 들뜬 여자처럼, 미친 여자처럼 마냥 돌아다닌 거죠…… 그리고 전 이렇게 모두가 경멸할 만한 저속하고 헤픈 여자가 되고 말았어요."

구로프는 이미 듣고 있기가 지루해졌다. 그녀의 순진한 말투는 그를 진저리나게 만들고 있었다. 이런 참회는 너무나 뜻밖이었고 상황에 어울리지 않는 것이었다. 그녀의 눈에 눈물이 맺히지만 않았더라면 그녀가 농담을 하거나 연기하고 있는 거라고 생각했을지도 몰랐다.

"이해가 안 돼." 그가 조용히 말했다. "도대체 뭘 원하는 거지?"

그녀는 그의 가슴에 얼굴을 묻고 그에게 기댔다.

"믿어주세요, 제발 저를 믿어주세요……" 그녀가 말했다. "저는 정직하고 순결한 삶이 좋았어요. 불륜은 추악한 것이라고 여겼고요. 제가 뭘 하고 있는지 저도 모르겠어요. 농부들이 그런 말을 하죠. 마귀에 씌었다고. 저도 지금 마귀에 씐 건 아닌지 모르겠어요."

"그만해요, 그만……" 그가 중얼거렸다.

그는 그녀의 움직임 없는 겁먹은 눈동자를 바라보았다. 그녀에게 입을 맞추며 나지막한 목소리로 달래주었다. 그러자 그녀는 조금 진정되면서 이내 명랑함을 되찾았다. 둘은 웃기 시작했다.

나중에 그들이 밖으로 나왔을 때는 해변에 아무도 없었고, 사이프러스나무들이 늘어서 있는 도시는 완전히 죽은 듯한 모습이었다. 그러나 바다는 여전히 찰랑거리며 해변에 부딪히고 있었다. 작은 보트 한 척이 파도 위에서 흔들거렸고, 배 위의 등불이 졸린 듯 깜빡였다.

그들은 마차를 잡아 오레안다*로 갔다.

"방금 호텔 현관에서 당신 성을 알았어. 투숙객 명패에 폰 디데리츠라고 적혀 있던데." 구로프가 말했다. "남편이 독일 사람인가?"

---

* 얄타에서 서남쪽으로 6킬로미터 정도 떨어진 해안도시. 러시아 황제의 여름 휴양지였다.

"아니에요. 그 사람 할아버지가 독일인이었나봐요. 하지만 남편은 정교도예요."

오레안다에서 그들은 교회로부터 얼마 떨어지지 않은 벤치에 앉아 말없이 바다를 내려다보았다. 얄타는 새벽안개 사이로 보일 듯 말 듯 했고, 산꼭대기에는 흰구름들이 멈춰 서 있었다. 나뭇잎들은 미동도 하지 않았고, 매미들이 울고 있었다. 아래쪽에서 들려오는 단조롭고 아득한 바다의 소리는 우리를 기다리고 있는 안식과 영원한 잠에 대해 이야기해주고 있었다. 저 아래 있는 바다의 소리는 이곳에 아직 얄타나 오레안다가 없었던 때에도 그렇게 울리고 있었고, 지금도 이렇게 울리고 있으며, 훗날 우리가 존재하지 않게 될 때에도 마찬가지로 이렇게 무심하고 아득하게 울리고 있을 것이다. 어쩌면 바로 이 영속성 속에, 우리 모두의 삶과 죽음에 대한 이 완전한 무관심 속에, 인간의 영원한 구원에 대한 약속이, 지상의 생명들의 끊임없는 운동과 끊임없는 완성에 대한 약속이 숨겨져 있을지도 모른다. 여명 속에서 너무도 아름다워 보이는 젊은 여인과 나란히 앉아, 바다와 산과 구름과 광활한 하늘이 만들어내는 환상적인 풍경들에 매혹되고 마음이 평온해진 구로프는 이렇게 생각했다. 곰곰이 생각해본다면 본질적으로는, 이 세상의 모든 것이 아름다운 것이다. 존재의 고귀한 목적과 자신의 인간적 가치를 망각한 채 우리가 생각하고 행하는 것들을 제외한다면 모든 것이 아름답다.

경비원으로 짐작되는 어떤 남자가 다가와서 그들을 바라보더니 가버렸다. 이런 사소한 일까지도 참으로 신비스럽고 멋진 일처럼 여겨졌다. 이미 등불을 끈 기선이 새벽의 여명으로 조명을 대신하며 페오도시야*로부터 오는 것이 보였다.

"풀에 이슬이 맺혔어요." 침묵 끝에 안나 세르게예브나가 말했다.

"그래요. 집에 갈 시간이 됐네."

그들은 시내로 돌아왔다.

그뒤로 두 사람은 매일 정오에 해변에서 만나 함께 식사하고 산책하며 바다를 만끽했다. 그녀는 잠을 잘 못 자고 심장이 불안하게 뛴다며 불평했다. 그리고 때로는 질투로 때로는 두려움으로 애를 태우면서 늘 똑같은 문제로 그를 다그쳤다. 그가 그녀를 충분히 존중하지 않는다는 것이었다. 그는 광장이나 공원에서 주변에 아무도 없을 때면 갑자기 그녀를 자기 쪽으로 끌어당겨 열정적으로 입을 맞추곤 했다. 완벽한 휴식 상태, 누가 볼까 두려워 주위를 살피며 백주 대낮에 하는 입맞춤, 더위, 바다 냄새, 끊임없이 눈앞에서 어른거리는 화려한 옷차림의 배부른 유흥객들. 이런 것들이 그를 다른 사람으로 만들어놓은 것 같았다. 그는 안나 세르게예브나에게 그녀가 너무나 예쁘고 매혹적이라고 말하며 갈급하게 정욕을 불태웠고, 그녀에게서 한 발짝도 떨어지려 하지 않았다. 한편 그녀는 자주 생각에 잠기곤 했다. 그러면서 그가 자기를 존중하지 않고, 조금도 사랑하지 않으며, 자기를 저속한 여자로 보고 있을 뿐이라는 사실을 인정하라며 그를 다그치곤 했다. 거의 매일 그들은 늦은 저녁에 시내를 벗어나 오레안다나 폭포 같은 곳으로 나갔는데, 그런 나들이는 항상 성공적이어서 매번 아름답고 장엄한 인상을 안겨주었다.

---

* 우크라이나 크림반도 남안에 위치한 항구이자 휴양도시.

그들은 남편이 오기를 기다렸다. 그런데 남편에게서, 눈병이 났으니 급히 집으로 돌아와달라고 부탁하는 편지가 왔다. 안나 세르게예브나는 떠날 채비를 서둘렀다.

"제가 떠나는 건 잘된 일이에요." 그녀가 구로프에게 말했다. "이게 제 운명이에요."

그녀는 마차를 타고 떠났고 그도 그녀를 배웅하기 위해 함께 갔다. 마차는 하루를 꼬박 달렸다. 급행열차의 객실에 앉고 나서 출발을 알리는 두번째 경적이 울렸을 때 그녀가 말했다.

"한 번만 더 당신을 보게 해주세요…… 한 번만 더 볼게요. 네, 그렇게요."

그녀는 울지 않았지만 마치 병자처럼 수심에 잠겨 있었으며 얼굴이 떨고 있었다.

"당신 생각을 할 거예요…… 당신을 기억할게요." 그녀가 말했다. "신의 가호가 당신과 함께하기를, 아직 가지 말아요. 절 나쁘게 기억하지 말아주세요. 우리는 영원히 헤어지는 거예요. 그래야만 해요. 우린 결코 만나지 말았어야 했으니까요. 자, 신께서 함께하시기를."

기차는 빠르게 떠나갔고 그 불빛도 곧 사라졌다. 그리고 잠시 후에는 이미 아무런 소리도 들리지 않았다. 마치 모든 것이 이 달콤한 무아경과 광기를 서둘러 끝마치도록 일부러 공모라도 한 것 같았다. 구로프는 플랫폼에 홀로 남아 어둠 저편의 먼 곳을 바라보면서 마치 방금 잠에서 깬 듯한 기분으로 귀뚜라미 울음소리와 전신줄이 웅웅거리는 소리를 듣고 있었다. 그리고 생각했다. 그의 인생에서 또 한번의 사건 혹은 모험이 있었으며, 그 또한 이미 끝나버려서 이제는 추억으로 남게 되었다는 것을…… 그는 가슴이 저렸다. 그리고 울적한 기분과 가벼운 회한을 느꼈다. 앞으로 다시는 보지 못하게 될 이 젊은 여인은 그와 함께 있는 동안 행복하지 않았다. 그는 그녀에게 진심을 담아 상냥하게 대했지만, 그럼에도 불구하고 그녀를 대하는 그의 태도며 말투며 손길에는 가벼운 조롱의 그림자가, 그리고 행운을 얻은 사나이의 거친 오만함의 그림자가 드리워져 있었다. 게다가 이 행운아는 그녀보다 거의 두 배나 나이가 많지 않은가. 그녀는 항상 그를 선량하고 비범하고 고상한 사람이라고 불렀다. 분명히 그는 그녀에게 실제와 다르게 비친 것이다. 그는 자기도 모르게 그녀를 기만했던 것이다……

이곳 기차역에는 벌써 가을 기운이 돌았고, 저녁 공기가 쌀쌀했다.

'나도 북쪽으로 가야 할 때가 됐군.' 구로프는 플랫폼을 떠나며 생각했다. '때가 됐어!'

3

모스크바의 집들은 벌써 완전히 겨울 생활로 접어들었다. 집안에서는 페치카를 피웠고, 아이들이 학교에 갈 준비를 하며 차를 마시는 아침이면, 아직 날이 어두워 유모가 잠깐씩 등불을 켜놓곤 했다. 이미 기온은 영하로 떨어지기 시작했다. 첫눈이 와서 처음 썰매를 타러 나가는 날, 하얀 대지와 하얀 지붕을 바라보는 것은 즐거운 일이다. 부드럽고 상쾌한 공기를 들이마시노라면 소년 시절의 기억들이 떠오른다. 하얗게 서리가 내린 늙은 보리수와 자작나무에는 온화한 표정이 있다. 이들은 사이프러스나무나 종려나무보다 사람들 심성에 더 친근하게 느껴지기 때문에, 그 옆에 있으면 산과 바다 생각이 나지 않는다.

모스크바 사람인 구로프는 활짝 갠 영하의 날씨에 모스크바로 돌아왔다. 모피 코트 차림에 따뜻한 장갑을 끼고 페트롭카*를 거닐거나 토요일 저녁의 교회 종소리를 듣는 동안, 얼마 전에 그가 다녀온 여행이며 장소들은 완전히 매력을 잃어버렸다. 그는 차츰 모스크바 생활에 빠져들어 하루에 세 종류의 신문을 탐욕스럽게 읽었는데, 그러면서도 자신은 모스크바의 신문을 읽지 않는 주의라고 말하고 다녔다. 어느새 그의 관심은 식당이며 클럽이며 식사 초대며 기념일 같은 것들로 채워지게 되었고, 자기 집에 유명한 변호사와 배우들이 드나든다든가, 의사 클럽에서 교수들과 카드놀이를 한다든가 하는 것들도 어느새 그의 자긍심을 다시 만족시켜주고 있었다. 어느새 그는 팬에 가득 담긴 고기 수프를 남김없이 먹어치울 수 있게 되었다……

한 달 정도 지나면 안나 세르게예브나는 기억 속에서 안개처럼 희미해질 것이며, 다른 여인들과 마찬가지로 어쩌다 가끔 꿈속에서나 애달픈 미소를 지으며 나타날 거라고 그는 생각했다. 하지만 한 달이 지나고 겨울이 깊었는데도, 마치 안나 세르게예브나와 바로 어제 헤어진 것처럼 모든 일이 기억 속에서 또렷했다. 그리고 추억은 점점 더 강렬하게 타올랐다. 혹은 저녁 시간의 고요 속에서 예습하는 아이들의 목소리가 그의 서재로 들려올 때, 혹은 식당에서 로망스 곡이나 오르간 연주를 듣고 있을 때, 혹은 벽난로 속에서 바람소리가 윙윙거릴 때, 갑자

---

* 모스크바 중심의 번화한 상점가.

기 모든 것이 기억 속에서 되살아나곤 했다. 방파제에서 있었던 일, 안개 덮인 산 위에서의 이른아침, 페오도시야에서 온 기선, 그리고 입맞춤…… 그는 오랫동안 방안을 서성이면서 추억을 떠올리고 미소 지었다. 그러다가 회상은 공상으로 변했고, 지난 일들은 그의 상상 속에서 앞으로 일어날 일과 뒤섞여버렸다. 안나 세르게예브나는 그의 꿈에 나타나지 않고 그림자처럼 도처에서 그를 따라다니며 그를 지켜보았다. 눈을 감으면 그녀가 생생하게 보였다. 그녀는 전보다 더 아름답고 더 젊고 더 부드러워 보였다. 그리고 자신도 얄타에서 지냈던 그때보다 더 훌륭해진 것처럼 느껴졌다. 그녀는 저녁마다 책장에서, 벽난로에서, 방모퉁이에서 그를 바라보았다. 그는 그녀의 숨소리며 그녀의 옷자락이 정겹게 사각거리는 소리를 들었다. 거리에 나가면 그는 눈으로 여자들을 쫓으며 그녀와 닮은 사람이 없는지 찾곤 했다……

그리고 이제는 자신의 추억을 누군가와 함께 나누고 싶다는 강렬한 욕망이 그를 괴롭혔다. 하지만 집에서 자신의 사랑에 대해 이야기할 수는 없었고, 집밖에는 이야기를 들어줄 사람이 없었다. 이웃집 사람에게 할 수도 없고 은행 사람들에게 할 수도 없는 노릇이다. 그리고 도대체 무슨 말을 한단 말인가? 그때 그가 정말로 사랑을 하긴 했던가? 안나 세르게예브나와 그와의 관계에 아름답고 시적인, 혹은 교훈적인, 혹은 흥미롭기라도 한 무언가가 있었던가? 결국 그는 사랑에 대해, 그리고 여자들에 대해 그저 막연한 이야기를 하는 수밖에 없었고, 어느 누구도 그의 본심을 헤아리지는 못했다. 다만 아내만이 자신의 짙은 눈썹을 움찔거리며 이렇게 말했을 뿐이었다.

"디미트리, 당신에게 바람둥이 역할은 전혀 어울리지 않아."

그러던 어느 날 밤, 관리로 일하는 자기 친구와 의사 클럽에서 나오던 구로프는 마침내 참지 못하고 말했다.

"내가 얄타에서 얼마나 매혹적인 여인을 만났는지 당신은 모를 거요!"

관리는 썰매에 올라앉아 출발하다가 갑자기 몸을 돌려 외쳤다.

"드미트리 드미트리치!"

"뭐요?"

"아까 당신이 옳았어. 철갑상어 요리가 상했더라고!"

어떤 이유에선지 별것도 아닌 이 말에 구로프는 갑자기 화가 치밀었다. 그 말은 모욕적이고 더럽게 느껴졌다. 이 얼마나 야만스러운 품성이며, 야만스러운 인간들인가! 이 무의미한 밤들, 이 따분하고 공허한 나날들은 다 뭐란 말인가! 광란의 카드놀이, 폭식, 폭음, 허구한 날 똑같은 주제의 잡담들. 쓸데없는 일이나 늘 똑같은 내용의 잡담은 인간의 시간과 정력에서 가장 귀중한 부분을 빼앗아간다. 그리고 마지막에 가서는 꼬리도, 날개도 잘려버린 허섭스레기 같은 인생만 남게 되어 결코 떠날 수도, 도망칠 수도 없게 된다. 그것은 마치 정신병원이나 죄수부대*에 갇혀 있는 것과 다를 바 없는 것이다!

구로프는 밤새 잠들지 못하고 격앙되어 있었으며 이튿날 낮에는 종일 두통에 시달렸다. 그 이후로도 계속 밤에 잠을 설치면서 침대에 앉아 생각하거나 방을 이리저리 걸어다니곤 했다. 아이들은 지긋지긋했고 은행도 지긋지긋했다. 어디도 가고 싶지 않았고 아무 말도 하고 싶

---

* 18세기 무렵부터 혁명 전까지의 시기에 죄수들로 구성된 부대로서 전쟁이나 공공사업에 동원되었다.

지 않았다.

12월의 연휴 기간에 그는 길을 떠날 채비를 하고 나서 아내에게 어떤 젊은이의 일을 돌봐주러 페테르부르크에 간다고 말했다. 그리고 S시로 떠났다. 왜? 그 자신도 잘 몰랐다. 그는 안나 세르게예브나를 만나 이야기를 나누고, 가능하다면, 밀회를 갖고 싶었다.

아침에 S시에 도착한 그는 호텔에서 가장 좋은 방을 잡았다. 객실 바닥 전체에는 군복용 회색 모직 천이 깔려 있었고 탁자 위에는 먼지가 뿌옇게 덮인 잉크병이 놓여 있었는데, 잉크병에 장식된 기사는 머리가 떨어져나간 채 모자를 쥔 손을 쳐들고 있었다. 수위가 그에게 필요한 정보를 알려주었다. 폰 디데리츠는 구曲곤차르나야 거리에 있는 저택에 산다는 것, 호텔에서 멀지 않다는 것, 부유하며 자기 소유의 말들이 있고, 도시 전체가 그를 안다는 것이었다. 수위는 그의 이름을 '드리디리츠'라고 발음했다.

구로프는 서두르지 않고 구곤차르나야 거리로 걸어가서 집을 찾았다. 집 맞은편에는 못이 박힌 회색빛 울타리가 길게 둘러쳐져 있었다.

'이런 울타리에 갇혀 있으니 도망치고 싶은 게 당연하지.' 구로프는 이렇게 생각하며 창문과 울타리를 바라보았다.

그는 헤아려보았다. 오늘은 휴일이니까 남편은 필경 집에 있을 것이다. 어찌됐든 괜히 집안으로 들어가서 분란을 일으키는 건 아둔한 짓이야. 쪽지를 보낸다고 해도, 그게 남편 손에 들어가기라도 하면 모든 걸 망치게 될 거야. 차라리 우연을 기대하는 편이 낫지. 그래서 그는 계속 거리를 서성거리며 울타리 주변에서 그 우연한 기회를 기다렸다. 대문으로 거지가 들어가자 개들이 달려드는 것이 보였다. 그러고 나서 한 시간쯤 지나자 피아노 치는 소리가 들려왔다. 소리는 약하고 불분명하게 들렸다. 안나 세르게예브나가 치는 것이 틀림없었다. 갑자기 현관문이 열리더니 어떤 노파가 나오고, 그 뒤를 따라 낯익은 하얀 스피츠가 달려 나왔다. 구로프는 개를 부르고 싶었지만 갑자기 그의 심장이 요동쳤고, 흥분한 나머지 이 스피츠의 이름이 뭔지 떠올릴 수 없었다.

그는 집 주변을 돌아다니면서 이 회색 울타리를 증오하고 또 증오했다. 그리고 이제는 분노에 휩싸인 채, 안나 세르게예브나가 그를 잊었을 뿐만 아니라 어쩌면 이미 다른 사람과 즐기고 있을지도 모르며, 이는 아침부터 저녁까지 이 망할 놈의 울타리를 보고 있어야 하는 젊은 여자의 입장에서 지극히 자연스러운 일이라고 생각했다. 그는 자기 방으로 돌아와 어찌할 바를 모르고 오랫동안 소파에 앉아 있었다. 그러다가 식사를 했고, 그러고 나서 오랫동안 잠을 잤다.

'모든 게 참으로 어리석고 심란하구나.' 잠에서 깬 그는 어두운 창들을 바라보며 생각했다. 벌써 저녁이었다. '속없이 잘도 잤군. 이 밤중에 대체 뭘 하지?'

그는 꼭 병원에서나 쓸 법한 회색빛 싸구려 이불이 덮인 침대에 앉아 화를 내며 스스로를 조롱했다.

'강아지를 데리고 다니는 여인이라니…… 참 대단한 모험이구나…… 이렇게 여기 앉아 있는 꼴 좀 봐라.'

아까 아침에 역에서 아주 큰 글씨로 쓰인 포스터가 그의 눈에 띄었는데, 그것은 〈게이샤〉*의 초연을 알리는 내용이었다. 거기에 생각이

---

* 영국의 작곡가 시드니 존스(1861~1946)의 오페레타(1896).

미친 그는 극장으로 갔다.

'그녀가 초연을 보러 오는 건 충분히 가능한 일이야.' 그는 그렇게 생각했다.

극장은 만석이었다. 그곳은 여느 지방 극장들이 대체로 그렇듯이 샹들리에 위로 연기가 가득차 있었고, 맨 위층의 일반석이 소란스럽게 술렁였다. 객석 첫번째 줄에는 이 지방의 멋쟁이들이 상연 시작을 앞두고 뒷짐을 진 채 서 있었다. 현지사의 박스석 앞쪽에는 현지사의 딸이 기다란 모피 목도리를 두른 채 앉아 있었고 현지사 본인은 커튼 뒤에서 얌전하게 몸을 감추고 있었기 때문에 그의 팔만 보였다. 막이 팔랑거렸고, 오케스트라는 오랫동안 조율을 했다. 관객들이 입장하고 자리에 앉는 동안 구로프는 애타게 눈을 돌리며 줄곧 그녀를 찾고 있었다.

안나 세르게예브나가 들어왔다. 그녀는 세번째 줄에 앉았다. 그녀를 보자 구로프는 심장이 조여들었다. 그리고 이제 이 세상에서 자신에게 그녀보다 더 가깝고, 더 소중하고, 더 중요한 사람은 없다는 것을 분명히 깨달았다. 달리 구별될 만한 특징도 없이 지방 도시의 군중 속에 파묻힌 채 조잡한 오페라글라스를 손에 들고 있는 이 작은 여자가 지금 그의 온 생명을 충만하게 만들었고, 그의 괴로움과 기쁨이 되었으며, 지금 그가 소망하는 유일한 행복이 된 것이다. 아마추어 같은 허접한 바이올린 주자들로 이루어진 형편없는 오케스트라의 연주를 들으며 그는 그녀가 너무나 아름답다고 생각했다. 생각하고, 꿈꿨다.

안나 세르게예브나와 함께 들어와 곁에 앉은 젊은 남자는 볼수염이 조금 나고 키가 아주 컸으며 등이 구부정했다. 그는 한 발 한 발 디딜 때마다 고개를 까딱였는데, 아마도 끊임없이 인사하고 있는 듯했다.

필경 이 사람이 그때 얄타에서 그녀가 괴로운 감정을 주체하지 못하고 하인이라 칭했던 바로 그 남편일 터였다. 그리고 실제로 그의 길쭉한 몸통과 볼수염과 살짝 벗어진 머리에는 하인처럼 비굴한 무언가가 있었다. 그는 상냥하게 미소를 짓고 있었으며, 양복 깃에는 하인의 번호표를 꼭 닮은 학위 기장 같은 것이 반짝이고 있었다.

첫번째 휴식시간에 남편은 담배를 피우러 나갔고, 그녀는 자리에 남았다. 그들과 마찬가지로 일층석에 앉아 있던 구로프는 그녀에게 다가가서 억지로 미소를 지으며 떨리는 목소리로 말을 건넸다.

"안녕하십니까."

그를 본 그녀는 얼굴이 창백해졌다. 자기 눈을 의심하며 겁에 질린 얼굴로 다시 한번 그를 바라보더니 부채와 오페라글라스를 꽉 움켜쥐었다. 기절해서 쓰러지지 않도록 자신과 싸우고 있는 것이 분명했다. 둘은 말이 없었다. 그녀는 자리에 앉아 있었고, 그녀가 당황한 것에 놀란 그는 곁에 앉을 생각을 못하고 서 있었다. 바이올린과 플루트를 조율하는 소리가 들리자 갑자기 두려움이 왈칵 밀려들면서 위층 박스석 쪽 사람들 모두가 그들을 지켜보고 있는 듯한 느낌이 들었다. 그런데 그때 그녀가 자리에서 일어나 서둘러 출구 쪽으로 걸어갔고 그도 그녀를 따라갔다. 그리고 두 사람은 어디로 가는지도 모르는 채 복도와 계단을 따라 오르락내리락하며 걸었다. 두 사람의 눈앞에 법관 제복이며 교사 제복이며 관복을 입은 사람들이 어른거렸는데, 이들은 하나같이 기장을 달고 있었다. 부인들과 옷걸이에 걸린 모피 코트들이 눈길에 스치더니, 담배 냄새를 흩뿌리며 바람이 휙 지나갔다. 심장이 요란하게 뛰는 것을 느끼며 구로프는 생각했다.

'오, 맙소사! 망할 놈의 군중들, 망할 놈의 오케스트라……'

그리고 바로 그 순간, 그가 그날 저녁 기차역에서 안나 세르게예브나를 배웅하고 나서, 이제 모든 것이 끝났고 그들은 두 번 다시 만나지 않으리라고 스스로에게 말했던 일이 갑자기 떠올랐다. 하지만 마지막까지는 아직 한참이나 남았던 것이다!

'객석 입구'라고 쓰인 좁고 어두운 계단에서 그녀가 멈춰 섰다.

"당신 때문에 너무 놀랐어요!" 아연실색한 채 여전히 창백한 얼굴로 숨을 몰아쉬며 그녀가 말했다. "오, 당신 때문에 너무 놀랐어요! 전 거의 죽는 줄 알았어요. 왜 오셨어요? 왜?"

"이해해줘요, 안나. 이해해줘요……" 그는 목소리를 낮추며 급히 말했다. "제발 이해해줘요……"

그녀는 두려움과 애원과 사랑이 담긴 눈으로 그를 바라보았다. 그의 모습을 기억 속에 더 또렷이 담아두려는 듯 뚫어지게 그를 응시했다.

"너무 괴로워요!" 그녀는 그의 말을 듣지 않고 계속해서 말했다. "줄곧 당신만을 생각했어요. 당신에 대한 생각으로 버텼어요. 그리고 이제는 다 잊고 싶었는데. 왜 오셨어요, 왜?"

위쪽 층계참에서 김나지움 학생 두 명이 담배를 피우며 이쪽을 내려다보고 있었다. 하지만 구로프는 상관하지 않았다. 그는 안나 세르게예브나를 자기 쪽으로 끌어당겨 그녀의 얼굴과 볼과 손에 입을 맞추기 시작했다.

"뭐하시는 거예요! 뭐하시는 거예요!" 깜짝 놀란 그녀가 그를 밀쳐내면서 말했다. "우린 제정신이 아니에요. 오늘 바로 떠나세요. 당장 떠나세요…… 이렇게 간절히 부탁드려요, 제발…… 사람들이 이리로 오잖아요!"

계단 아래쪽에서 누군가가 올라오고 있었다.

"당신은 가셔야 해요……" 안나 세르게예브나가 계속해서 속삭였다. "아시겠죠, 드미트리 드미트리치? 제가 모스크바로, 당신께로 갈게요. 저는 한 번도 행복했던 적이 없었고, 지금도 행복하지 않아요. 그리고 앞으로도 결코, 결코 행복해지지 못할 거예요, 결코! 더 이상 절 괴롭게 하지 마세요! 맹세할게요, 모스크바로 가겠어요. 하지만 지금은 헤어지는 거예요! 내 사랑스럽고 착한 사람, 내 소중한 사람, 헤어져요!"

그녀는 그의 손을 잠깐 잡고 나서, 계속 그를 돌아보며 급히 아래로 내려가기 시작했다. 그 눈을 보면 그녀가 정말로 불행하다는 걸 알 수 있었다. 구로프는 잠시 서서 귀를 기울였다. 주변이 완전히 조용해지자 그는 맡겨둔 자신의 외투를 찾고 극장 밖으로 나왔다.

4

그리하여 안나 세르게예브나는 모스크바에 있는 그에게 찾아오기 시작했다. 두세 달에 한 번 그녀는 S시를 떠났는데, 남편에게는 자신의 부인병에 대한 조언을 구하기 위해 교수를 만나러 간다고 말했다. 남편은 반신반의했다. 모스크바에 도착하면 그녀는 '슬라뱐스키 바자르'* 에 방을 잡고 곧장 구로프에게 빨간 모자를 쓴 사람을 보냈다. 구로프

---

* 당시 모스크바에 있던 유명한 호텔 겸 레스토랑.

가 그녀에게 다녀가도, 모스크바에서 그 사실을 아는 사람은 아무도 없었다.

어느 겨울 아침에도 그런 식으로 그는 그녀에게 가고 있었다(심부름꾼은 전날 저녁에 그의 집에 다녀갔지만 그를 만나지 못했다). 도중에 학교에 데려다주려고 딸과 함께 길을 나선 참이었다. 굵은 진눈깨비가 쏟아지고 있었다.

"지금 영상 3도인데도 눈이 오는구나." 구로프가 딸에게 말했다. "사실 따뜻한 건 지표면에서만 그럴 뿐이지, 상층부에 있는 대기의 온도는 전혀 다르단다."

"그런데 아빠, 왜 겨울에는 천둥이 치지 않아요?"

구로프는 그것에 대해서도 설명해주었다. 그는 딸에게 말을 하면서 한편으로는, 지금 자신이 밀회 장소에 가고 있지만 살아 있는 영혼 누구 하나도 이에 대해 모르고 있으며, 앞으로도 결코 알지 못하리라는 생각을 하고 있었다. 그에게는 두 개의 생활이 있었다. 그중 하나는 필요하다면 누구라도 볼 수 있고 알 수 있는 공공연한 생활로서, 조건부의 진실과 조건부의 기만으로 채워져 있으며 그의 지인이나 친구들의 그것과 다를 바 없는 생활이었다. 그리고 다른 한편에는 비밀스럽게 흘러가는 또하나의 생활이 있었다. 이런저런 상황들이 이상하게, 어쩌면 우연스럽게 엮이면서, 그에게 중요하고 흥미롭고 필수적인 모든 것, 그 속에서라면 그가 스스로를 속이지 않고 진심일 수 있는 모든 것, 그의 삶의 고갱이를 이루고 있는 모든 것이 다른 사람들로부터 숨겨진 채 은밀히 행해지고 있었다. 그의 거짓말, 그가 진실을 감추기 위해 뒤집어쓰고 있는 껍데기, 가령 은행 근무며 클럽에서 벌이는 논쟁이며 그의

'저급한 종족' 이야기며 부부 동반 행사 참석. 이 모두는 공공연한 것들이었다. 그는 자신의 경험에 비추어 다른 사람들을 판단했고, 보이는 것을 믿지 않았으며, 모든 이가 밤의 장막 같은 비밀의 덮개 아래에서 자신들의 진정한 인생과 가장 흥미로운 인생을 살고 있으리라는 생각을 늘 갖고 있었다. 개인들 각각의 존재는 비밀 위에서 유지되는 것이며, 문명인이 사적인 비밀을 존중받기 위해 그토록 신경을 곤두세우고 애쓰는 것도 어느 정도는 바로 그런 이유 때문일 것이다.

구로프는 딸을 학교에 데려다준 후 '슬라뱐스키 바자르'로 향했다. 그는 로비에 모피 코트를 맡겨두고 위층으로 올라가서 조용히 문을 두드렸다. 그가 좋아하는 회색 원피스를 입은 안나 세르게예브나는, 여행과 기대에 지친 몸으로 어제저녁부터 줄곧 그를 기다리고 있었다. 그녀는 웃음기 없는 창백한 얼굴로 그를 바라보았다. 그리고 그가 들어오기 무섭게 그의 가슴에 매달렸다. 한 이 년쯤 못 만나기라도 한 사람들처럼 두 사람의 입맞춤은 오랫동안 길게 이어졌다.

"그래, 어떻게 지냈어?" 그가 물었다. "별일 없지?"

"잠깐만, 그러니까 그게…… 아니 안 되겠어요."

그녀는 우느라 말을 할 수 없었다. 그에게서 몸을 돌리고 손수건을 눈가에 댔다.

'뭐, 그냥 울게 내버려두자. 그동안 나는 앉아 있지.' 이렇게 생각하며 그는 안락의자에 앉았다.

이윽고 그가 종을 울려 사람을 불러서 차를 주문했다. 그러고 나서 그가 차를 마시는 동안에도 그녀는 여전히 창 쪽으로 몸을 돌린 채 서 있었다…… 그녀는 그들의 삶이 이토록 슬프게 엮였다는 비통한 자각으로 감정이 복받쳐 울었다. 사람들의 눈을 피해 이렇게 도둑처럼 비밀스럽게 만나는 수밖에 없단 말인가! 그들의 삶은 완전히 망가져버린 것이 아닐까?

"자, 그만!" 그가 말했다.

그들의 이런 사랑이 쉽게 끝나지 않을 것이며, 그 끝이 언제가 될지도 알 수 없다는 것은 그에게 분명해 보였다. 안나 세르게예브나는 그에게 점점 더 강하게 집착했고 그를 너무나 사랑하고 있었기 때문에, 이 모든 것이 언젠가는 끝을 맺어야 한다고 그녀에게 말하는 것은 생각조차 할 수 없었다. 게다가 그녀가 그것을 믿을 리도 없었다.

구로프는 그녀에게 다가가 어깨에 손을 얹고 달래며 농담을 건넸다. 그러면서 거울에 비친 자신의 모습을 보았다.

그의 머리는 벌써 세기 시작했다. 자신이 지난 몇 년 동안 그렇게 늙고 추해졌다는 사실이 이상하게 여겨졌다. 그의 손이 얹혀 있는 어깨는 따뜻했으며 떨고 있었다. 지금은 이렇게 따뜻하고 아름답지만, 머지않아 자신과 마찬가지로 퇴색하고 시들기 시작할 이 생명에 그는 연민을 느꼈다. 무엇 때문에 그녀가 그를 그토록 사랑한단 말인가? 그는 항상 여자들에게 있는 그대로 비치지 않았다. 여자들은 구로프에게서 실제의 그가 아닌 그들의 상상이 만들어낸 인간을, 그들이 자신의 삶 속에서 갈구해온 인간을 사랑했으며, 나중에 자신의 실수를 알아차리고 나서도 여전히 그를 사랑했다. 그리고 그 여자들 중 어느 누구도 그와 있으면서 행복하지 않았다. 세월의 흐름 속에서, 사람과 만나고, 가까워지고, 헤어졌지만, 그는 한 번도 사랑을 한 적이 없었다. 그걸 뭐라고 부르든 상관없지만, 결코 사랑은 아니었다.

그리고 머리가 세기 시작한 지금에 이르러서야 그는 난생처음으로 사랑을, 진정한 사랑을 하게 된 것이다.

안나 세르게예브나와 그는 매우 친밀한 가족처럼, 남편과 아내처럼, 정다운 친구처럼 서로를 사랑하고 있었다. 그야말로 운명이 서로에게 서로를 예정했다고 그들은 느꼈다. 그렇기 때문에 어째서 그에게 아내가 있고 그녀에게 남편이 있는지 이해할 수 없었다. 그들은 마치 잡혀서 서로 다른 새장에 살도록 넣어진 암수 철새 같았다. 그들은 지난날의 부끄러운 일들을 서로 용서해주었으며, 현재의 모든 일도 용서해주었다. 그들은 자신들의 이 사랑이 두 사람 모두를 바꾸어놓았다고 느꼈다.

예전에 그는 마음이 울적할 때면 자신의 머릿속에 떠오르는 온갖 논리로 스스로를 진정시키곤 했다. 그러나 이제 그에게 논리 같은 건 떠오르지 않았다. 그는 깊은 연민을 느꼈으며, 진실해지고 싶었고 다정해지고 싶었……

"그만해요, 내 사랑." 그가 말했다. "그만 울고…… 이제 얘기를 좀 합시다. 뭐든 방법을 생각해봅시다."

그들은 남의 눈을 피하고, 가족을 속이고, 서로 오랫동안 보지 못하면서 각자 다른 도시에 살아야만 하는 이 상황에서 벗어나려면 어떻게 해야 할지에 대해 오랫동안 이야기하고 상의했다. 어떻게 하면 이 견딜 수 없는 족쇄에서 자유로워질 수 있을까?

"어떻게 하지? 어떻게?" 그는 머리를 감싸쥐며 물었다. "어떻게?"

좀더 지내다보면 해결책을 찾게 될 것도 같았다. 그때는 새롭고 멋진 삶이 시작될 것이다. 그러나 두 사람은 분명히 알고 있었다. 끝은 아직 저멀리 있고, 가장 복잡하고 어려운 일이 이제 막 시작되고 있다는 것을.

(1899)

약혼녀

1

어느덧 밤 열시가 되었고, 정원 위로 보름달이 환하게 빛나고 있었다. 슈민네 집에서는 마르파 미하일로브나 할머니가 주선한 저녁기도회가 이제 막 끝났다. 잠깐 정원으로 나온 나댜에게는 홀에서 테이블에다 한창 밤참을 차리는 모습이며, 화려한 비단 드레스 차림의 할머니가 분주하게 돌아다니는 모습이 보였다. 안드레이 주임신부는 나댜의 어머니 니나 이바노브나와 뭔가에 대해 이야기하고 있었는데, 창문 너머로 저녁 조명에 비친 어머니는 어쩐지 매우 젊어 보였다. 그 옆에는 안드레이 신부의 아들인 안드레이 안드레이치가 두 사람의 이야기를 열심히 들으며 서 있었다.

정원은 조용하고 선선했으며, 땅 위에는 어둑어둑한 그림자가 잔잔하게 드리워져 있었다. 멀리, 아주 멀리서, 아마도 도시 외곽인 듯한 어

딘가에서 개구리 울음소리가 들려왔다. 5월의 기운이 느껴졌다. 사랑
스러운 5월! 저절로 깊은 숨이 들이켜졌다. 이곳이 아닌 저 하늘과 나
무들 사이의 어딘가에서, 도시 저 너머 들판과 숲속에서, 비밀스럽고
아름답고 풍요로운 봄의 세계가, 약하고 죄 많은 인간이 이해할 수 없
는 성스러운 세계가 지금 펼쳐지고 있는 거라고 믿고 싶었다. 그러자
왠지 울고 싶어졌다.

나댜는 이제 스물세 살이었다. 열여섯 살 때부터 그녀는 간절히 결
혼을 꿈꿔왔는데, 이제 드디어 창문 너머에 서 있는 바로 저 사람, 안드
레이 안드레이치의 약혼녀가 된 것이다. 그녀는 안드레이가 마음에 들
었고 결혼식 날짜도 이미 7월 7일로 정해졌지만, 어쩐지 기쁜 느낌이
들지 않았고 밤잠을 설쳤으며 영 우울한 심경이었다…… 지하층에 있
는 부엌의 열린 창을 통해 사람들이 분주하게 일하는 소리며 칼질하는
소리며 문 여닫는 소리가 들려왔고, 칠면조구이며 버찌절임 냄새가 풍
겨왔다. 어쩐지 그런 생각이 들었다. 꼭 지금 같은 인생이 아무것도 바
뀌지 않고 끝없이 계속되는 것은 아닐까!

그때 누군가가 집에서 나와 현관에 멈춰 섰다. 그는 열흘 전에 모
스크바에서 온 손님인 알렉산드르 티모페이치, 혹은 편하게 사샤라
고 불리는 남자였다. 오래전에 할머니의 먼 친척이자 영락한 귀족의
미망인이던 마리야 페트로브나가 경제적인 도움을 청하기 위해 자주
집에 찾아온 적이 있었다. 작고 여위고 병약한 그녀에게는 아들이 하
나 있었는데, 그가 바로 사샤였다. 사람들은 사샤가 그림을 아주 잘
그린다는 얘기를 하곤 했는데, 그의 어머니가 세상을 뜨자 할머니는
고인의 명복을 비는 뜻으로 그를 모스크바의 코미사롭스코에 실업학

교*에 보냈다. 이 년 뒤 그는 미술전문학교로 전학해서 장장 십오 년을 다닌 끝에 가까스로 건축학과를 졸업했지만, 그나마 건축 일은 하지 않고 모스크바의 석판인쇄소에서 근무하고 있었다. 그는 매년 여름이 오면 십중팔구 많이 병든 몸으로 할머니를 찾아와 여기 머물면서 요양했다.

그는 지금 단추를 다 채운 프록코트에 밑단이 나달거리는 낡은 즈크** 바지 차림이었다. 셔츠는 구겨진데다 전체적으로 뭔가 생기 없는 모습이었다. 비쩍 마른 체격에 커다란 눈, 길고 가느다란 손가락, 더부룩한 턱수염, 까무잡잡한 피부에도 불구하고 그는 미남이었다. 슈민 집안 사람들은 그를 한식구처럼 허물없이 대했고 그 또한 여기가 자기 집인 양 편하게 지냈다. 그래서 그가 이 집에서 머무는 방은 벌써 오래 전부터 '사샤의 방'으로 불리고 있었다.

현관에 서 있던 그가 나댜를 발견하고 그녀에게 다가왔다.

"이 집에 있으니 좋네요." 그가 말했다.

"그럼요, 좋지요. 가을까지 여기 계시면 좋겠네요."

"네, 아마도 그럴 겁니다. 9월까지는 댁에서 머물게 될 것 같아요."

그는 싱겁게 웃으며 옆에 앉았다.

"여기 이렇게 앉아서 엄마를 보고 있는 중이에요." 나댜가 말했다. "여기서 보니 엄마가 어쩜 저렇게 젊어 보이는지! 우리 엄마에게도 물론 결점이 있긴 하지만," 그녀는 잠시 말을 멈추었다가 덧붙였다. "그래도 엄마는 특별한 여자예요."

---

* 1865년에 평민 자녀의 실업교육을 목적으로 세워진 중등교육기관.
** 마로 짠 두꺼운 천.

"네, 좋은 분이에요……" 사샤가 맞장구를 쳤다. "당신 어머니는 물론 자기 나름으로 아주 선하고 상냥한 분이지만, 그게…… 당신에게 어떻게 말하면 될까요? 오늘 아침 일찍 댁의 부엌에 들러봤는데, 거기서 하인 네 명이 침대도 없이 맨바닥에서 자고 있더군요. 이부자리 대신에 넝마를 깔고 말이죠. 그리고 악취에, 빈대에, 바퀴벌레들…… 이십 년 전이나 지금이나 하나도 변한 것이 없어요. 뭐, 할머니야 그야말로 할머니라서 어쩔 수 없다 쳐도 말입니다. 어머니는 프랑스어도 할 줄 아시고 연극 공연에도 참여하는 분이잖아요. 잘 아실 만한 분인데."

그렇게 말하는 동안 사샤는 상대방 앞에 자신의 가늘고 긴 손가락 두 개를 내밀고 있었다.

"여기서 보는 일들이 너무 이상해서 놀랄 때가 많습니다." 그는 말을 이었다. "도대체가 하는 일들이 아무것도 없어요. 어머니는 하루종일 무슨 공작부인처럼 빈둥거리고, 할머니 역시 아무것도 하시지 않고, 당신도 마찬가지죠. 그리고 약혼자인 안드레이 안드레이치, 이 사람도 하는 일이 아무것도 없어요."

나댜는 이 얘기를 작년에도 들었으며 재작년에도 들은 것 같았다. 다른 식으로 말할 재주가 사샤에게는 없다는 걸 그녀도 알기 때문에 예전에는 그냥 웃어넘기곤 했지만 지금은 왠지 버럭 짜증이 났다.

"그런 케케묵은 얘기는 오래전에 질렸어요." 그렇게 말하며 그녀는 일어났다. "뭔가 좀 새로운 얘기를 생각해보시죠."

그는 웃음을 터뜨리더니 따라 일어났다. 그리고 두 사람은 함께 집으로 걸어갔다. 키가 크고 아름답고 늘씬한 그녀는 지금 옆에 있는 사샤와 비교되면서 무척이나 건강하고 화사해 보였다. 그녀는 그 사실을 느끼고 있었기에 그가 불쌍해졌으며 왠지 거북한 기분이 들었다.

"그리고 당신은 쓸데없는 얘기를 참 많이 하시네요." 그녀가 말했다. "조금 전만 해도 나의 안드레이에 대해서 말씀하시던데, 사실 당신은 그 사람을 알지도 못하잖아요."

"나의 안드레이라…… 당신의 안드레이 따위 알게 뭐랍니까! 난 다만 당신의 청춘이 안타까울 따름입니다."

홀에 들어가보니 거기서는 벌써 식구들이 밤참을 들고 있었다. 몹시 뚱뚱하고 못생긴데다 짙은 눈썹에 콧수염까지 난 할머니, 혹은 집에서 부르는 식으로 '할마님'이 큰 소리로 무슨 말을 하고 있었는데, 그 목소리와 말하는 태도에서 그녀가 이 집의 우두머리라는 걸 단박에 알아차릴 수 있었다. 그녀는 시장의 상가들, 그리고 근사한 기둥들과 정원이 있는 유서 깊은 저택을 소유하고 있으면서도, 매일 아침마다 자기가 파산하지 않게 해달라고 신께 기도하며 울음을 터뜨리는 사람이었다. 그녀의 며느리, 즉 나댜의 어머니인 금발의 니나 이바노브나는 꼭 끼는 옷차림에 코안경을 걸치고 열 손가락 모두에 다이아몬드 반지를 끼고 있었다. 깡마른 체구에 이가 다 빠진 노인인 안드레이 신부는 마치 뭔가 굉장히 웃기는 이야기라도 할 것 같은 표정을 짓고 있었다. 그리고 나댜의 약혼자인 그의 아들 안드레이 안드레이치는 곱슬머리의 뚱뚱한 미남으로 배우나 화가처럼 생겼다. 니나 이바노브나와 신부 부자는 최면술에 대해 이야기하고 있었다.

"자네는 우리집에서 일주일만 지내면 나을 거야." 할마님이 사샤를 보며 말했다. "그저 많이 먹는 게 약이야. 도대체 그 꼴이 뭔가!" 할머니는 한숨을 쉬었다. "정말 끔찍해졌어! 이건 무슨 돌아온 탕자도 아니고 말이야."

"아버님이 물려주신 재산을 탕진하고," 안드레이 신부가 눈웃음치며 천천히 읊조렸다. "그를 들로 보내 돼지를 치게 했는데……"

"난 우리 아버님이 좋아요." 안드레이 안드레이치가 그렇게 말하며 신부의 어깨를 쓰다듬었다. "우리 멋진 영감님. 맘 좋으신 영감님."

모두가 잠시 말이 없었다. 갑자기 사샤가 웃음을 터뜨리며 냅킨을 입에 갖다댔다.

"그러니까, 부인께선 최면술을 믿으신단 말이죠?" 안드레이 신부가 니나 이바노브나에게 물었다.

"물론 확실히 믿는다고 단언할 수는 없지만," 니나 이바노브나는 꽤 심각한, 심지어 엄숙한 표정을 지으며 대답했다. "자연 속에는 신비스럽고 불가사의한 일들이 많다는 건 인정해야겠죠."

"부인 말씀에 전적으로 동의합니다만, 제 편에서 한마디 덧붙이자면, 신앙은 그 신비의 영역을 상당히 줄여준다는 겁니다."

커다랗고 매우 기름진 칠면조 요리가 나왔다. 안드레이 신부는 니나 이바노브나와 대화를 계속했다. 니나 이바노브나의 손가락들에서는 다이아몬드가 반짝이고 있었고, 잠시 후에는 그녀의 눈에서 눈물이 반짝였다. 그녀는 흥분하고 있었다.

"신부님과 감히 논쟁하려는 건 아니지만," 그녀가 말했다. "그래도 이 세상에 풀리지 않는 수수께끼가 많다는 건 인정하셔야죠!"

"감히 단언컨대 그런 건 절대로 없습니다."

저녁식사 뒤에 안드레이 안드레이치가 바이올린을 켜고 니나 이바노브나가 거기에 맞춰 피아노를 쳤다. 그는 십 년 전에 대학에서 어문학부를 졸업했지만, 그러고 나서 취직하지 않았고 이렇다 할 직업을 갖지 않은 채 이따금 자선음악회가 열리면 연주자로 참여할 따름이었다. 그래서 시내에서는 그를 음악가라고 불렀다.

안드레이 안드레이치가 연주를 했고, 좌중은 말없이 그걸 듣고 있었다. 식탁 위에는 사모바르가 조용히 끓고 있었고, 사샤 혼자서만 차를 마시고 있었다. 이윽고 시계가 열두시를 쳤을 때, 갑자기 바이올린 줄하나가 툭 끊어졌다. 모두가 한바탕 웃고 나서 수선스럽게 작별인사를 나누기 시작했다.

약혼자를 배웅해주고 나서 나댜는 어머니와 함께 쓰는 위층(아래층은 할머니가 쓰고 있었다)의 자기 방으로 올라갔다. 아래층 홀에서는 등불을 끄기 시작했지만 사샤는 여전히 거기 앉아서 차를 마시고 있었다. 그는 모스크바식으로 한꺼번에 일곱 잔씩 오랫동안 차를 마시는 버릇이 있었다. 나댜가 옷을 벗고 잠자리에 든 뒤에도 밑에서는 하녀가 식탁을 치우는 소리며 할머님이 역정을 내는 소리들이 한참 동안 들려왔다. 이윽고 완전히 조용해지더니, 사샤가 아래층 자기 방에서 낮게 기침하는 소리만 간간이 들렸다.

2

나댜가 잠이 깬 것은 아마도 두시쯤, 여명이 밝아오기 시작할 무렵이었다. 어딘가 멀리서 야경꾼의 딱따기 소리가 들려왔다. 잠이 오지 않았다. 폭신폭신한 침대가 오히려 거북하게 느껴졌다. 나댜는 이번

5월 들어 밤마다 그랬듯이 오늘도 침대에 앉아 이런저런 생각을 하기 시작했다. 그것은 어젯밤과 마찬가지로 단조롭고 시시하고 집요한 상념들, 이를테면 안드레이 안드레이치가 자신에게 구애하다가 청혼을 하게 된 과정이라든지, 자신이 승낙하고 나서 차츰차츰 이 선량하고 똑똑한 남자를 좋게 보기 시작한 과정에 관한 것이었다. 그러나 결혼식을 한 달 남짓 앞둔 지금, 그녀는 어째서인지 두려움과 불안을 느끼기 시작했다. 마치 어떤 형언할 수 없는 괴로운 일이 자기 앞에 기다리고 있는 듯한 느낌이었다.

"똑 – 딱, 똑 – 딱……" 야경꾼이 딱따기를 느릿느릿 치고 있었다. "똑 – 딱……"

낡고 커다란 창 너머로 정원이 보였고, 저멀리 만개한 라일락 덤불이 추위 때문에 조는 듯 시들한 모습으로 늘어져 있었다. 하얗고 짙은 안개가 마치 라일락 덤불을 뒤덮으려는 듯 그 위로 조용히 깔리고 있었다. 멀리 있는 나무들 위에서 까마귀들이 졸린 듯 나른하게 울고 있었다.

"맙소사, 내가 왜 이렇게 괴로운 걸까!"

이건 어쩌면 모든 약혼녀가 결혼을 앞두고 똑같이 겪는 일인지도 모른다. 알게 뭐람! 아니면 사샤의 영향일까? 하지만 사샤는 벌써 몇 년 동안 판에 박은 듯 똑같은 말을 하고 있지 않은가. 그런 말을 할 때 그는 순진하고 괴팍해 보인다. 그런데 도대체 사샤의 일은 왜 머리에서 떠나질 않는 거지? 어째서?

야경꾼의 딱따기 소리는 오래전에 멈췄다. 정원과 창 밑에서 새들이 지저귀고 있었고 안개는 걷혔으며 주위는 미소와도 같은 봄빛으로 환하게 빛나고 있었다. 이윽고 정원 전체가 태양의 애무로 데워져 생기를 띠었고, 잎새 위에는 이슬방울들이 다이아몬드처럼 반짝거렸다. 돌보지 않은 지 오래된 정원이었건만 오늘 아침에는 너무도 젊고 화사해 보였다.

할머니는 벌써 일어나 계셨다. 사샤가 둔탁한 저음으로 기침을 하고 있었다. 아래층에서 사모바르를 준비하는 소리며 의자 움직이는 소리가 들려왔다.

시간은 천천히 흘러갔다. 나댜는 벌써 한참 전에 일어나 아까부터 정원을 산책하고 있었지만 아침은 여전히 길게 늘어지고 있었다.

그때 눈물이 그렁그렁한 얼굴로 광천수가 담긴 컵을 들고 있는 니나이바노브나가 보였다. 그녀는 강신술과 동종요법에 심취해 여러 가지 책을 읽고 있었고, 그 과정에서 자신이 품게 된 의문들에 관해 이야기하는 것을 즐겼는데, 이 모든 것이 나댜가 보기에는 심오하고 신비스러운 의미를 담고 있는 것 같았다. 나댜는 어머니에게 입을 맞추고 함께 정원을 거닐었다.

"왜 울었어요, 엄마?" 그녀가 물었다.

"어젯밤에 소설을 읽기 시작했는데, 어떤 노인과 그 딸에 관한 이야기야. 노인은 무슨 관청에서 근무하는데, 그 직장 상사가 딸을 사랑하게 됐지 뭐냐. 다 읽진 못했지만 어쨌든 한 장면에서 도저히 눈물을 참기가 어렵더구나." 니나 이바노브나는 그렇게 말하며 광천수를 한 모금 마셨다. "오늘 아침에 그 생각이 나서 또 울어버렸네."

"나는 요 며칠간 너무 우울해요." 잠시 침묵하다가 나댜가 말했다. "난 왜 밤에 잠이 안 올까요?"

"모르겠구나, 얘야. 나는 밤에 잠이 안 오면 눈을 이렇게 꼭 감고서, 안나 카레니나*가 걸어다니며 말하는 모습이라든지, 아니면 역사적인 장면 같은 걸 떠올린단다. 먼 옛날의……"

나댜는 엄마가 자기를 이해하지 못하고 있으며 이해할 능력도 없다는 걸 느꼈다. 난생처음으로 이런 느낌과 마주친 나댜는 몹시 두려웠고 어디론가 숨어버리고 싶은 심정이었다. 그녀는 자기 방으로 들어갔다.

두시에 가족들은 점심 식탁에 앉았다. 사순절이 시작되는 수요일이었기 때문에 할머니에게는 육고기를 뺀 보르시와 민물 돔, 그리고 죽이 나왔다.

사샤는 할머니를 놀려줄 작정으로 자신의 고기 수프와 함께 육고기를 뺀 보르시도 먹었다. 그는 식사 도중에 끊임없이 농담을 했지만 그 농담들은 턱없이 과장된데다 하나같이 도덕적인 의도가 담긴 것이었으며, 더욱이 그가 경구를 말하기 전에 자신의 길쭉하고 앙상해서 마치 시체 같은 손가락을 추켜올릴 때는 전혀 우습지 않았다. 그럴 때면 그가 심각한 병자이며 이 세상에서 살날이 얼마 남지 않았다는 데 생각이 미치면서 눈물이 날 만큼 불쌍해졌다.

점심식사 후에 할머니는 자기 방으로 쉬러 갔고, 니나 이바노브나 또한 잠시 피아노를 치다가 방으로 들어갔다.

"오, 우리 나댜." 사샤가 항상 하는 자신의 식후 화제를 꺼냈다. "당신이 내 말대로 한다면 좋을 텐데! 정말이야!"

그녀는 오래된 안락의자에 깊숙이 몸을 묻고 눈을 감았다. 그는 방

---

* 레프 톨스토이의 소설 『안나 카레니나』의 주인공.

안을 이리저리 조용히 걸어다녔다.

"당신이 공부하러 간다면 정말 좋을 텐데!" 그가 말했다. "교양 있고 경건한 사람들만이 의미 있는 겁니다. 오로지 그런 사람들만이 필요해요. 그런 사람들이 많아질수록 이 세상에 하느님의 왕국이 더 빨리 도래하게 될 겁니다. 그때는 이 도시에 돌조각 하나도 남지 않게 되고, 세상이 송두리째 뒤집혀서 날아가고, 마치 마술처럼 모든 것이 변하게 될 겁니다. 그리고 이 땅에는 거대하고 장엄한 건물들이 세워지고 경이로운 정원과 신기한 분수들이 만들어지며 훌륭한 사람들이 나타나게 될 겁니다…… 하지만 중요한 건 그게 아니에요. 중요한 건, 우리가 보는 현재의 비속한 군중, 그들의 악덕이 사라지게 되리라는 겁니다. 왜냐하면 모든 사람이 신앙을 가지게 될 것이며, 자기가 무엇을 위해서 사는지 알게 될 것이며, 그들 중 어느 누구도 군중 속에서 삶의 중심을 찾으려 하지 않게 될 것이기 때문이죠. 사랑스러운 우리 나댜, 떠나요! 이 요지부동의 음침하고 타락한 삶이 당신을 질리게 했다는 걸 모든 이에게 보여줘요. 최소한 자기 자신에게만이라도 그걸 보여주라고요!"

"안 돼요, 사샤. 나는 곧 결혼하잖아요."

"오, 저런! 뭣 때문에 결혼을 해요?"

두 사람은 정원으로 나와서 잠깐 거닐었다.

"어찌되었건 간에 잘 생각해야 해요, 나댜. 당신의 그 무위도식하는 삶이 얼마나 불순하고 비도덕적인지를 알아야 합니다." 사샤는 말을 이었다. "예컨대 말이죠, 당신과 당신 어머니, 할머니가 아무 일도 하지 않는다는 것은 다른 누군가가 당신들을 위해 일하고 있다는 뜻이에요. 당신들은 타인의 인생을 갉아먹고 있는 겁니다. 과연 이것이 순수합니까? 더럽지 않나요?"

나댜는 "네, 맞아요"라고 말하고 싶었다. 자기도 알고 있다고 말하고 싶었다. 그러나 눈물이 앞을 가리면서 갑자기 말문이 막혔다. 그녀는 잔뜩 몸을 웅크리며 자기 방으로 돌아갔다.

저녁 무렵에 안드레이 안드레이치가 찾아와 평소처럼 오랫동안 바이올린을 연주했다. 그는 대체로 말이 없는 편이었는데, 어쩌면 바이올린을 좋아하는 이유도 연주하는 동안은 침묵할 수 있기 때문인지도 몰랐다. 열시가 넘어 집으로 가려고 외투까지 챙겨 입었던 안드레이는 갑자기 나댜를 끌어안고 그녀의 얼굴과 어깨와 손에 열렬히 입을 맞췄다.

"아름답고 소중한 나의 그대!……" 그는 속삭였다. "내가 얼마나 당신을 사랑하는지! 나는 행복해서 미칠 지경이에요!"

그녀는 이미 오래전, 아주 오래전에 이 말을 들은 것 같았다. 아니면…… 언젠가 책장이 찢어져 오래전에 팽개쳐진 낡은 소설에서 읽은 구절 같았다.

홀에서는 사샤가 식탁에 앉아 자신의 긴 다섯 손가락 위에 찻잔 받침을 올려놓고 차를 마시고 있었다. 할머님은 파시앙스*의 패를 뜨고 있었고, 니나 이바노브나는 책을 읽고 있었다. 성상화 앞 등잔 속의 불꽃은 탁탁 소리를 내고 있었으며 사방이 조용하고 편안해 보였다. 나댜는 밤 인사를 나누고 위층으로 올라가서 자리에 누워 곧장 잠들었다. 그러나 지난밤처럼 미처 동이 트기도 전에 잠에서 깼다. 잠이 오질 않았으며 마음은 불안하고 무거웠다. 그녀는 무릎 위에 고개를 올려놓고

---

* 혼자서 하는 카드놀이 또는 카드로 치는 점.

앉아 약혼자와 결혼식에 대해 생각했다. 어머니가 돌아가신 아버지를 사랑하지 않았던 기억이 뜬금없이 떠올랐고, 지금 무일푼의 처지로 할머니, 즉 자신의 시어머니에게 전적으로 의존하여 살고 있다는 사실도 상기했다. 지금까지 자신이 왜 어머니를 특별하고 비범한 사람으로 보았는지, 왜 어머니가 단순하고 평범하고 불행한 여자였음을 깨닫지 못했는지, 아무리 생각해도 알 수가 없었다.

기침하는 소리가 들려오는 것으로 보아 아래층에 있는 사샤도 잠을 안 자고 있었다. '별나고 순진한 사람이라니까'라고 나댜는 생각했다. 경이로운 정원이니 신기한 분수니 하는 그의 몽상들 속에는 뭔가 어설픈 느낌이 있었다. 하지만 무슨 까닭인지 그 순진함 속에, 심지어 그 어설픔 속에 뭔가 대단히 멋진 의미가 담겨 있는 것 같았고, 그래서 유학을 떠날까 하는 생각을 얼핏 떠올려보았다. 그러자 바로 그 순간 그녀의 온 가슴과 심장이 서늘해지면서 기쁨과 환희로 가득찼다.

"하지만 생각하지 않는 게 좋아. 생각하지 않는 게 좋아……" 그녀는 중얼거렸다. "그것에 대해서 생각하면 안 돼."

"똑-딱……" 야경꾼이 멀리서 딱따기를 쳤다. "똑-딱…… 똑-딱……"

3

6월 중순에 사샤는 갑자기 따분하다며 모스크바로 떠날 채비를 했다.

"이 도시에서는 못 살겠어요." 그는 침울하게 말했다. "수돗물도 없고

하수시설도 없어요! 식사 때마다 내가 질색하잖아요. 이 집 부엌은 정말 불결하기 짝이 없다고요……"

"조금만 기다려, 돌아온 탕자 씨!" 할머니가 어쩐 일인지 소곤거리는 목소리로 사샤를 회유했다. "7일에 결혼식이 있잖니!"

"안 되겠어요."

"9월까지는 여기 머물겠다고 했잖아!"

"그런데 지금은 그럴 생각이 없어요. 저는 일을 해야 해요!"

여름은 습기가 많고 쌀쌀했다. 나무들은 축축하게 젖어 있었고 정원 전체가 칙칙하고 음울한 분위기였던 터라, 실제로 일이라도 하고 싶은 기분이 들었다. 아래층 위층 할 것 없이 방에서는 낯선 여인들의 목소리가 들려왔고, 할머니 방에서는 재봉틀소리가 달달거리며 들려왔는데, 이게 다 혼수 준비 때문이었다. 나댜의 모피 코트만 해도 여섯 벌이 마련되었는데, 할머니 말씀에 따르면 그중에서 가장 싼 것이 300루블이나 한다는 것이었다! 사샤는 이런 호들갑에 진절머리를 쳤다. 자기 방에 틀어박혀 화만 내고 있는 사샤를 사람들 모두가 설득한 끝에, 결국 7월 초하루까지는 떠나지 않겠다는 약속을 받아냈다.

시간은 금방 지나갔다. 페트로프의 날*에 점심식사를 마친 후, 안드레이 안드레이치와 나댜는 집을 다시 한번 보기 위해 모스콥스카야 거리로 나갔다. 그 집은 신혼부부를 위해 오래전부터 임대하여 준비해놓은 것으로서, 이층 건물이었는데 아직은 위층만 정리되어 있었다. 홀 바닥에는 채색된 쪽매널마루가 반짝거렸고, 오스트리아 빈 스타일의

---

* 사도 베드로와 바오로를 기리는 축일.

등받이가 흰 의자들과 피아노, 바이올린을 위한 악보대가 놓여 있었다. 페인트 냄새가 가득했다. 벽에는 금빛 액자 속에 커다란 유화가 걸려 있었다. 벌거벗은 여인과 그 옆에 손잡이가 부러진 연보랏빛 꽃병이 놓여 있는 그림이었다.

"대단한 그림이죠." 안드레이 안드레이치가 감탄의 한숨을 내쉬며 말했다. "시시마쳅스키라는 화가의 작품이에요."

홀과 이어진 응접실에는 원탁과 소파, 밝은 하늘색 천을 댄 안락의자들이 있었다. 소파 위에는 사제모를 쓰고 훈장을 주렁주렁 달고 있는 안드레이 신부의 커다란 사진이 걸려 있었다. 이어서 두 사람은 찬장이 있는 식당에, 그리고 침실에 들어가보았다. 어두컴컴한 침실에는 침대 두 개가 나란히 놓여 있었는데, 마치 침실을 꾸미면서 이곳에서는 자나 깨나 행복할 것이며 다른 상태는 있을 수 없다는 각오로 만든 것 같았다. 안드레이 안드레이치는 나댜를 방마다 데리고 다니는 동안 줄곧 그녀의 허리에 팔을 두르고 있었다. 그녀는 자신이 무력하다는 느낌, 잘못을 저지른 것 같다는 느낌 속에서 이 방들이며 침대며 안락의자들을 증오했다. 벌거벗은 여인의 그림은 그녀를 메스껍게 만들었다. 안드레이 안드레이치에 대한 그녀의 사랑이 식어버린 것은 진작부터 명백했다. 어쩌면 그를 사랑했던 적이 한 번도 없는지도 몰랐다. 그러나 밤낮으로 그 점에 대해 생각해보아도 어떻게, 누구에게, 무엇을 위해서 이 이야기를 해야 할지 그녀는 알 수 없었다…… 그가 그녀의 허리에 팔을 두르고 이토록 다정하고 수줍게 이야기하고 있는데, 이토록 행복해하며 자신의 신혼집을 돌아보고 있는데…… 하지만 이 모든 것 속에서 그녀의 눈에 보이는 것은 오로지 천박함이었다. 어리석고 유치한, 도저히 참을 수 없는 천박함이었다. 그녀의 허리를 감싼 그의 팔은 마치 굴 렁쇠처럼 딱딱하고 차갑게 느껴졌다. 매 순간 그녀는 도망가고 싶었고, 통곡하고 싶었고, 창밖으로 뛰어내리고 싶었다. 안드레이 안드레이치 가 그녀를 욕실로 데리고 들어가 벽에 설치된 수도꼭지를 건드리자 갑 자기 물이 흘러나왔다.

"어때요?" 그가 말하며 웃음을 터뜨렸다. "내가 고미다락에 삼백 갤 런 분량의 물탱크를 만들라고 해뒀어요. 그러니 이제 우리는 물 걱정이 없어요."

그들은 마당으로 나왔고, 다시 거리로 나가 마차를 불렀다. 짙은 구 름 같은 먼지가 몰아닥쳤고, 금방이라도 비가 쏟아질 것 같았다.

"춥지 않아요?" 먼지 때문에 눈을 찡그리며 안드레이 안드레이치가 물었다.

그녀는 대답하지 않았다.

"당신이 기억할지 모르겠지만, 어제 사샤가 아무 일도 하지 않는다 면서 나를 구박했었죠." 그는 잠시 뜸을 들였다가 말을 이었다. "맙소 사, 그가 옳아요! 전적으로 옳지요! 나는 아무 일도 하지 않을뿐더러 할 줄 아는 일도 없어요. 어째서일까요, 나댜? 어째서 나는 휘장이 박힌 모자를 쓰고 관청에 근무하러 가는 걸 상상만 해도 역겨울까요? 어째 서 나는 변호사나 라틴어 교사나 관리를 보면 거부감이 드는 걸까요? 오, 어머니 러시아! 오, 어머니 러시아는 게으르고 쓸모없는 인간들을 얼마나 더 많이 짊어져야 하는가! 고통받는 러시아여, 나 같은 인간을 얼마나 더 짊어져야 하는가!"

그는 아무 일도 하지 않는 자신을 일반화하면서 그것을 시대적 징후라 생각하고 있었다.

"결혼하면," 그는 말을 이었다. "같이 시골로 가요, 나댜. 거기서 일을 하는 겁니다! 정원이 있고 시냇물이 흐르는 작은 땅 한 조각을 사서 함께 일하며 인생을 관조하는 겁니다…… 아, 그러면 얼마나 좋을까요!"

그가 모자를 벗자 머리카락이 바람에 흩날렸다. 나댜는 그의 말을 들으며 생각했다. '맙소사, 집에 가고 싶어! 맙소사!' 집 근처에 거의 다다라서 그들은 같은 방향으로 가는 안드레이 신부를 앞질렀다.

"저기 아버지가 오시네!" 안드레이 안드레이치가 반가워하며 모자를 흔들었다. "나는 아버지를 사랑해요, 정말로." 마부에게 찻삯을 치르며 그가 말했다. "멋진 영감님이에요. 마음씨 좋은 영감님이지요."

집안으로 들어간 나댜는 저녁 내내 손님들이 머물 것이고, 그들을 대접하면서 미소를 짓고, 바이올린 연주를 듣고, 온갖 헛소리를 들어주면서 오로지 결혼식에 관한 얘기만 해야 한다는 생각에 화가 나고 몸이 아파왔다. 비단옷으로 화려하게 차려입은 할머니는 손님들 앞에서 항상 그러듯이 근엄하고 거만한 자세로 사모바르 옆에 앉아 있었다. 안드레이 신부가 예의 교활한 미소를 지으며 들어왔다.

"어르신께서 이렇게 건강한 모습을 뵙는 것이 제 삶의 위안이자 행복입니다." 그는 할머니에게 이렇게 말했는데, 농담으로 하는 건지 아니면 정말로 진지하게 진담으로 하는 건지 분간하기가 힘들었다.

4

바람 때문에 창문과 지붕이 달그락거렸다. 휘파람 같은 소리가 들려왔고, 페치카에서는 집의 정령*이 처량하고 음울한 노래를 불렀다. 자정이 넘었다. 집안사람들 모두가 자리에 눕긴 했으나 아무도 잠을 이루지 못했다. 나댜는 아래층에서 바이올린 소리가 들려오는 듯하여 계속 신경이 쓰였다. 덜컹하는 소리가 요란하게 울렸다. 덧창이 떨어져나간 모양이었다. 잠시 뒤에 잠옷만 걸친 니나 이바노브나가 촛불을 들고 들어왔다.

"방금 그게 무슨 소리였냐, 나댜?" 그녀가 물었다.

한 가닥으로 머리를 땋아내린 어머니는 겁먹은 미소를 짓고 있었다. 폭풍이 몰아치는 밤에 본 그녀는 더 늙고 추레졌으며 키까지 작아진 듯했다. 나댜는 바로 얼마 전까지만 해도 어머니를 특별한 사람이라고 여기며 어머니가 하는 말들을 자랑스럽게 들었던 것이 생각났다. 그런데 지금은 아무리 애를 써도 어머니가 했던 말들이 기억나지 않았다. 기억 속에 남은 말들은 전부 흐릿하고 쓸모없는 것들뿐이었다.

페치카에서는 여러 명이 웅웅거리며 노래를 부르는 듯한 소리가 났는데, 그것은 심지어 '아, 맙소사'라는 말소리처럼 들리기도 했다. 침대 위에 앉아 있던 나댜는 갑자기 자신의 머리카락을 움켜쥐며 흐느끼기 시작했다.

"엄마, 엄마," 그녀가 말했다. "나에게 무슨 일이 벌어지고 있는지 엄

---

* 한국의 터줏대감처럼, 러시아의 민간신앙에서는 집안에 정령이 살고 있다고 믿는다.

마가 알아주면 좋으련만! 부탁이에요, 엄마, 날 여기서 떠나게 해주세요! 제발!"

"어디로?" 어리둥절한 니나 이바노브나가 그렇게 물으며 침대에 걸터앉았다. "어디로 가겠다는 거냐?"

나댜는 말을 잇지 못한 채 한참을 울었다.

"이 도시를 떠나게 해줘요!" 마침내 그녀는 입을 열었다. "난 결혼하지 않을 거고, 그러니 결혼식도 없을 거예요. 날 이해해줘요! 나는 그 사람을 사랑하지 않아요…… 그 사람 얘기를 하는 것조차 싫어요."

"안 돼, 얘야, 안 된다." 대경실색한 니나 이바노브나가 황급히 말했다. "진정해. 네가 지금 마음이 뒤숭숭해서 그런 거야. 좀 지나면 진정이 될 거다. 다 그런 법이야. 아마 네가 안드레이와 말다툼을 했나보구나. 하지만 얘야, 연인들끼리는 싸우면서 정이 들기도 하는 거란다."

"아, 나가세요, 엄마, 나가요!" 나댜는 흐느꼈다.

"그래." 니나 이바노브나는 잠시 침묵하다가 말을 이었다. "오랫동안 너는 어린아이였고, 소녀였지. 하지만 지금은 어엿한 약혼녀 아니냐. 세상 만물은 끊임없이 순환하는 법이다. 너 또한 엄마가 되고 할머니가 된다는 걸 알아야 해. 그리고 나처럼 너에게도 고집 센 딸아이가 생길 거다."

"착한 우리 엄마, 엄마는 똑똑하지만 그래도 불행해요." 나댜가 말했다. "엄마는 너무 불행해요. 왜 그런 어리석은 말을 하는 거죠? 도대체 왜?"

니나 이바노브나는 무슨 말인가를 하려 했지만 한마디도 입 밖에 내지 못한 채 흐느끼며 자기 방으로 돌아갔다. 페치카에서 또다시 웅웅거리는 소리가 울리자 나댜는 갑자기 무서워졌다. 나댜는 침대에서 벌떡 일어나 급히 어머니에게로 갔다. 실컷 울고 난 니나 이바노브나는 하늘색 이불을 덮고 침대에 누워 두 손으로 책을 들고 있었다.

"엄마, 내 말 좀 들어봐요!" 나댜가 말했다. "제발 부탁이니 잘 생각하고 내 말을 들어줘요! 우리 생활이 얼마나 비루하고 굴욕적인지 엄마는 아셔야 해요. 나는 눈을 떴기 때문에 이제는 모든 게 보여요. 안드레이 안드레이치가 도대체 어떤 사람인지 아세요? 아둔한 인간이에요, 엄마! 맙소사! 그 사람은 바보예요!"

니나 이바노브나는 벌떡 일어나서 침대에 앉았다.

"너나 네 할머니나 날 왜 이리 괴롭히니!" 그녀는 얼굴을 붉히며 말했다. "나도 좀 살자꾸나! 나도 살자고!" 같은 말을 되뇌며 그녀는 주먹으로 자기 가슴을 두 번 쳤다. "나를 좀 놓아다오! 난 아직 젊어, 나도 살고 싶어, 그런데 넌 나를 할머니로 만들고 있어!……"

그녀는 울음을 터뜨리더니 자리에 누워 이불을 뒤집어쓰고 몸을 잔뜩 웅크렸다. 그런 모습은 너무도 작고 불쌍하고 미련해 보였다. 나댜는 자기 방으로 돌아가서 옷을 걸쳐 입고 창가에 앉아 아침이 오기를 기다렸다. 밤새 그렇게 앉아 생각에 잠긴 동안, 마당에서는 누군가가 쉴새없이 덧창을 두드리며 휘파람을 불어대는 듯했다.

다음날 아침, 간밤에 바람 때문에 정원의 사과들이 전부 떨어지고 오래된 자두나무가 쓰러졌다며 할머니가 투덜거렸다. 어두침침하고 음산해서 등불이라도 켰으면 싶은 날씨였다. 모두가 춥다며 투덜거렸고, 빗줄기는 창문을 두드려댔다. 나댜는 차를 마신 뒤 사샤의 방으로 갔다. 그리고 말 한마디 없이 구석에 있는 안락의자 옆에 무릎을 꿇고 앉아 두 손으로 얼굴을 감쌌다.

"왜 그래요?" 사샤가 물었다.

"견딜 수가 없어요⋯⋯" 그녀가 입을 열었다. "지금까지 내가 여기서 어떻게 살 수 있었는지 모르겠어요. 정말 모르겠다니까요! 약혼자가 경멸스럽고, 나 자신이 경멸스럽고, 무위도식하는 이 의미 없는 생활이 경멸스러워요⋯⋯"

"자, 자⋯⋯" 무슨 일인지 여전히 이해하지 못한 채로 사샤가 말했다. "괜찮아요⋯⋯ 괜찮아요."

"이런 생활에 신물이 나요." 나댜는 말을 이었다. "나는 여기서 하루도 견디지 못하겠어요. 내일 당장 집을 떠날 거예요. 나를 함께 데려가주세요, 제발!"

사샤는 놀란 눈으로 잠시 그녀를 바라보았다. 이윽고 사태를 파악한 그는 어린아이처럼 기뻐했다. 그는 기쁨에 겨워 춤추듯 팔을 마구 내저으며 발을 굴러대기 시작했다.

"훌륭해!" 그는 손을 비비며 말했다. "이거야 원, 너무 멋지군!"

그녀는 사랑이 가득한 커다란 눈을 깜박이지도 않고 홀린 듯 사샤를 바라보았다. 그리고 지금 당장 그가 어떤 의미심장한 말을, 더할 수 없이 중요한 말을 자신에게 해주기를 기대했다. 그는 아직 아무 말도 하지 않았지만, 그녀 앞에는 지금껏 알지 못했던 새롭고 광활한 세계가 벌써 열리고 있는 듯했다. 그녀는 이제 기대로 충만하여 죽음이라도 무릅쓸 것 같은 시선으로 사샤를 바라보고 있었다.

"나는 내일 떠나요." 그가 잠시 생각하고 나서 말했다. "그러니까 당신은 나를 배웅하러 역에 가는 겁니다⋯⋯ 당신 짐은 내 여행가방에 넣어 갈 거고, 당신 차표도 사놓겠어요. 세번째 출발 신호가 울리면 객차 안으로 들어오세요. 그리고 함께 가는 거예요. 모스크바까지는 나와 함께 가고, 거기서부터 혼자서 페테르부르크까지 가세요. 여권은 있나요?"

"있어요."

"맹세컨대, 당신이 아쉬워하거나 후회하는 일은 없을 겁니다." 사샤는 신이 나서 말했다. "가서 공부를 하세요. 그리고 거기서 운명이 이끄는 대로 몸을 맡기세요. 당신 삶의 방향을 바꾸면, 다른 모든 것이 알아서 변할 겁니다. 중요한 건 삶의 방향을 바꾸는 겁니다. 나머지는 하나도 중요하지 않아요. 자, 그럼 내일 떠나는 거죠?"

"네! 반드시!"

나댜는 자신이 매우 흥분한데다 난생처음 느끼는 무거운 심정 때문에 떠나기 직전까지 계속 괴로워하며 고민에 시달리게 되리라고 생각했다. 그러나 위층 자기 방으로 올라가 침대 위에 눕자마자 곧바로 잠들었다. 그리고 눈물 젖은 얼굴에 미소를 띠며 저녁때까지 깊은 잠을 잤다.

5

마차를 부르러 사람을 보냈다. 벌써 외투를 차려입고 모자를 쓴 나댜는 한번 더 어머니를 보고 자기 물건들을 보기 위해 위층으로 올라갔다. 그녀는 자기 방으로 들어가 아직도 온기가 남아 있는 침대 옆에

서서 잠깐 방을 둘러본 뒤 조용히 어머니 방으로 갔다. 니나 이바노브
나는 잠들어 있었고 방안은 조용했다. 나댜는 어머니에게 입을 맞추고
머리카락을 매만져준 다음 잠시 옆에 서 있었다…… 그리고 천천히 아
래층으로 내려왔다.

　밖에는 장대비가 주룩주룩 내리고 있었다. 덮개를 씌운 마차가 흠뻑
젖은 채 현관 앞에 서 있었다.

　"둘이 타면 자리도 좁을 텐데, 나댜." 하인이 여행가방을 싣는 동안
할머니가 말했다. "날씨가 이 모양인데 굳이 배웅하러 가겠다니, 원! 그
냥 집에 있지 그러냐. 비가 이렇게 쏟아지는데!"

　나댜는 무슨 말인가를 하고 싶었으나 하지 못했다. 사샤가 나댜를
마차에 태우고 다리에 담요를 덮어주었다. 그리고 자신도 그 옆에 자리
를 잡았다.

　"살펴 가거라! 주님이 보살펴주실 거야!" 현관에서 할머니가 소리쳤
다. "얘 사샤야, 모스크바 가면 편지해!"

　"그럴게요. 안녕히 계세요, 할마님!"

　"성모님의 가호가 있기를!"

　"웬 날씨가 이 모양이야!" 사샤가 말했다.

　나댜는 그제야 비로소 울기 시작했다. 이제 그녀는 자기가 정말로
떠난다는 사실을 실감했다. 그것은 할머니와 작별할 때만 해도, 어머
니를 보던 때만 해도 믿기지 않던 일이었다. 안녕, 내 고향! 갑자기 온
갖 일이 주마등처럼 스쳐갔다. 안드레이, 그의 아버지, 신혼집, 벌거벗
은 여인과 꽃병. 이 모든 것은 더이상 그녀를 위협하지도, 괴롭게 하지
도 않았다. 그것들은 유치하고 사소하게 느껴졌으며 계속 뒤로 뒤로 멀

어져갈 뿐이었다. 두 사람이 객실에 자리잡고 나서 기차가 움직이기 시작하자, 그토록 커다랗고 심각해 보였던 과거의 그 모든 일은 작은 덩어리로 쪼그라들어버렸고, 이제까지는 너무 작아서 눈에 잘 띄지도 않았던 미래가 장대하고 광활하게 펼쳐지기 시작했다. 장대비가 차창을 두드려댔고, 창밖으로는 초록빛 들판이며 전신주며 전선 위에 앉은 새들이 가물가물 보일 뿐이었다. 그녀는 불현듯 기쁨으로 숨이 멎을 듯했다. 그녀는 자신이 자유를 향해, 그리고 배움을 위해 떠나고 있다는 것을 실감했다. 옛말에 바로 이런 걸 두고 '카자크 용사가 되러 떠나간다'고 했던 것이리라. 그녀는 웃고, 울며, 기도했다.

"괜찮-아!" 사샤가 빙긋이 웃으며 말했다. "괜찮-아!"

6

가을이 가고 뒤이어 겨울이 지나갔다. 나댜는 벌써부터 집이 몹시 그리워졌으며 매일 어머니와 할머니를 생각했고, 사샤를 생각했다. 집에서 오는 편지들의 말투가 차분하고 다정한 것으로 미루어보아 이미 모든 것이 용서되고 잊힌 듯했다. 5월에 시험을 치른 그녀는 생기발랄한 기분으로 고향집으로 향했고, 가는 길에 사샤를 만나기 위해 모스크바에 들렀다. 그는 작년 여름의 모습 그대로였다. 더부룩한 턱수염에 헝클어진 머리카락, 자나깨나 똑같은 프록코트에 즈크 바지, 그리고 변함없이 크고 아름다운 두 눈. 그러나 그는 병약하고 지친 모습이었으며 부쩍 나이가 들고 여윈데다 줄곧 기침을 했다. 그리고 나댜에게는 그가 왠지 초라하고 촌스러워 보였다.

"이런이런, 나댜가 왔네!" 그렇게 말하며 그는 즐거운 웃음을 터뜨렸다. "귀여운 우리 나댜!"

그들은 담배 연기가 자욱하고 잉크와 물감 냄새로 숨이 막힐 듯한 인쇄소에 잠시 앉아 있다가 역시 담배 냄새에 찌들고 여기저기 침 뱉은 자국이 널린 그의 방으로 갔다. 테이블 위에는 싸늘하게 식은 사모바르가 놓여 있었고 그 옆에는 깨진 접시가 시커먼 종이로 덮여 있었다. 테이블이건 바닥이건 온통 죽은 파리들 천지였다. 이 모든 걸로 미루어보건대 사샤가 불결한 환경을 방치한 채 안락한 생활을 멀리하며 되는대로 막 살고 있음이 분명했다. 만약 누군가가 그의 개인적인 행복, 개인적인 삶과 사랑에 대해 말을 꺼낸다면 그는 그 말을 전혀 이해하지 못하고 그저 웃어넘길 것이 뻔했다.

"다행히 힘든 고비들은 다 잘 넘겼어요." 나댜는 서둘러 말했다. "가을에 엄마가 페테르부르크로 찾아와서 할머니가 노여움을 푸셨다고 말씀하셨어요. 다만 계속 내 방을 드나들며 벽에 성호를 그을 뿐이라고요."

사샤는 명랑해 보이긴 했지만 이따금 기침했고 말할 때 목소리가 떨렸다. 나댜는 그를 유심히 살펴보았지만, 그가 정말로 심각하게 아픈 건지 아니면 단지 그녀에게 그렇게 보일 뿐인 건지 가늠할 수 없었다.

"내 소중한 사샤," 그녀는 말했다. "당신 몸이 아프군요!"

"아니, 괜찮아요. 아프긴 하지만 별것 아니에요……"

"오, 맙소사." 나댜는 와락 걱정스러운 마음이 들었다. "왜 치료를 받지 않는 거죠? 왜 자신의 건강을 돌보지 않아요? 내 소중한 사샤." 그렇게 말하는 그녀의 눈에서 눈물이 쏟아졌다. 뜬금없이 안드레이 안드레이치와 벌거벗은 여인과 꽃병, 그리고 이제는 어린 시절처럼 멀게만 느껴지던 그녀의 모든 과거가 생생하게 떠올랐다. 그녀는 사샤가 더이상 예전처럼 새롭고 지적이고 흥미로운 사람으로 보이지 않는다는 사실 때문에 눈물이 났다. '나의 사샤, 당신은 몹시 앓고 있어요. 당신의 창백하고 여윈 모습을 건강하게 되돌리기 위해서 내가 무엇을 하면 좋을지 모르겠군요. 나는 당신에게 큰 빚을 졌어요! 나의 착한 사샤! 당신이 나에게 얼마나 큰 도움을 주었는지 당신은 상상도 못 할 거예요. 정말이지 당신은 지금 나에게 가장 가깝고 가장 소중한 사람이랍니다.'

그들은 잠시 앉아 이야기를 나누었다. 페테르부르크에서 겨울을 보낸 지금의 나댜에게 사샤의 말이나 미소, 그리고 그의 전체적인 모습이 주는 인상에서는 왠지 모르게 진부하고 한참 시대에 뒤떨어져서 벌써 무덤 속에나 들어갔어야 할 뭔가가 느껴졌다.

"나는 내일모레 볼가 지방으로 가요." 사샤가 말했다. "그리고 거기서 쿠미스*를 마실 겁니다. 쿠미스를 마시고 싶어요. 내 친구 부부와 함께 갈 겁니다. 그 친구 부인이 대단한 사람인데, 공부를 하러 가라고 내가 계속 설득하는 중이에요. 나는 그녀가 자신의 삶을 송두리째 바꾸도록 만들고 싶어요."

웬만큼 이야기를 나눈 뒤 그들은 역으로 갔다. 사샤가 차와 사과를 사주었고, 기차가 움직이기 시작하자 미소를 지으며 손수건을 흔들었다. 후들거리는 그의 다리만 보더라도 병세가 심각하며 얼마 살지 못하

---
* 말젖으로 만든 발효유.

리라는 것을 알 수 있었다.

나댜는 정오에 고향 역에 도착했다. 역에서 집으로 가는 동안 보이는 거리는 굉장히 넓게 느껴졌지만 집들은 자그맣고 납작해 보였다. 거리에 사람들은 없었고, 빛바랜 외투를 입은 독일인 조율사와만 마주쳤을 뿐이었다. 모든 집이 온통 먼지를 뒤집어쓴 것 같았다. 예전과 마찬가지로 뚱뚱하고 못생긴데다 이제 완전히 늙어버린 할머니는 두 팔로 나댜를 끌어안고 오랫동안 눈물을 흘렸고, 나댜의 어깨에 얼굴을 묻은 채 떨어질 줄 몰랐다. 니나 이바노브나 역시 부쩍 늙어서 볼품없어지고 많이 여위었지만, 여전히 예전처럼 꼭 끼는 옷을 입고 손가락마다 번쩍거리는 다이아몬드 반지들을 끼고 있었다.

"어여쁜 내 딸!" 그녀는 온몸을 떨며 말했다. "어여쁜 내 딸!"

그들은 앉아서 말없이 함께 울었다. 과거는 흘러가서 이제 영영 돌이킬 수 없다는 것을 할머니도, 어머니도 느끼고 있는 것이 분명했다. 이제 그들에게는 사회적인 지위도, 지난날의 긍지도, 손님을 초대할 자격도 없는 것이다. 세상은 이런 식이다. 그것은 마치 근심 걱정 없이 편안한 삶을 누리던 집에 어느 날 밤 난데없이 경찰이 들이닥쳐 가택수색을 해보니 집주인이 공금을 횡령하고 문서를 위조한 것으로 밝혀지는 것과 다름없다. 근심 걱정 없는 편안한 삶이여, 영원히 안녕!

나댜는 위층으로 올라가 예전과 다름없는 침대며 평범한 흰 커튼이 드리워진 창문들을 보았다. 창문 너머로 예전처럼 햇빛을 흠뻑 받으며 즐겁게 재잘대고 있는 정원이 보였다. 그녀는 자신의 책상과 침대를 만져보고 거기 앉아 잠시 생각에 잠겼다. 그리고 점심을 든든히 먹고 나서 고소한 크림을 가득 얹은 차를 마셨다. 뭔가 예전 같지 않았다. 방은 휑한 느낌이었고 천장은 낮아 보였다. 저녁에 잠자리에 누워 이불을 덮은 나댜는 자기가 이 따뜻하고 폭신폭신한 침대에 누워 있다는 게 어쩐지 우습게 여겨졌다.

니나 이바노브나가 잠깐 찾아와서 마치 잘못을 저질러놓고 눈치를 보는 사람처럼 조심스럽게 앉았다.

"그래 어떠니, 나댜?" 잠시 침묵하던 그녀가 물었다. "만족하니? 아주 만족해?"

"만족해요, 엄마."

니나 이바노브나는 일어나서 나댜와 창문을 향해 성호를 그었다.

"그런데 애야, 난 보다시피 믿음이 깊어졌단다." 그녀는 말했다. "있잖니, 나는 요새 철학 공부를 하면서 계속 여러 가지 생각을 하고 있어…… 요즘 나에겐 많은 일들이 대낮처럼 훤하게 보이지 뭐냐. 내가 보기에 무엇보다도 중요한 건 말이다, 프리즘으로 비춰 보듯이 인생을 바라보아야 한다는 거야."

"엄마, 할머니 건강은 어떠세요?"

"괜찮으신 것 같아. 네가 사샤와 함께 떠나고 나서 전보를 보냈을 때, 할머니는 그걸 읽자마자 바로 기절하셨지. 사흘 동안 꼼짝 않고 누워 계셨어. 그러고 나서 밤낮으로 기도하며 우셨다. 지금은 괜찮으셔."

그녀는 일어나서 방안을 서성거렸다.

"똑 - 딱……" 야경꾼이 딱따기를 치는 소리가 들렸다. "똑 - 딱, 똑 - 딱……"

"무엇보다도 중요한 건 프리즘으로 비춰 보듯이 인생을 바라보아야 한다는 거야." 그녀는 말했다. "즉, 다시 말해서, 인생이 우리 의식 속에서 일곱 가지 기본색처럼 가장 단순한 요소들로 나뉘도록 해야 한다는 얘기야. 그래서 그 각각의 요소를 따로따로 연구해야 하는 거란다.”

니나 이바노브나가 또 무슨 말을 했는지, 그리고 언제 방을 나갔는지 나댜는 알지 못했다. 그녀는 곧바로 잠이 들어버린 것이다.

5월이 가고 6월이 왔다. 나댜는 이제 집에 익숙해졌다. 할머니는 사모바르를 준비하며 깊은 한숨을 쉬곤 했다. 니나 이바노브나는 저녁마다 자신의 철학을 이야기했다. 그녀는 예전과 마찬가지로 군식구처럼 이 집에 얹혀살면서 한푼이라도 필요할 때마다 할머니에게 손을 벌려야 했다. 집안은 파리들 천지였고, 방안의 천장들은 점점 내려앉고 있는 것처럼 보였다. 할머니와 니나 이바노브나는 안드레이 신부나 안드레이 안드레이치를 마주칠까봐 겁나서 바깥에 나가지 않았다. 나댜는 정원과 거리를 거닐며 집들과 낡은 울타리들을 바라보면서 이 도시의 모든 것이 벌써 오래전에 늙어서 수명을 다한 것 같다는 느낌을 받았다. 이들이 끝을 기다리는 것인지, 아니면 젊고 신선한 그 무엇인가의 시작을 기다리는 것인지 알 수 없었다. 오, 새롭고 밝은 삶이 어서 시작되어 자신의 운명을 이 눈으로 담대하게 직시할 수 있다면, 자신이 올바르고 즐겁고 자유로운 인간임을 확인할 수 있다면 얼마나 좋을까! 어쨌든 그런 삶은 빠르든 늦든 찾아오게 될 것이다! 지금은 하인 네 명이 더러운 지하 골방에서 죽지 못해 살고 있지만, 이런 할머니의 집에도 언젠가는 때가 올 것이다. 이 집이 흔적도 없이 사라지고, 잊혀서 아무도 기억하지 못하는 때가 언젠가는 올 것이다. 이웃집 마당에서 놀던 아이들이 나댜의 상념을 방해하곤 했다. 그녀가 정원을 거닐고 있으면 아이들이 울타리를 두드리고 깔깔거리며 그녀를 놀렸다.

"약혼녀! 약혼녀!"

사라토프에 있는 사샤로부터 편지가 왔다. 그는 예의 춤추는 듯한 경쾌한 필체로 자신의 볼가 지역 여행이 아주 성공적이었지만, 사라토프에서 약간 몸이 아팠고, 그래서 목이 잠긴 채 벌써 두 주째 병원에 누워 있는 중이라고 썼다. 그녀는 이 편지가 무엇을 의미하는지 알았고, 확신에 가까운 예감에 사로잡혔다. 그러면서도 한편으로는 사샤에 대한 이 예감이나 걱정이 예전만큼 그녀를 동요하게 만들지 않는다는 사실 때문에 언짢았다. 그녀는 생을 향한 간절한 욕구를 느꼈으며, 페테르부르크로 돌아가고 싶었다. 사샤와의 우정은 애틋한 것이었으나 이제는 멀고먼 과거의 일처럼 여겨졌다! 그녀는 밤새 잠을 못 이루다가 아침이 오자 창가에 앉아 바깥의 소리에 귀를 기울였다. 마침 아래층에서 목소리가 들려왔다. 할머니가 걱정스러운 어조로 뭔가를 급히 물어보는 소리였다. 뒤이어 누군가가 울음을 터뜨렸다…… 나댜가 아래층으로 내려가보니 할머니는 구석에서 기도하고 있었고, 얼굴은 눈물로 뒤덮여 있었다. 테이블 위에는 전보가 놓여 있었다.

나댜는 할머니의 울음소리를 들으며 한참 동안 방안을 서성거리다가 마침내 전보를 집어들고 읽었다. 그것은 어제 아침 사라토프에서 알렉산드르 티모페이치, 즉 사샤가 폐결핵으로 사망했다는 전보였다.

할머니와 니나 이바노브나가 추도미사를 준비하기 위해 교회에 간 동안, 나댜는 집에 남아 오랫동안 이 방 저 방 돌아다니며 생각에 잠겼다. 그녀는 자신의 삶이 사샤가 바랐던 대로 바뀌었음을 또렷이 자각했다. 그리고 이곳에서 자신은 고독하고 불필요한 이방인임을, 이곳의 모든 것 또한 그녀에게 불필요함을, 과거의 모든 것은 마치 불에 타고 남

308

은 재가 바람에 흩어지듯 그녀로부터 떨어져나가 사라져버렸음을 자각했다. 그녀는 사샤의 방으로 들어가 거기 잠시 서 있었다.

'안녕, 정다운 사샤!' 그녀가 마음속으로 그렇게 말하고 나자, 그녀 앞에 새롭고 광활한 삶이 떠올랐다. 아직 선명하지 않은, 비밀로 가득한 그 새로운 삶은 손짓하며 그녀를 부르고 있었다.

그녀는 떠날 준비를 하기 위해 위층으로 올라갔다. 다음날 아침 가족들과 작별인사를 나눈 그녀는 생기와 기쁨으로 가득한 채 고향을 떠났다. 영원히 돌아오지 않겠다고 다짐하며.

(1903)

우리 모두가 '상자 인간'이다

안톤 파블로비치 체호프(1860~1904)의 선조는 농노였다. 1841년, 체호프의 아버지 파벨이 열여섯 살이 되던 해에 장사 수완이 좋았던 체호프의 할아버지 예고르는 거금 3500루블을 모아 자신과 가족의 자유민 신분을 샀다. 1861년에 차르 알렉산드르 2세가 농노해방령을 공표하기 이십 년 전의 일이었다. 자유민이 된 체호프의 아버지는 러시아 남부, 크림반도의 작은 항구도시 타간로크에 정착해 예브게니야와 결혼해서 가정을 꾸리고 식료품점을 열었다. 그리고 1860년 1월 17일, 체호프 부부의 5남 2녀 중 셋째 아들로 안톤이 태어났다. 그 이듬해에 농노해방령이 공표되었으니, 근면하고 명민한 할아버지가 아니었더라면 안톤도 농노로 태어날 뻔했고, 그랬다면 아마도 훗날의 대작가 체호프는 만들어질 수 없었을 것이다.

체호프가 열여섯 살이 되던 해에 아버지의 식료품점이 파산했다. 집마저 빚쟁이에게 넘어가게 되자 체호프만 남겨놓고 온 가족이, 첫째와 둘째 아들이 있는 모스크바로 떠나갔다. 체호프는 이제 남의 것이 된 예전의 자기 집에 홀로 얹혀살면서 집주인 조카의 가정교사로 푼돈을 벌어 어렵게 김나지움을 졸업하고, 삼 년 후 모스크바 빈민가에 살고 있는 가족과 합류했다. 그리고 모스크바대학교 의학부에 입학했다.

체호프는 스무 살이 되던 해, 의과대학 1학년 때부터 이런저런 유머 잡지들에 '안토샤 체혼테' 등의 필명으로 단편을 기고하기 시작했다. 창작의 동기는 예술적인 것과는 거리가 멀었다. 연로한 부모와 형제자매들로 이루어진 대가족의 생계를 거의 혼자서 감당해야 했던 체호프는 1880년에서 1886년까지 삼백 편이 넘는 콩트와 유머 단편들을 쏟아냈다. 그런데 순전히 돈을 벌기 위해 쓰인 이 초기 작품들 가운데에도 걸작들이 적지 않다. 이 책에 실린 「굴」「아뉴타」「반카」는 바로 이 '체혼테' 시기에 쓰인 걸작들이다.

굴

「굴」(1884)은 굶주리고 학대받는 어린아이들에 대해 체호프가 쓴 일련의 단편들 중 첫번째 작품이다. 체호프가 살던 시대의 러시아에서 굴은 가난한 서민들이 접하기 힘든 귀한 음식이었다. 그래서 굴이 무엇인지, 또 어떻게 먹는 것인지 모르는 어수룩한 사람들에 관한 일화들이 당시의 유머문학에 종종 등장했다. 그런데 이 유머문학의 진부한 희극적 소재가 체호프의 단편에서는 비극적인 색채를 띠게 된다.

오랫동안 굶주린 여덟 살짜리 어린아이가 아버지와 함께 길거리에 서서 구걸한다. 아이는 맞은편에 있는 주점의 간판에서 '굴'이라는 처음 보는 글자를 발견한다. 옆에 있는 아버지가 설명해주지만 그 설명만으로는 어떤 음식인지 알 수가 없다. 심한 허기로 인해 제정신이 아닌 아이는 온갖 혐오스러운 형상으로 굴을 떠올리면서도 한편으로는 굴을 몹시 먹고 싶다. 어쩌다가 지나가던 신사 두 사람이 아이를 주점으로 데려가서 장난삼아 굴을 먹이고, 아이는 그대로 기절해버린다.

체호프는 지인에게 이 작품을 의사의 관점에서 썼다고 말한 바 있다. 요컨대 극도의 영양실조 상태에 있는 인간의 육체적 정신적 변화 과정을 그려보려고 한 것이다. 굶주린 아이에 대한 연민과 별도로 이 작품에서는 비정상적인 정신상태에서 아이가 상상하는 굴의 이런저런 형상들이 기괴하고 초현실적으로 묘사된다. 작가이자 의사인 체호프는 병적인 상태 혹은 가수 상태에 있는 등장인물의 정신 현상을 그린 단편을 여럿 남기고 있다. 이 책에 실린 「의사」에도 유사한 모티프가 등장하며, 여기 실리진 않았으나 「자고 싶다」 「구세프」 등이 이 소재를 다룬 대표적인 작품들이다.

아뉴타

「아뉴타」(1886)는 의대생 클로치코프와 그의 동거녀 아뉴타가 함께 하는 삶의 한 단편을 보여주고 있다. 의대생은 방안을 이리저리 거닐며 의학 서적을 외우느라 여념이 없다. 효율적인 암기를 위해 아뉴타의 몸 위에 목탄으로 표시하는 장면은 희극적이다. 클로치코프에게 아뉴타 는 성적 파트너이고 의학 공부의 도구이고 하녀이며 재정적 기여자이 기도 하다. 그녀는 의대생의 차와 담배를 구입할 돈을 벌기 위해 수를 놓는 일을 하고 있다. 클로치코프는 아뉴타를 이웃 방 화가에게 모델로 쓰라고 빌려주기도 한다. 그에게 아뉴타는 인격을 상실한 물건 같은 존 재이다. 물건은 용도가 다하면 버려진다. 그는 조만간 아뉴타를 내보낼 생각이다. 그리고 그는 이런 식으로 아뉴타를 거쳐간 여섯번째 대학생 이다.

작가는 온갖 방식으로 아뉴타를 착취하는 클로치코프를 덤덤히 보 여줄 뿐 아무런 비난의 어조를 드러내지 않는다. 또한 불쌍한 아뉴타가 얼마나 괴로워하는지도 우리에게 알려주지 않는다. 다만 생각하고 또 생각하는 그녀를 보여줄 뿐이다. "그녀는 평소에 거의 말을 하지 않았 다. 항상 말없이 생각하고 생각하기만 할 뿐……" 우리는 그녀가 무슨 생각을 하는지 알 수 없다. 아뉴타의 침묵은 그녀의 비극을 더 무겁고 깊게 만든다.

반카

「반카」(1886)는 1886년 12월 25일자 〈페테르부르크 신문〉의 '크리 스마스 이야기'난에 게재된 작품으로 러시아에서는 찰스 디킨스의 「크 리스마스 캐럴」이나 한스 크리스티안 안데르센의 「성냥팔이 소녀」만큼이나 유명해진 크리스마스 이야기이다.

반카 주코프는 부모를 모두 잃고 아홉 살의 나이에 구두장이 주인의 견습공으로 팔려왔다. 어린 반카로서는 도저히 감당할 수 없는 힘겹고 외로운 나날을 보내지만 주변에는 이런 고통을 호소할 어른이 아무도 없다. 그의 유일한 가족은 시골에서 어떤 지주 댁의 야경꾼으로 있는 할아버지이다. 크리스마스 전날 밤, 주인 부부가 예배를 보러 나간 사이에 반카는 할아버지에게 편지를 쓴다. 물론 편지의 내용은 자기가 겪는 고생을 호소하고 할아버지에게 자기를 데려가달라는 것이다. 천진난만한 어린아이의 말투로 쓰인 반카의 고생담은 독자를 안타깝게 한다. 하지만 그보다 더 안타까운 일이 조금 뒤에 준비되어 있다.

편지를 다 쓴 반카는 그것을 봉투에 넣고 겉봉에 '시골에 있는 할아버지께'라고 쓴다. 그리고 다시 잠깐 생각하더니 '콘스탄틴 마카리치께'라고 덧붙인다. 반카는 편지를 우체통에 넣으면서, 방울을 딸랑거리며 방방곡곡을 찾아가는 우편마차가 이 편지도 할아버지에게 배달해줄 것을 믿어 의심치 않는다. 작가는 편지의 운명에 대해 구구절절 부연하지 않지만 우리는 알 수 있다. 이 소년은 편지에 주소를 써야 하며 수신인의 이름과 부칭父稱뿐만 아니라 성姓도 써야 한다는 것도 모를 정도로 어린아이라는 것을, 그리고 이 편지는 결국 아무에게도 닿지 않을 것이며, 어느 누구도 이 소년을 구원해줄 수 없다는 것을.

소설 속에서는 아무도 들을 수 없는 반카의 가련한 호소는 고스란히 독자에게로 향한다. '잘못 쓴 주소'라는, 마치 농담 같은 트릭이 이 작품을 감상주의의 함정에서 구원하는 동시에 비극적 파토스를 극대화하고 있다.

의사

1884년에 의과대학을 졸업하고 모스크바 근교의 보건의로 의사 경력을 시작한 체호프는 이후 1885년부터 1887년까지 개업의로서 진료 활동을 지속했으며, 의사 간판을 내린 후에도 틈나는 대로 집과 별장에 찾아오는 친구와 친지들, 농민 환자들을 진료비도 받지 않고 치료해주었다. 콜레라가 창궐하던 1892년에는 전염병 지역에서 임시 군의감으로 방역 활동을 했으며, 비록 완성하지는 못했지만 『러시아에서의 의료』라는 연구서를 집필했고, 두 권의 의학 잡지의 편집과 발행에 관여했다. 1890년 유형지인 사할린 여행에서 수행한 체호프의 헌신적인 의료조사 활동은 러시아 역병학 역사에 획기적인 장을 연 사건으로 평가되기도 한다. 대작가의 명성에 비할 바는 아니지만, 이 정도의 경력이라면 의사로서도 한 사람의 몫을 제대로 해냈다고 볼 수 있을 것이다. 체호프는 지인에게 "의학은 나의 법적인 아내이고 문학은 나의 정부"라고 말하며 의학에 대한 애정을 표현하기도 했다.

체호프의 작품들 가운데 이십여 편에서 의사가 주요한 인물로 등장한다. 그런데 창작활동으로 바쁜 와중에도 자기 나름대로 인술을 펼치고 의학에 기여하고자 애썼던 작가와는 달리, 작품 속 의사들은 대체로 부정적인 모습으로 그려지고 있다. 이들은 초기의 유머 단편들에서 희화화되고 있고, 이후의 진지한 소설과 희곡들에서도 회의적이거나 신경질적이거나 냉소적이며, 「6호실」의 의사 라긴처럼 환자를 치료하는 일에도 별로 열의를 보이지 않는다. 이들은 병원에서 열심히 환자를 진료하기보다 병원 밖에서 사적인 문제들에 얽혀 있는 모습으로 등장한다는 점도 특징적이다.

「의사」(1887)도 그런 체호프의 의사들 중 한 사람을 보여준다. 의사 츠베트코프는 한때 자신의 연인이었던 올가 이바노브나의 아들을 치료하기 위해 그녀의 집에 와 있다. 의사는 아이를 잠시 살펴보지만 치명적인 질병으로 죽어가는 아이에게 그가 해줄 수 있는 일은 아무것도 없다. 이 순간에 정작 의사를 사로잡고 있는 문제는 자신이 이 아이의 아버지라는 올가 이바노브나의 말이 사실인지 확인하는 것이다. 세 명의 아버지에게서 받는 생활비를 포기할 수 없기에 끝내 진실을 밝히지 않는 올가 이바노브나도 딱하지만, 자신의 아들일지도 모르는 아이가 죽어가는 마당에 옛 연인에게 분통을 터뜨리는 츠베트코프도 딱하기는 마찬가지다. 비극적인 상황에 어울리지 않는 남녀의 실랑이가 실소를 자아낸다. 이처럼 한 상황 속에 비극과 희극을 뒤섞는 것은 훗날 근대 희비극의 원조로 평가되는 극작가 체호프를 만들어낸 중요한 특성이기도 하다.

6호실

1886년 당대의 유력한 신문 〈신시대〉에 작품을 기고하기 시작하면서 작가 체호프의 경력에 전환점이 만들어진다. 이때부터 체호프는 유머 단편이라는 장르적 제한을 벗어나 주제와 분량에 구애받지 않고 자유로이 창작할 수 있게 되었으며, 유머 잡지에 기고할 때 썼던 '체혼테'라는 필명을 버리고 본명으로 작품을 발표하기 시작했다. 원로 작가 드미트리 그리고로비치와 〈신시대〉의 발행인 알렉세이 수보린의 격려 속에서 예전보다 진지하고 깊이 있는 작품들을 발표하다가 어느덧 문단의 주목을 받기 시작했고 1888년에는 권위 있는 푸시킨상을 수상한다. 같은 해 발표된 첫 중편소설 「초원」에 대한 리뷰가 온 나라의 신문들에 실렸고, 단막극 〈곰〉(1888)과 〈청혼〉(1888)이 전국 각지에서 큰 성황을 누리며 공연되었다. 그런데 작가로서 성공의 정점에 있던 체호프는 갑자기 유형지인 사할린섬으로 역학조사를 위한 여행을 떠나게 된다.

시베리아를 가로질러 약 4000킬로미터에 달하는 거리를 삼 개월에 걸쳐 마차로 달려가서 다시 삼 개월간 사할린섬에 체류한 체호프는 유형수들 한 사람 한 사람과 직접 만나 위생 실태를 조사했고, 이를 8000여 쪽의 기록 카드로 남겼다. 체호프는 의사의 자격으로 이 혹독한 조사 여행을 감행한 것이었지만 결과적으로 그 여행은 작가로서의 체호프에게도 큰 영향을 끼쳤다. 「결투」(1891), 「6호실」(1892) 같은 사상적 논쟁으로 가득한 심각한 중편소설들이 바로 사할린 여행의 결과물이라고 할 것이다.

1892년 자유주의적 경향의 잡지였던 〈러시아 사상〉에 발표된 「6호실」은 그때까지 쓰인 작가의 소설 가운데서 동시대의 독자들로부터 가장 열렬한 호응을 불러일으켰다. 이 작품을 계기로 체호프는 단지 재능 있는 이야기꾼이 아닌 깊이 있는 중견 작가로 자리매김하게 되었다. 평론가들뿐만이 아니라 동료 작가들로부터도 극찬을 받았는데, 당대의 평론가 표트르 페르초프는 「6호실」이 "작가에게 주어진 칭찬들로 볼 때 체호프의 가장 '행복한' 작품"이라고까지 말할 정도였다.

「6호실」이 발표 당시에 비상한 관심을 끌었던 이유로는 여러 가지가 있지만 그 가운데서도 가장 중요하게 거론될 만한 것은 역시 이 작품에 담긴 논쟁적 사상적 요소들이다. 지방 소도시 자선병원의 원장 안드레이 예피미치 라긴은 자신을 내보내달라는 정신병동 '6호실'의 환자 이반 드미트리치 그로모프에게 감옥과 정신병원이 있는 한 누군가는 거기에 갇힐 수밖에 없다고 회유한다. 라긴은 스토아철학을 인용하며 외적인 환경은 결코 중요하지 않고 인간은 내면의 힘으로 고통을 초극할 수 있다면서 그로모프를 달래려 하지만, 그로모프는 고통이야말로 인간을 인간답게 만들고 인류의 진보를 가능하게 한 것이며 스토아철학은 당초에 고통을 겪을 일이 좀처럼 없는 여유로운 자들의 사상에 불과하다고 반박한다. 여기서 의사로서의 책무를 게을리한 채, 관념의 세계 속에서 자족하던 라긴이 결국 스스로 병실에 감금되어 자신의 태업과 무책임에 대한 죗값을 치르게 된 것으로 본다면, 이는 당대 러시아의 지식인들에게 현실의 압제와 불의에 침묵하지 말고 떨쳐 일어나 행동할 것을 촉구하는 작가의 메시지로 읽힐 수 있다. 동시대 작가 니콜라이 레스코프가 말했듯이 "사방 천지가 6호실이며, 6호실은 러시아"인 것이다. 혁명가 블라디미르 레닌이 젊은 시절에 「6호실」을 읽고서 "마치 나 자신이 6호실에 갇힌 것 같은 느낌이었다"고 말했다는 얘기도 유명하다.

종말을 앞둔 제정러시아의 지식인들에게 「6호실」이 위와 같은 경향적 맥락으로 읽힌 것은 당시의 폭압적인 사회 상황을 돌이켜볼 때 충분히 자연스럽다. 그러나 「6호실」이 단순히 행동하지 않는 관념적인 지식인 라긴에 대한 인간주의자 그로모프의 승리로 읽히지 않을 수도 있다. 결론부터 말하면 라긴과 그로모프가 서로 분신 같은 관계일 수 있다는 얘기다. 두 사람은 모두 병실 밖에 있을 때 상당한 독서가이자 사색가였으며, 정도의 차이는 있겠으나 억압적인 아버지에게서 키워졌다. 무엇보다도, 라긴이 6호실에 감금되어 잠시나마 그로모프와 함께 있게 되면서, 두 사람을 가르던 의사 – 환자라는 대조적 구분이 해소되어버린 것에 주목해야 할 것이다. 체호프는 의과대학을 졸업하던 해인 1884년에 결핵으로 처음 객혈했으며, 그로부터 평생에 걸쳐 결핵 환자로 살아야 했다. 의사가 정신병자와 논쟁하다가 스스로 환자가 되어 같은 병실에 감금된다는 충격적인 결말에서 의사이자 환자로 살아야 했던 작가의 운명을 떠올리지 않을 수 없다.

로트실트의 바이올린

「로트실트의 바이올린」(1894)은 발표 당시부터 오랫동안 큰 주목을 받지 못하다가 근년 들어 러시아 연극 연출가 카마 긴카스의 탁월한 무대화에 힘입어 새롭게 평가되고 있는 작품이다. 주인공은 주민들이 좀처럼 죽지 않는 소도시에서 관 짜는 일을 하며 부업으로 가끔 유대인 악단에서 바이올린 연주도 하는 야코프라는 노인이다. 세상만사를 금전적 이해득실의 잣대로만 판단하며 까닭 없이 유대인을 혐오하고 아내를 함부로 대하는 야코프는 아내 마르파가 죽고 나서야 비로소 자신의 잘못을 깨닫는다. 포악한 남편을 두려워하며 평생 즐거움이란 모르고 살아온 마르파가 죽는 순간 오히려 행복한 표정을 짓는 모습은

애처롭기 그지없다. 마음 깊은 곳에 자리잡은 상처이기에 정작 야코프
는 기억조차 못하지만, 그가 어린아이의 관 만들기를 싫어한 이유가 오
십 년 전에 죽은 딸아이 때문이라는 사연도 기막히다. 자칫하면 신파조
로 흐를 수 있는 이 감상적인 이야기는 체호프의 간결한 문체와 블랙
유머 속에서 아름다운 서정시로 거듭나고 있다.

애상적인 감동과는 별도로 이 작품에는 유대인 차별, 혹은 반유대
주의에 대한 신랄한 풍자가 담겨 있다는 사실도 간과할 수 없다. 19세
기 러시아에서 유대인들은 거주지 제한, 취업 제한 등 온갖 차별을 받
고 있었으며 시도 때도 없이 끔찍한 포그롬(당국의 묵인 아래 벌어진
반유대주의 폭동)을 겪어야 했다. 한편으로 일반인들은 유대인에 대
해 '세상만사를 금전적 이해득실의 잣대로만 판단하고 인색하며 교활
하다'는 편견을 갖고 있었다. 그런데 「로트실트의 바이올린」에서는 유
대인을 혐오하는 러시아인 야코프가 바로 앞에서 언급한 유대인의 특
성을 보여주고 있는 것이다. 야코프는 교활하다고 할 수는 없겠으나 세
상만사를 금전적 이해득실의 잣대로만 판단하며 인색하다. 게다가 야
코프라는 이름 자체가 이스라엘 12지파의 조상인 야곱에서 연원한다
는 것도 아이러니이다. 요컨대 체호프는 이런 역전된 설정을 통해서 유
대인에 대한 편견을 재고해보도록 제안하고 있는 것이다. 작품이 발표
된 1894년은 프랑스에서 반유대주의의 상징적 사건으로 일컬어지는
드레퓌스사건*이 일어난 해였다. 몇 년 뒤 프랑스에 체류하던 체호프
는 드레퓌스 대위의 구명 운동을 벌이던 에밀 졸라를 공개적으로 지지

---

* 유대인 장교 알프레드 드레퓌스가 간첩이라는 누명을 쓰고 종신형을 선고받은 사건.

했는데, 이는 그가 공적인 자리에서 정치적 문제에 대해 자신의 의견을
표명한 매우 드문 경우였다.

대학생

「대학생」(1894)은 체호프가 자신의 작품들 중에서 가장 좋아한 작
품이며, 그의 형 알렉산드르의 회고에 따르면 소설들이 전반적으로 너
무 비관적이지 않느냐는 주변의 불만 섞인 의견들에 대해 체호프가 내
놓은 '낙관주의 선언'이었다고 한다. 춥고 황량한 풍경에서 시작하여
"황홀하고 기적적"인 세계로 상승하는 결말은 체호프의 소설에서 보기
드물게 밝은 분위기를 보여준다.

신학대학생 이반 벨리코폴스키는 사냥에서 돌아오는 길에 과부 모
녀가 피워놓은 모닥불을 발견하고 함께 불을 쬔다. 벨리코폴스키는 모
녀의 모닥불을 보면서 예수가 형리들에게 끌려가던 날에도 베드로가
모닥불 옆에서 불을 쬐고 있었다는 데 생각이 미친다. 마침 부활절을
이틀 앞두고 있었다. 신학대학생이 베드로가 예수를 세 번 부인했던 그
날의 이야기를 모녀에게 들려주자 과부 바실리사는 갑자기 울음을 터
뜨리고 딸 루케리야는 고통스러운 듯한 표정을 짓는다. 신학대학생은
바실리사가 운 것은 "그녀가 자신의 전 존재로 베드로의 영혼 속에서
일어난 일에 몰입했기 때문"이며, 이렇게 천구백여 년 전의 과거가 현
재와 연결되어 있다는 신비로운 느낌을 갖게 된다. "그는 방금 자신이
그 사슬의 양쪽 끝을 봤다는 느낌이 들었다. 한쪽 끝을 건드렸더니 다

른 쪽 끝이 움직인 것이다."

체호프의 신앙에 대해서는 의견이 분분하다. 그는 내세 같은 것은 절대로 믿지 않는 유물론자였으며 자기는 신앙을 잃었노라고 주변 사람들에게 여러 차례 얘기했지만, 한편으로는 교회의 종소리를 사랑하고 부활절 미사에는 반드시 참석했다고 전해진다. 「대학생」의 말미에 주인공이 겪는 신비스럽고 고양된 기분은 자기만의 방식으로 영성을 추구하는 작가의 종교적 간구를 담은 것이 아닐까?

상자 속의 사나이·구스베리·사랑에 관하여

1898년에 발표된 「상자 속의 사나이」 「구스베리」 「사랑에 관하여」는 한데 묶여 '소小 삼부작'이라고 불린다. 세 단편은 서로 연관된 세 명의 화자가 '이야기 속의 이야기' 형식으로 공통된 주제를 풀어나간다.

첫번째 단편에서는 수의사 이반 이바니치와 함께 사냥 나온 김나지움 교사 부르킨이 동료 교사 벨리코프의 이야기를, 두번째 단편에서는 이반 이바니치가 자기 동생 니콜라이 이바니치의 이야기를, 마지막 단편에서는 두 사냥꾼이 비를 피해 유숙하게 된 영지의 지주 알료힌이 자기 자신의 이야기를 하는 식이다. 화창한 날에도 덧신을 신고 우산을 챙기고 다니는 고루한 금욕주의자 벨리코프는 이런저런 예의범절과 규칙들을 철저하게 지키며 타인에게도 그런 생활을 강요한다. 자신의 모든 삶을 바쳐 허접한 영지를 사들인 니콜라이는 자기 땅에서 키운 제대로 익지도 않은 구스베리 열매를 먹으며 지고의 행복을 느낀다.

일생일대의 사랑을 이룰 수 있었지만 끝내 결단하지 못하고 기회를 날려버린 알료힌은 다람쥐 쳇바퀴 도는 것 같은 예전의 삶으로 돌아온다. 큰 그림으로 보면 세 이야기 모두가 사회적으로 부과된 규범 또는 스스로 구축한 도그마에 갇혀서 자신들에게 주어진 삶의 기회를 놓쳐버린 주인공들을 그리고 있다고 할 수 있다.

그런데 여기서 체호프는 일종의 원근법적 설정을 통해 세 이야기의 차이를 만들어내고 있다. 「상자 속의 사나이」에서 벨리코프는 누가 보더라도 기괴한 '상자 인간'으로서 주변 사람들에게 불편을 끼치는 인물이다. 우리는 완전한 타자인 부르킨에 의해 우스꽝스럽게 묘사된 벨리코프를 본다. 그런데 「구스베리」의 '상자 인간' 니콜라이는 벨리코프처럼 유별난 인물이 아니며, 그가 바랐던 전원생활 또한 여느 도시인이라면 품었을 법한 소박한 꿈이라고 할 만한 것이다. 그리고 그의 이야기를 들려주며 괴로워하는 이는 바로 그의 형 이반 이바니치이다. 마지막으로 「사랑에 관하여」의 주인공 알료힌은 화자 자신이다. 그가 진정한 사랑을 얻으려면 주변 사람들의 불행을 딛고 가야 한다. 요컨대 이야기의 화자와 주인공의 거리가 점점 가까워지면서 특별한 인간 유형처럼 보였던 '상자 인간'이 바로 내 가족일 수도, 나아가 나 자신일 수도 있다는 것, 그리고 내가 상자를 벗어나 자유로워지는 것이 다른 사람을 해치는 일이 될 수도 있다는 딜레마를 보여주고 있는 셈이다.

「상자 속의 사나이」에서 벨리코프의 장례식에 참석한 지인들은 생전의 벨리코프가 그랬던 것처럼 덧신을 신고 우산을 쓰고 있다. 「구스베리」의 말미에 일상에 안주하지 말고 선한 일을 하라며 열변을 토한 이반 이바니치는 잠자리에 들더니 생전의 벨리코프가 그랬던 것처럼 이불을 머리끝까지 뒤집어쓴다. 체호프에 따르면 우리 모두가 '상자 인간'이다.

귀염둥이

「귀염둥이」(1899)에서 체호프는 마치 초기의 유머 단편 시절로 돌아간 듯하다. 두 번의 결혼에서 연달아 남편과 사별하고, 세번째로 만난 남자와도 헤어져야 했던 올렌카의 인생은 몹시 기구하지만, 새로운 남자를 만날 때마다 상대방의 관심사를 온전히 자기 것으로 만드는 그녀의 놀라운 변신 능력이 우리를 웃음 짓게 한다. 극단 단장이 남편일 때 세상에서 제일 중요한 것은 극장이었고, 목재상이 남편일 때 세상에서 제일 중요한 것은 목재였다. 수의사와 사랑에 빠진 올렌카는 가축의 위생 문제에 대해 노심초사한다. 그러나 수의사마저 먼 곳으로 떠나고 다시 혼자가 된 올렌카는 세상 무엇에 대해서도 의견을 가지지 않게 된다.

오랜 세월을 공허 속에서 시들어가던 올렌카의 삶을 다시 의미로 채워준 존재는 백발이 되어 돌아온 수의사의 어린 아들 사샤였다. 교과서를 읽는 사샤를 따라 그녀가 말하는 장면은 익살스러운 우화 같던 이야기가 갑자기 신비스러운 광채를 발하는 순간이다.

"사방이 물로 둘러싸인 육지를 섬이라고 한다⋯⋯" 그녀가 따라 했다. 그것은 오랜 세월 동안 아무런 생각도 안 하며 침묵 속에서 지내던 그녀가 확신에 차서 입 밖에 꺼낸 첫번째 생각이었다.

체호프의 유머에 세상은 진지하게 그리고 요란하게 반응했다. 아무런 자의식 없이 반려자의 관심사를 자기 생각인 양 말하는 올렌카의 모습에 분개한 여성 독자들이 체호프에게 항의 편지를 보냈다. 한편에서는 전형적인 여성의 성정을 그려냈다며 격찬하는 독자들이 줄을 이었으며, 곳곳에서 공개적인 낭독회가 열렸고 열띤 토론이 벌어졌다. 「귀염둥이」를 가장 열렬하게 찬미한 독자는 톨스토이였다. 톨스토이는 한동안 집에 손님이 찾아올 때마다 체호프의 「귀염둥이」를 읽어보았느냐고 물어보았고 안 읽었으면 자기가 읽어주겠노라고 말했다고 전해지며, 그의 격정적인 낭독을 직접 들은 여러 사람의 증언이 전설처럼 남아 있다.

체호프는 과연 올렌카를 주체성 없이 남자의 생각을 복사하는 바보로 그리고 싶었던 것일까, 아니면 사랑이 넘치는 천사로 그리고 싶었던 것일까? 항상 그렇듯이 체호프는 명확한 답을 주지 않는다. 다만 분명한 것은 「귀염둥이」에서 남자들이 급사하고, 병사하고, 쇠락하여 백발이 되는 동안, 올렌카는 매번 자신이 가진 사랑의 능력으로 거듭났으며, 마침내 사샤라는 미래를 만들어가게 되었다는 사실이다.

강아지를 데리고 다니는 여인

모스크바 근교의 멜리호보에서 살던 체호프는 1898년에 지병인 결핵이 급속히 악화되면서 의사의 권고에 따라 기후가 온화한 크림반도의 알타로 거처를 옮긴다. 그해 12월에 모스크바예술극장에서 공연된 그의 장막극 〈갈매기〉가 엄청난 성공을 거두면서 체호프는 극작가로서도 러시아 최고의 위치에 서게 되었다. 공연을 준비하는 과정에서 체호프는 모스크바예술극장의 재능 있는 주연배우 올가 크니페르를 알게 되고 두 사람의 관계는 연인으로 발전했다. 그리고 두 사람은 삼 년 뒤인 1901년에 결혼하게 된다.

체호프의 작품에서 남녀 간의 사랑은 하나같이 불발되거나 파탄으로 끝나고 마는 것으로 악명이 높다. 그런 점에서 두 남녀의 사랑이 맺어지고 있는 「강아지를 데리고 다니는 여인」(1899)은 매우 예외적인 경우이다. 썩 해피 엔딩이라고 할 수는 없겠으나 어쨌든 소설 속에서 두 사람의 관계는 지속되는 것이다. 「강아지를 데리고 다니는 여인」이 발표된 해는 체호프와 올가 크니페르의 사랑이 한창 무르익어가던 시기였다는 점을 상기한다면 이 소설의 예외성이 흥미롭게 다가온다. 소설 속의 두 사람이 각각 다른 도시에 떨어져 살면서 두세 달에 한 번씩 만나는 것처럼, 현실 속의 작가와 여배우도 얄타와 모스크바에 떨어져 살면서 서로를 그리워했다. 소설 속 구로프의 나이가 마흔 남짓이고 현실의 작가는 서른아홉 살이라는 것도 공교롭다. 물론 체호프는 구로프가 아니다. 체호프는 잘생긴 미혼의 인기 작가로서 많은 여성의 관심을 모았지만 구로프 같은 뻔뻔한 바람둥이가 되기에는 어지간히 조심스럽고 복잡한 남자였다. 올가 크니페르에 대한 작가의 사랑이 넘쳐흐르다가 작품에까지 조금 흘러들어간 정도로 생각하면 될 것 같다. 무엇보다도 두 사람은 불륜 관계가 아니라 몇 년 뒤 결혼할 사이였다.

「강아지를 데리고 다니는 여인」은 '열린 결말'이라는 후기 체호프 단편의 중요한 특징을 보여준다. 러시아 남부 휴양지 얄타에서 가족과 떨어져 홀로 휴가를 보내던 중년의 바람둥이 드미트리 구로프는 역시 홀로 이곳에 온 젊은 부인 안나 세르게예브나를 유혹하는 데 성공한다. 구로프는 안나가 예전의 다른 여성들과 마찬가지로 한때 스쳐지나간 상대라고 생각했지만 집에 돌아와서도 그녀를 도무지 잊을 수 없었다. 그런데 구로프가 가족의 눈을 피해 안나와의 진지한 만남을 시작한 시점에서 소설은 다음과 같이 끝나고 있다.

"어떻게 하지? 어떻게?" 그는 머리를 감싸쥐며 물었다. "어떻게?"
좀더 지내다보면 해결책을 찾게 될 것도 같았다. 그때는 새롭고 멋진 삶이 시작될 것이다. 그러나 두 사람은 분명히 알고 있었다. 끝은 아직 저멀리 있고, 가장 복잡하고 어려운 일이 이제 막 시작되고 있다는 것을.

종래의 소설이었다면 본격적인 이야기가 이제 막 시작될 지점에서, 작가는 모든 것을 독자의 상상에 맡긴 채 끝을 맺고 있는 것이다. 동시에 두 사람의 불륜에 대한 도덕적인 판단 또한 독자의 몫이 되고 있다. 통상 이 작품은 경박한 바람둥이 구로프가 순수한 안나를 통해 정화되는 모습, 혹은 사랑 없는 결혼생활을 이어가던 두 사람이 진실한 사랑을 찾는 과정으로 해석되는 경향이 있는데, 이는 위와 같은 '열린 결말'에 비추어 달리 생각해볼 여지도 있다. 안나는 나이가 몹시 어리다는 것 말고 구로프가 지금까지 만났던 여성들과 근본적으로 다른 점이 무엇일까? 안나가 괴로워하고 울 때마다 뭔가를 먹거나 마시고 있는(처음에는 수박을 먹고, 결말 부분에서는 차를 마신다) 구로프는 과연 예전과 다른 진실한 사랑을 할 수 있을까? 두 사람은 자신들의 관계가 세상에 밝혀지는 순간 마주치게 될 현실의 지옥을 버텨낼 수 있을까?

마흔이 다 돼서 올가 크니페르라는 인생의 반려자를 찾은 체호프는 이 작품의 주인공들을 통해 사랑의 찬가를 쓰고 있지만, 한편에서는 냉정한 사실주의자 체호프가 작동하고 있다는 느낌을 지울 수 없다. 일년 전에 발표된 「사랑에 관하여」(1898)에 또다른 젊은 안나와 늙은 드미트리, 즉 안나 알렉세예브나와 드미트리 루가노비치 부부가 등장했던 것은 우연이었을까? 알료힌의 출현으로 인해 위태로워진 이 부부의 관계는 훗날 퇴색하게 될 안나 세르게예브나와 드미트리 구로프의 관계를 미리 암시하고 있는 것은 아닐까?

약혼녀

체호프는 1904년 사망하기 한 해 전에 소설로서는 마지막 작품인 「약혼녀」(1903)를 발표했다. 이 작품과 함께, 같은 해에 발표된 희곡 「벚나무 동산」, 그리고 이 책에는 수록되지 않았지만 1902년의 단편 「주교」는 자신의 생명이 얼마 남지 않았음을 예감한 체호프가 마치 생애의 결산처럼, 혹은 유서처럼 써낸 작품들이다. 세 작품 모두 미지의 세계로 훌훌 떠나는 주인공들을 그리고 있다. 「주교」에서는 장티푸스에 걸린 주교가 그를 무겁게 짓누르던 직분으로부터 해방되어 새처럼 자유로운 느낌으로 이승을 떠난다. 「벚나무 동산」의 대단원에서는 라네프스카야 식구가 집안 대대로 살아오던 영지를 떠나 각자의 길을 찾아가면서 무대가 텅 비어버린다. 그리고 「약혼녀」에서 결혼식을 불과 몇 주 앞둔 나댜는 무위도식하는 남자와의 내키지 않는 결혼과 인습에 얽매인 집을 버리고 혈혈단신 페테르부르크로 공부하러 떠난다.

체호프의 전 작품을 통틀어 여주인공이 결연하게 행동하는 모습을 보이는 경우는 「약혼녀」가 거의 유일하다. 나댜Надя는 러시아 이름 나데즈다Надежда의 애칭으로 '희망'이라는 뜻을 갖는바, 작가는 이름에서부터 노골적으로 미래의 새로운 시대를 열어갈 주인공에 대한 기대를 싣고 있는 것이다. 다만 나댜가 페테르부르크에 가서 무슨 공부를 하게 될지, 그리고 세상 속으로 들어가 어떤 일을 하게 될지에 대해서 작가는 아무런 단서도 주지 않고 있다. 「약혼녀」의 초교지에는 나댜가 혁명운동에 투신하는 것을 암시하는 듯한 내용이 살짝 들어 있었지만 그것도 최종본에서는 삭제되었는데, 이는 나댜로 상징되는 미래의 모습을 보다 보편적인, 그리고 열려 있는 가능성으로 남겨두고 싶은 체호프의 의도로 볼 수 있을 것이다.

병약한 사샤는 결핵으로 쇠약해진 말년의 체호프를 떠올리게 한다. 그가 나댜를 새로운 세계로 인도하고 죽어간 것처럼 체호프도 자신의 마지막 주인공 나댜를 세상에 내놓고 다음해에 사망했다. 아내 크니페르와 함께 요양차 독일 남부의 바덴바일러에 머무르던 체호프는 1904년 7월 2일 마흔네 살의 나이로 세상을 떠났다.

생전의 체호프는 자기가 죽고 나면 이내 잊힐 것이라고 생각했다. 1903년 3월 말, 얄타에서 지내던 그를 방문한 후배 작가 이반 부닌에게 체호프는 이렇게 말했다고 한다.

"사람들은 앞으로 칠 년 더 내 작품을 읽을 겁니다. 그리고 나는 기껏해야 육 년쯤 더 살겠지요."

두 예상 모두 틀렸다. 작가는 그로부터 일 년 삼 개월밖에 더 살지 못했지만, 백이십 년이 지나 이 글이 쓰이고 있는 2024년에도 체호프는 세상에서 가장 많이 읽히는 단편 작가이자 셰익스피어 이래로 가장 많이 공연되는 극작가로 길이 기억되고 있다.

박현섭

1860년 러시아 구력으로 1월 17일, 러시아 남부 크림반도의 항구도시 타
       간로크에서 식료품점을 경영하는 파벨 예고로비치 체호프와 예
       브게니야 야코블레브나 모로조바의 5남 2녀 중 셋째 아들로 태
       어남. 할아버지 예고르 미하일로비치 체호프는 몸값을 지불하고
       자유를 얻은 농노였음.
1867년 그리스계 교회의 부속학교에 입학.
1868년 타간로크의 김나지움(8년제 중학교 과정)에 입학.
1873년 가을, 처음으로 극장에 가서 자크 오펜바흐의 오페레타 〈아름다
       운 엘렌La belle Hélène〉을 관람. 이때부터 이따금 극장에 다니
       며 윌리엄 셰익스피어의 〈햄릿Hamlet〉, 니콜라이 고골의 〈검찰
       관Ревизор〉 등을 봄.
1875년 맏형 알렉산드르와 둘째 형 니콜라이가 진학을 위해 모스크바로
       떠남. 알렉산드르는 모스크바대학교 물리수학과에, 니콜라이는
       미술학교에 진학함.
1876년 4월, 아버지가 파산해 일가족이 모스크바의 빈민가로 이주. 안톤
       은 가정교사로 생계를 이어가며 3년 뒤 김나지움을 졸업할 때까
       지 홀로 타간로크에 머무름.
1879년 6월, 김나지움을 졸업하고 대학입학자격 취득. 9월, 시자치회의
       장학금을 받게 되어 모스크바대학교 의학부에 입학함. 이해 말부
       터 유머 잡지에 투고하기 시작함.
1880년 첫 단편 「이웃에 사는 학자에게 보내는 편지Письмо к ученому
       соседу」가 페테르부르크의 주간지 〈잠자리〉에 게재됨. 이후 7년

간 '안토샤 체혼테' 등의 필명으로 많은 유머 소품을 주간지나 신문에 기고함. 둘째 형 니콜라이의 소개로, 훗날 유명한 화가가 된 이사크 레비탄을 만나 평생의 친구로 지내게 됨.

1881년 장막극「플라토노프Платонов」를 써서 모스크바 말리극장의 여배우 마리아 예르몰로바에게 상연 가능성을 타진했으나 거절 당함.

1882년 10월, 유머 주간지 〈조각들〉의 발행자 니콜라이 레이킨과 알게 됨. 이후 5년에 걸쳐서 약 300편의 소품을 이 잡지에 기고함.

1883년 찰스 다윈의 진화론에 기초한 논문「성性적 권위의 역사История полового авторитета」를 구상함. 단편「기쁨Радость」「관리의 죽음Смерть чиновника」「일그러진 거울Кривое зеркало」등을 발표.

1884년 6월, 모스크바대학교 의학부를 졸업. 여름에 보스크레센스크의 군자치회 병원에서 근무. 9월, 의사 개업. 12월, 처음으로 객혈. 최초의 유머 단편집『멜포메네 이야기Сказки Мельпомены』를 자비로 출판. 단편「카멜레온Хамелеон」「앨범Альбом」등을 발표.

1885년 레이킨의 소개로 〈페테르부르크 신문〉에 기고하기 시작함. 12월, 레이킨과 함께 페테르부르크로 가서 문단의 원로인 드미트리 그리고로비치와 보수파 신문 〈신시대〉의 사장 알렉세이 수보린을 방문하여 대대적인 환영을 받음.

1886년 2월, 〈신시대〉지에 단편「추도식Панихида」을 발표하면서 필명이 아닌 본명을 처음으로 사용함. 3월, 그리고로비치에게서 찬사와 격려의 편지를 받음. 4월, 두번째로 객혈. 「우수Тоска」「아뉴타Анюта」「아가피야Агафья」「수렁Тина」「반카Ванька」등이 수록된 단편집『잡다한 이야기들Пёстрые рассказы』을 출간.

1887년 단편집『황혼녘В сумерках』을 〈신시대〉사에서 출간. 9월에 장막극「이바노프Иванов」를 집필해 11월에 공연했으나 크게 실패함. 단편「적Враги」「베로치카Верочка」「입맞춤Поцелуй」「카시탄카Каштанка」 등을 발표.

1888년 1월, 월간지 〈북방통보〉에 중편「초원Степь」을 발표. 10월, 『황혼녘』으로 러시아 학술원으로부터 푸시킨상을 수상. 12월, 작곡가 표트르 차이콥스키와 알게 되어 교류하기 시작함. 단편「자고 싶다Спать хочется」「미녀Красавицы」「명명일 파티Именины」「발작Припадок」 등을 발표. 단막극 〈곰Медведь〉〈청혼Предложение〉이 성황리에 공연됨.

1889년 희곡「이바노프」를 개작, 페테르부르크의 알렉산드린스키극장에서 상연해 성공을 거둠. 6월, 화가인 둘째 형 니콜라이가 폐결핵으로 사망. 7~8월, 중편「지루한 이야기Скучная история」를 집필. 12월, 장막극 〈숲의 정령Леший〉을 모스크바의 아브라모바극장에서 상연했지만 혹평을 받음. 단편「공작부인Княгиня」「내기Пари」, 단막극「결혼식Свадьба」 등을 집필.

1890년 3월, 단편집 『우울한 사람들Хмурые люди』을 출판. 4월, 마차로 시베리아를 횡단해 유형지인 사할린섬으로 향함. 7월, 사할린섬에 도착해 이후 3개월간 유형지의 실태를 조사함. 10월, 사할린을 출발해 바닷길로 홍콩, 싱가포르, 실론, 수에즈운하를 경유해서 12월 초순 모스크바로 돌아옴. 단편「도적들Воры」「구세프Гусев」, 기행문「시베리아로부터Из Сибири」 발표.

1891년 3~4월, 수보린과 함께 남부 유럽을 여행. 중편「결투Дуэль」 발표. 사할린에서 벌인 조사 활동을 기록한 『사할린섬Остров Сахалин』을 집필. 가을에 대기근으로 인한 난민들을 구제하는 사업에 전력함. 단편「베짱이Попрыгунья」, 단막극「창립기념일Юбилей」 등을 집필.

1892년 니제고로드, 보로네시의 기근 구제 활동에 참여함. 3월, 모스크바에서 남쪽으로 60킬로미터 떨어진 곳에 자리한 시골 마을 멜리호보에 땅을 구입해 일가족을 이주시켜서 같이 살게 됨. 여름에 콜레라가 유행하자 의사로서 방역 사업에 참여함. 11월, 「6호실Палата № 6」을 〈러시아 사상〉지에 발표해 큰 반향을 불러일으킴. 단편 「아내Жена」「공포Страх」「이웃들Соседи」 등을 발표.

1894년 3월, 얄타에 체류하는 동안 심장 이상을 겪음. 9~10월, 남부 유럽의 밀라노, 니스 등을 여행. 중편 「검은 수도사Чёрный монах」, 단편 「로트실트의 바이올린Скрипка Ротшильда」「대학생Студент」「문학 교사Учитель словесности」 등을 발표.

1895년 8월, 야스나야 폴랴나에 찾아가 처음으로 레프 톨스토이를 방문. 11월, 희곡 「갈매기Чайка」를 집필. 중편 「삼 년Три года」, 단편 「아리아드네Ариадна」「살인Убийство」「목 위의 안나Анна на шее」 등을 발표.

1896년 8월, 멜리호보 근교의 탈레슈 마을에 초등학교를 건설해 기증함. 8~9월, 캅카스와 크림반도를 여행. 10월, 알렉산드린스키극장에서 〈갈매기〉를 초연하지만 대실패로 끝남. 단편 「다락방이 있는 집Дом с мезонином」을 발표.

1897년 멜리호보 근교의 노보셸키 마을에 초등학교를 건설해 기증함. 3월, 모스크바에서 수보린과 만나 식사하던 중 심하게 객혈해 입원함. 4월, 〈러시아 사상〉지에 「농부들Мужики」을 발표. 9월, 요양을 위해 니스로 가서 1898년 4월까지 체류.

1898년 니스와 파리에 체류하며 드레퓌스사건에 관심을 기울이면서 에밀 졸라의 활동을 지지하고 〈신시대〉지의 반동적 자세에 분개함. 3월, 고향 타간로크의 도서관에 프랑스 문학서적 300권을 기증. 5월, 프랑스로부터 귀국. 9월, 모스크바예술극장을 방문하고 여배우 올가 크니페르를 알게 됨. 10월, 아버지 파벨 체호프 사망. 얄타에서 땅을 구입. 11월, 막심 고리키에게서 첫 편지를 받고 이후로 자주 서신을 주고받게 됨. 12월, 모스크바예술극장에서 〈갈매기〉를 공연해 대성공을 거둠. 단편 「상자 속의 사나이Человек в футляре」 「구스베리Крыжовник」 「사랑에 관하여О любви」 「이오니치Ионыч」 등을 발표.

1899년 작품의 판권을 마르크스출판사에 매각함. 3~4월, 얄타에서 고리키와 교유하는 한편, 알렉산드르 쿠프린, 이반 부닌 같은 작가들과도 알게 됨. 4월, 모스크바예술극장의 여배우 올가 크니페르를 방문해 급속히 가까워짐. 8월, 얄타의 새집으로 이사. 10월, 모스크바예술극장에서 〈바냐 삼촌Дядя Ваня〉을 초연. 단편 「귀염둥이Душечка」 「강아지를 데리고 다니는 여인Дама с собачкой」 등을 발표.

1900년 1월, 톨스토이, 블라디미르 코롤렌코와 함께 학술원 명예회원으로 선출됨. 4월, 얄타에서 요양중인 그에게 모스크바예술극장 단원들이 위문차 찾아와 〈바냐 삼촌〉을 공연함. 8월, 본격적으로 장막극 「세 자매Три сестры」를 집필하기 시작함. 이 무렵 올가 크니페르에게 자주 편지를 보냄. 단편 「골짜기В овраге」를 발표.

1901년 1월, 모스크바예술극장에서 〈세 자매〉를 초연. 5월, 올가 크니페르와 결혼. 8월, 유서 작성. 12월, 객혈.

1902년 4월, 페테르부르크에서 아내 올가가 발병하자, 이를 간호하다가 과로로 객혈. 6월, 장막극 「벚나무 동산Вишнёвый сад」을 구상. 8월, 고리키의 학술원 명예회원 자격 박탈에 항의해 자신도 명예회원직을 사퇴함.

1903년 1월, 발병. 여름부터 「벚나무 동산」의 집필에 착수해 10월에 탈고. 최후의 단편 「약혼녀Невеста」 발표. 12월, 〈벚나무 동산〉의 리허설을 보기 위해 모스크바 방문.

1904년 1월, 모스크바예술극장에서 〈벚나무 동산〉 초연. 2월, 얄타로 돌아오지만 결핵 증상이 악화됨. 6월, 요양을 위해 아내 크니페르와 함께 독일 남부의 바덴바일러로 떠남. 그럼에도 병세가 호전되지 않아 7월 2일 오전 세시에 장결핵으로 타계. 유해는 모스크바 노보데비치 수도원의 묘지에 안장됨.

문학동네 세계문학전집 발간에 부쳐

세계문학은 국민문학 혹은 지역문학을 떠나 존재하는 문학이 아니지만 그것들의 총합도 아니다. 세계문학이라는 용어에는 그 나름의 언어와 전통을 갖고 있는 국민문학이나 지역문학의 존재를 인정하면서 그것을 넘어서는 문학의 보편적 질서에 대한 관념이 새겨져 있다. 그 용어를 처음 고안한 19세기 유럽인들은 유럽문학을 중심으로 그 질서를 구축했지만 풍부한 국민문학의 전통을 가지고 있는 현대의 문학 강국들은 나름의 방식으로 세계문학을 이해하면서 정전(正典)의 목록을 작성하고 또 수정한다.

한국에서도 세계문학 관념은 우리 사회와 문화의 변화 속에서 거듭 수정돼왔다. 어느 시기에는 제국 일본의 교양주의를 반영한 세계문학 관념이, 어느 시기에는 제3세계 민족주의에 동조한 세계문학 관념이 출현했고, 그러한 관념을 실천한 전집물이 출판됐다. 21세기 한국에 새로운 세계문학전집이 필요하다는 것은 명백하다. 우리의 지성과 감성의 기준에 부합하는 세계문학을 다시 구상할 때가 되었다.

문학동네 세계문학전집은 범세계적으로 통용되는 고전에 대한 상식을 존중하면서도 지난 반세기 동안 해외 주요 언어권에서 창작과 연구의 진전에 따라 일어난 정전의 변동을 고려하여 편성되었다. 그래서 불멸의 명작은 물론 동시대 세계의 중요한 정치·문화적 실천에 영감을 준 새로운 작품들을 두루 포함시켰다.

창립 이후 지금까지 한국문학 및 번역문학 출판에서 가장 전문적이고 생산적인 그룹을 대표해온 문학동네가 그간 축적한 문학 출판 경험을 바탕으로 새로운 세계문학전집을 펴낸다. 인류가 무지와 몽매의 어둠 속을 방황하면서도 끝내 길을 잃지 않은 것은 세계문학사의 하늘에 떠 있는 빛나는 별들이 길잡이가 되어주었기 때문이다. 우리가 자부심과 사명감 속에서 그리게 될 이 새로운 별자리가 독자들의 관심과 애정에 힘입어 우리 모두의 뿌듯한 자산이 되기를 소망한다.

문학동네 세계문학전집 편집위원
민은경, 박유하, 변현태, 송병선, 이재룡, 홍길표, 남진우, 황종연

세계문학전집 248

상자 속의 사나이

초판 인쇄 2024년 5월 29일
초판 발행 2024년 6월 14일

지은이 안톤 체호프 | 옮긴이 박현섭

책임편집 이단네 | 편집 황현주 오동규
디자인 강혜조 최미영 | 저작권 박지영 형소진 최은진 서연주 오서영
마케팅 정민호 서지화 한민아 이민경 안남영 왕지경 정경주 김수인 김혜원 김하연 김예진
브랜딩 함유지 함근아 고보미 박민재 김희숙 박다솔 조다현 정승민 배진성
제작 강신은 김동욱 이순호 | 제작처 영신사

펴낸곳 (주)문학동네 | 펴낸이 김소영
출판등록 1993년 10월 22일 제2003-000045호
주소 10881 경기도 파주시 회동길 210
전자우편 editor@munhak.com | 대표전화 031)955-8888 | 팩스 031)955-8855
문의전화 031)955-1927(마케팅), 031)955-1916(편집)
문학동네카페 http://cafe.naver.com/mhdn
인스타그램 @munhakdongne | 트위터 @munhakdongne
북클럽문학동네 http://bookclubmunhak.com

ISBN 979-11-416-0006-8 04890
     978-89-546-0901-2 (세트)

www.munhak.com

● 문학동네 세계문학전집은 계속 출간됩니다